かたおもい

单恋

〔日〕东野圭吾 著　赵峻 译

南海出版公司

新经典文化股份有限公司
www.readinglife.com
出　品

单 恋

第一章

1

话题一转到大四时的联赛，哲朗顿感不妙——又要说那些事了。他低头喝啤酒，酒有点温了。

"关键还是第三节的射门，如果那个球进了，形势就会大不相同。可那球飞了，真像挨了一记闷棍。"安西眉间皱起笑纹。他是那场比赛的进攻内锋，如今身形仍和当年一样魁梧，脖子也粗壮，不同的是肩背都变圆了，肚子也鼓得像塞了西瓜。

"我说过很多遍了，没有踢球手能从那么远的距离进球得分。"须贝一手拿着筷子，噘着嘴说。他在保险公司上班，曾经的帝都大学美式橄榄球队王牌踢球手，如今在公司的外号是"大熊"。"当时离球门有三十七八码，不，大概有四十码。"

坐在安西旁边吃着火锅的松崎闻言差点噎住，用筷子指着须贝说："这家伙每次说起那个球，距离都在增加，上回说的是三十二三码。"

"没那回事。"须贝一脸心不在焉。

"就是就是，没错。"安西拍拍大腿，"是吧，西脇？"

名字被点到，哲朗不得不加入对话："好像是吧。"声音无精打采。

"你忘了吗？"

见安西不满，松崎用胳膊肘顶顶他侧腹："他不会忘记那场比赛。"

安西顿时笑道："哈哈，也是。"

哲朗只能苦笑，话题果然转到了他不愿触及的方向。

那是大学联赛的总决赛。赢了那场，哲朗他们队就能拿冠军。

"最后八秒，"松崎抱着双臂叹气，"那会儿要进了就太棒了，他们一定会说是西胁的魔术。"

"要是投给早田，就成了。是吧，早田？"安西对坐在最边上喝着兑水威士忌的人说。

"谁知道呢。"那人懒洋洋地回话，看样子不想接话茬。他多半也腻了。

"绝对该传给早田。"安西不依不饶，"当时我看着呢，没人防早田，他在达阵区左侧，没有一个四分卫会错过那个传球目标，剩下的就等西胁把球传给他了。绝佳的达阵机会。我还以为赢定了，结果……"他没往下说。在场的人都知道比赛结果。

"当时压根没想到会往我这儿投。"松崎接着说，"我被防死了。战术意图完全被识破了，对方负责防守的是有名的小笠原。西胁投出的刹那，我就想，完了。"

哲朗只得默默听着。火锅颜色渐浓。喝口啤酒，味道比刚开始碰杯时苦多了。

在座的都曾是帝都大学美式橄榄球队队员，一群被迫将几乎全部的生活奉献给橄榄球的伙伴。大部分队员毕业后各奔东西，只有住在东京的每年还能聚上一次。今年是第十三次聚会，地点和往年一样，在新宿的一家火锅店，日子也是雷打不动的十一月第三个星期五。

"帝都大学的西胁，当年可是公认可列入前三名的四分卫。"安西已有些醉意，"那时……是怎么回事？我们可真没想到会那样。"

"行了！"哲朗皱起眉头，"你们也该适可而止了。同样的话要说多少年？也该忘了吧！"

"忘不了！"安西用大如橄榄球手套般的手拍拍桌子，"当年师兄们骗我，说如果我加入，绝对能拿第一，我才把坚持练到高中的柔道扔了。早知道拿不了冠军，我就不玩橄榄球接着练柔道了，没准能到巴塞罗那呀亚特兰大呀……"

"至少拿块铜牌，对吧？"须贝叹气，"这话一开头可就长了。"

"灌他酒，让他闭嘴！"松崎笑着说。

哲朗一脸索然。一只拿啤酒瓶的胳膊伸了过来，是早田。哲朗端起杯子。"高仓今天晚上也上班？"早田声音低沉。

"嗯，去京都了。"

"京都？"

"说是花道师父造了豪华会馆，举行落成典礼，她去给杂志社拍照。"

"哦。"早田点点头，喝了一口酒，"真能干！摄影师这行当男人做起来都累。"

"她说自己喜欢，不觉得累。"

"也是。"早田又点点头。

"高仓不来，可真没劲呀。"安西已醉得口齿不清。

哲朗的妻子理沙子曾是橄榄球队经理，旧姓高仓。她和哲朗已结婚八年，伙伴们仍用当年的姓来称呼她。

"日浦也好久没见了。"须贝若有所思。

"日浦……真想她呀。"安西又拍了一下桌子，"那家伙可不像女经理，规则呀赛程什么的比咱们还在行。"

"说起来，日浦还常常教安西规则呢。"须贝点点头说。

"虽是女人，可真了不起，还跟教练认真讨论过战术呢。那家伙现在在干什么？"

"听说结婚生子了。"哲朗开口道，"理沙子说的。但她俩也只是三年前打过电话，之后就没联系了。"

"女人一结婚，交往的圈子一下就变了。"须贝说。

"男人也会变。"松崎的表情很认真，"中尾这小子今天又没来。结了婚就忘记老朋友，变成模范丈夫了。"

"他老婆很厉害，"须贝接过话茬，毫无意义地压低嗓门，"富家女果然难伺候，得乖乖听话。倒插门女婿真不容易。"

"哎呀呀，咱们引以为豪的跑卫也没逃脱老婆的罗网呀。"安西把酒瓶拉到手边，想给自己斟酒，瓶子却已空了。

聚会十点结束，前橄榄球队员们在饭店前道别。以前会接着去第二家、第三家喝酒，如今已没人开口提议。他们都已成家，时间和金钱都已不能自主。

哲朗和须贝一起朝地铁站走去。

"真不嫌腻，还是那些话。"须贝说，"说我总说那个射门，提起你总说最后的传球。错过冠军我也懊恼，可都过去十三年了，难道还放不下？"

哲朗默然笑笑，心里很明白安西、松崎他们并非真的在意，重提往事只是想找回些什么。

须贝胸袋里的手机响了，他取出走到路旁。"什么呀，刚才还在说你呢……嗯，刚散，西脇就在旁边。这会儿正要去坐地铁。"须贝捂住手机对哲朗说，"是中尾。"

哲朗点头，撇撇嘴。说曹操曹操到。

"啊，除了你都到了，高仓和日浦没来……哈哈，没错，全是男人，安西说西脇不用来，只想见高仓……嗯，大家都是老样子。"

哲朗苦笑着听须贝说话。前年聚会之后，再没见过曾经的飞毛腿中尾。

中尾看来没什么要紧事，须贝挂了电话。"他说明年会来。"

"是吗？"哲朗答道，心想：去年那家伙也这么说。

刚要往前走，须贝忽然止步，往哲朗身后看去，一脸惊愕地半张着嘴。

"怎么了？"哲朗顺着他的视线看去，玩兴未尽的年轻人和匆匆回家的上班族往来穿梭——景象和往常毫无二致。

哲朗刚想再问，发现人群对面有个女子背对车道凝望这边。

"那不是……日浦吗？"哲朗自语。

"是吧，果然是她，那家伙在干吗？"须贝挥挥手。

没错，那边站着的正是日浦美月。略微上挑的眼睛和细高的鼻梁依然如故，只是脸颊瘦削，下巴看起来比以前尖。她穿着黑裙配灰外套，手里拎着个大包。

美月好像早已看见他们，发现他们注意到了自己，就穿过人群走了过来，眼睛看着哲朗。

"头发长了啊。"须贝说。

美月留着及肩的褐色长发，大概染过，被风一吹有点乱。哲朗想，一下子没认出她是因为头发，记忆中的她总是留着齐耳短发。可除了这一点，她给人的感觉和哲朗印象中的也很不一样，这似乎并不是因为岁月的流逝。

美月在他们面前止步，来回看着两人，浮出的笑容很不自在。和她四目相对的瞬间，哲朗心生一丝异样的感觉，如同被异物羁绊。

她动动唇，却没发出声音。

"你在这儿干什么？知道今天是十一月第三个星期五吧？"须贝的语气与其说是责备，更像在质疑。

美月两手摆出道歉的姿势，然后放下大包，拿出一个小记事本和圆珠笔。

"究竟怎么回事？"

她没回答须贝的问题，而是在记事本上写了几个字，递给哲朗——"找个地方说话"。

2

"怎么回事？"哲朗盯着美月，"你说不了话？嗓子怎么啦？"

"感冒？"须贝也问道。

她摇头，又在本子上写字让他们俩看："现在不能回答，回头细谈。"

哲朗和须贝相互看了看，再望向美月。"怎么了？出不了声吗？"

美月缄口不语，只是指着本子上的字。

"奇怪的家伙，一定是出事了。"须贝说。

"总之不能在这儿说，找个能好好说话的馆子吧。"哲朗说。

美月闻言皱起眉，重重摇头。

"不想去人多眼杂的地方？"哲朗问。她点点头。

须贝呼出一口气。"什么呀，没人打扰的地方只有练歌房了。"

"行吗？"哲朗问她。

她犹豫似的歪着头，烫过的头发随风飘动。

哲朗这才注意到她和以前最大的不同在于化妆。她的妆比以前要浓，而且并不精致，像是把手头的化妆品乱涂一气，口红也涂出了嘴唇。她这副模样比不出声更让哲朗不安。

"不然去我家？"哲朗干脆地问道。

美月抬起头，直直盯着他的眼睛，眼神在问：可以吗？

"我没问题，须贝，你呢？"

"我当然也没问题。"须贝拉起西服袖口看表，"都这么晚了，不会打搅你吗？哦，高仓今晚不在，是吧？"

"说是要晚回，不用管她。"哲朗看看美月，"怎样？我家离这儿很近。"

她像是想说什么，动了动唇，但终究没出声，似是带着歉意般轻轻点头。

"就这么定了。"哲朗拍了一下须贝的背。

三人从新宿三丁目搭乘丸之内线。进地铁站前,须贝用手机拨打家中的电话,说碰上了大学时的女同学,一会儿要去西胁家,说完把手机递给哲朗:"我老婆让你接电话。"

"我?"

须贝努努嘴点头。

哲朗接过电话问好。他见过须贝的妻子,参加过他们的婚礼。她一张长脸,拥有日本女子的典型五官。

须贝的妻子问"这么晚了,不打扰吗",哲朗请她放心。

"真是贤惠呀,还是担心你拈花惹草?"

"没有的事,是怕我喝酒。"

"喝点酒也没什么吧,又不是去银座。"

"小儿子马上要上小学,还要付房贷,花钱得精打细算。"

须贝去年年底买了位于荻窪的公寓。

"你小子真自在呀,高仓又上着班。"

"也没那么舒服。"

三人走下地铁站台阶。途中,美月戴上墨镜。哲朗暗暗纳罕,但未询问。

丸之内线人很多,须贝被挤到车厢一侧,哲朗和美月则被挤到对面的车门附近。哲朗让美月站在门边,自己和她相向而立,两手撑在车厢上护着她。电车一摇,哲朗就得调整身体朝向,他觉得自己简直是进攻内锋。

美月像在躲避他的目光,一直低着头。哲朗从墨镜与面部的缝隙间能看见她长长的睫毛,没涂睫毛膏。

在车厢里的灯光下,她糟糕的化妆暴露无遗。粉扑得不均匀,丝毫掩盖不了粗糙的皮肤。哲朗还注意到,她化着这么浓的妆,却没有一点香味，反而有一股汗酸味。

这汗味引发的联想，是昏暗的走廊和破旧的敞开的门，门上挂着掉了色的牌子，上面写的"美式橄榄球队"也模糊不清。

门对面的屋子混杂着灰尘、汗臭和霉味，杂乱地堆着护具和头盔。屋子中央站着一个女子。阳光透过多年没擦的窗玻璃射进来，照亮了她的右半身。

"我懂QB的心情。"她，日浦美月说。那是最后一战的翌日。尽管只有哲朗和她两个人，屋子里仍充满队员们身体散发的热气。"随它去吧，不是QB的错。"她慢慢点头。那时她称哲朗为QB，即Quarterback（四分卫）。

"是我失误了，"哲朗答，"因为我的错，没能赢。"他戏剧性地叹了一口气。

差五分，十九比十四。若达阵就能逆转。

哲朗他们本就处于劣势，已有心理准备。对手防守很强，己方最强的武器是跑卫中尾的速度，一旦中尾被封死，则胜算渺茫。

哲朗等人孤注一掷投入进攻，试图在盯着中尾的防线上撕开口子。他们增加假动作，假装把球传给中尾，中尾假装接球，像往常一样奔跑。趁着对方防守队员被他迷惑的工夫，哲朗将球传给外接手松崎和近端锋早田。对手完全被蒙蔽了，因为那个赛季帝都大学队很少传球，他们忘了西胁哲朗截至上个赛季还是联赛中数一数二的四分卫。

但这一战术没能奏效多久，进入赛程后半段，面对哲朗和中尾的假动作，对手不为所动。终于，到了最后八秒。

只剩最后一搏的机会，离球门有十八码。

哲朗右手持球，边后撤边寻找目标。对手的防线如野兽般逼过来，己方的防守队员拼命阻止。时间所剩无几，对手即将朝哲朗撞来。如果持球被抓，就完了。

哲朗把球投了出去，球画着弧线朝松崎飞去，松崎拼命去抓。若他的胳膊再长十厘米就够着了，但抓住球的是对方后卫。对方队员立刻欢呼雀跃，帝都大学队则顿时鸦雀无声。哲朗后来看录像才知道，边线的早田无人防守。

"都怪我。"屋子里只有两个人时，哲朗反复说。

"没那回事，你尽力了。"美月捡起脚边的球，朝他扔过来。哲朗用胸口顶了一下，球力道十足，让他意外。

她说："挺起胸膛！"

哲朗盯着球，然后看她。她咬着下唇扬起下巴，充血的眼睛瞪着他。

此后两人再未说起那场比赛。毕业后，每年一次的聚会她也只来过前三回，之后就杳无音信。

三人在东高寺下车。哲朗家离车站只须走几分钟。租的大两居，房子盖了才三年，很结实，还带电子锁。每次说起是租的房子，别人都劝哲朗不如买下来，他和理沙子却从没提起这个话题。

三人乘电梯到六层。各住户呈コ形排列，哲朗家在最里面。开了门，屋里一片漆黑，哲朗开灯请两人进去。

"全是高档货呀，写体育文章这么赚钱？"须贝环顾着客厅说道。

"没什么高档货，都是一般的东西。"

"不对吧，我多少也懂一点。"须贝细看橱柜上摆的外国餐具。那些全是理沙子在国外买的，她喜欢收集餐具。

"不说这个了，坐吧。"

"对对。"须贝坐进皮沙发，摸摸扶手，"好东西手感就是不一样。"

双人沙发和三人沙发摆成直角。须贝坐的是三人沙发，哲朗在他旁边坐下。美月则一直站着。

"怎么了？坐呀。"哲朗指指双人沙发。

美月不答，拿出小本子。

"又笔谈呀……"须贝小声说。

她表情凝重地写了几个字，递给哲朗——"洗手间在哪儿"。

"走廊第二个门。"

她拿起包出了客厅。哲朗想，大概是去洗脸，如果把糟糕的妆容卸掉就好了。

"好像出不了声，嗓子有问题？"须贝扭扭脖子。

"她刚才在那儿，是在等我们。怎么没进去呢？"

"大概是不想见其他人。"

"为什么？"

"不知道……"须贝挠挠头。

哲朗进了厨房，把水倒进咖啡机，装好过滤纸。

卫生间响起开门声，美月像是出来了。哲朗把西班牙咖啡粉放进过滤纸，摁下开关，打开橱柜，拿出杯子放在台面上。

哲朗感觉到美月进了客厅。

"啊……这是谁？"须贝说不出话了。美月不答。

怎么回事？哲朗想着走出厨房。

门前站着一个男人，陌生的小个子男人，穿着黑T恤和牛仔裤，朝哲朗慢慢转过头来。

你是谁？哲朗也差点脱口而出，但马上意识到那张脸是美月的。虽然成了短发，妆也全卸掉了，但眼前站的无疑是她。

须贝直起身，半张着嘴，瞪大眼睛。我一定也是这副表情——哲朗惊讶得说不出话，脑子里却这么想。

美月交替看看他们，翘了翘嘴唇，像是在笑，既像讥笑呆若木鸡的两人，也像嘲笑自己的样子。

她吸了一口气，哲朗屏住呼吸。

"好久不见，QB。"美月终于出声。

是男人的声音。

3

哲朗有种奇妙的感觉。眼睛看到的和耳朵听到的有偏差，正如那种看到电视里放着外国电影，听到的配音却一点都不像好莱坞明星时的困惑。

"说话呀，QB。"美月说。那声音很陌生，却和她嘴唇的开合相符。"须贝也是，嘴别张那么大啦。"

哲朗从头到脚扫视了她好几遍，总算开了口："是……日浦？"

"当然，但大概不是你们认识的日浦美月。"美月唇边浮出微笑。

"怎么回事？这打扮，还有，"哲朗指指她嘴巴，"这声音。"

她低下头，随即抬起："说来话长。我正是想说给你们听，才在那儿等的。"

哲朗点头。"坐下说。"

美月大步走到沙发中央坐下，穿着牛仔裤的双腿微微分开。

一直盯着她的须贝在她坐下后开口了："这不是什么伪装吧？"

美月笑了，露出雪白的门牙。"不是，是认真的。"

须贝挠挠鬓角，看起来越发不安。

哲朗在须贝旁边坐下，又看看美月。她的表情有点古怪。

"这……究竟怎么回事？"哲朗问。

美月两手放在膝盖上，坐得笔直。"最后见到你们，是什么时候来着？"

"大概十年前……对吧？"哲朗问须贝。

"差不多，"须贝说，"日浦那会儿还在上班，是建筑公司，对吧？"

"记性真好。"美月表情柔和下来，"没错，那会儿还是上班族，进公司三年了，还是干点复印、文字录入之类的杂活，直到辞职也没什么变化。"

"听理沙子说你结婚了。"

"二十八岁那年秋天。"美月答,"工作是早就辞了,实在没劲,想搞设计才进的那家公司,却没让我画过一张图。我再次认识到,女人总受压制。"

"我说,"须贝犹豫着插嘴,"你说的这些或许也重要,可我想……"

"想先问我为什么这副样子?发型、服装,还有这声音?"

"老实说是这样。如果你不说……怎么说呢,总不踏实,对吧?"最后的"对吧"是冲哲朗说的。

"我尽量说得简短些。"美月看看他俩,"你们觉得我为什么结婚?"

"为什么?应该是喜欢对方吧?"须贝答。

"不对。我们是相亲结的婚,他在银行上班,比我大八岁,给我的第一印象是认真,结婚后也这么觉得。他很能干,可我不是因为这个跟他结的婚,而是我必须结婚,跟谁都行。"

"为什么那么着急?"须贝问。

"简单地说,是想让自己死心,想让自己知道自己是女人,只能做女人。我以为结了婚就会死心,就不再抱幻想。"

哲朗不可思议地听着她语速飞快的诉说,一时间没明白话里的意思,直到她带着停顿意味的眼神让他察觉到了什么。

"你……不会吧……"他喃喃自语。

美月默然点头作答。

不会吧……哲朗在心里重复。但她现在的外表显示他的直觉没错。

"啊?说什么?怎么回事?"须贝好像还没反应过来,盯着美月和哲朗。

"就是说,你不是女人,对吧?"哲朗说,心里却想,怎么可能?难以置信。

美月答得冷静:"没错。"

"不是女人?那是什么?"须贝愕然。

"是啊，是什么呢？我自己觉得是男人。"美月嘴角的笑有点奇怪。

须贝似乎仍摸不着头脑，求助般看向哲朗。

"不是在恶作剧？"哲朗向美月求证。

她扬扬下巴，像在说：当然。

哲朗做了个深呼吸，以宣告重大事件般的心情开口道："性别认同障碍。"须贝"啊"了一声。哲朗看看他。"你应该听说过这个词。"

"啊，知道，可是那个……"须贝挠挠头发开始稀疏的脑袋，"呃，怎么说呢，是指天生那方面就异常的人，对吧？可日浦以前不是那样，是个正常女人呀。"

"所以，"美月说，"我有必要解释。首先希望你们能接受两点：第一，这不是撒谎或开玩笑。第二，我①的痛苦由来已久。"

"我……"哲朗重复着美月的自称。虽然事实摆在眼前，却有什么东西在拒绝正视。

"没错，"美月接着说，"我是个男人，从很久以前，从认识你们之前就是。"

4

厨房传来恒温器的声响，香味扑鼻。哲朗想起咖啡机还开着，站起身来。美月和须贝都不说话。美月大概在等着看他们俩对自己的告白有什么反应，须贝大概不知如何应对。

哲朗把咖啡倒进两个马克杯和一个咖啡杯，用托盘端过来，在自己和须贝面前放下马克杯，在美月面前铺上杯垫，放下咖啡杯。难堪的沉默中，三人啜着咖啡。哲朗和须贝加了牛奶，美月喝着黑咖啡。

---

①在日语中，"我"有多种说法，男女有别。此处美月用的是男子专用的"オレ"。

美月放下咖啡杯，扑哧笑出声来。"忽然听到这种事，很吃惊吧？"

"这……能不吃惊吗？"须贝看看哲朗。

哲朗点头。"你说很久以前就这样？"

"嗯，也许从一生下来就是。"

"在我眼里你可是个女人。"须贝说，"虽然觉得你有些奇怪，可从没觉得你不是女人。"

我还不是一样！哲朗暗道。

"人被逼到绝境，什么戏都能演。"

"那是在演戏？"须贝问。

"要说是否一切都是演戏，还真不好回答，很难说清楚。那种心理很复杂，你们不会理解的。"

无法理解，事实如此，所以哲朗什么也没说。须贝也一样。

"小时候上的幼儿园里有个小池子，"美月端起咖啡，接着说，"夏天很喜欢在那里玩水，可是我有件事弄不明白：为什么自己穿得跟大家不一样。"

"泳衣？"哲朗问。

"没错。伙伴们只穿黑色泳裤，而我得穿遮住上身的泳衣，并且不是红的就是粉的——我认为只有平时穿裙子的女孩才会这么穿，而我平时只穿裤子，所以该和男孩一样穿黑色泳裤。"美月喝了口咖啡，拢拢短发，"被当成女孩对待，我觉得别扭，这是最早的记忆，后来一直在和母亲反复拉锯：你得穿裙子，不想穿；玩点女孩玩的游戏，不想玩；头发上扎个丝带，不想扎。我母亲在家教严格的家庭长大，脑中有一幅理想的亲子图，如果不如愿，不光责怪丈夫孩子，还会责备自己。她大概注意到独生女性格古怪，急着想趁早矫正。"

"可没成功。"

美月对说话的哲朗点点头。"很遗憾。也许她坚信成功了。"

"什么意思？"

"等到了懂事的年龄，孩子也会处处留意。看到母亲因为自己而哭泣，我开始觉得不能这样了。"

"然后开始演戏？"

"算是吧。虽然不情愿，还是穿上裙子；虽然不开心，还是和女孩子们一起玩，学她们说话的样子。于是，母亲放心了，家里也相安无事。但我一直觉得这样不对，不是真正的自己。"

须贝轻叹一声，脱下西服，松松领带。"怎么说呢……一下还真是反应不过来。对我来说，你一直就是女人，即使你现在说自己不是……"

"我内心一直没变，再说和球队的伙伴们在一起很轻松，因为大家没把我当女人看待，在我面前大大咧咧地换衣服，不对我另眼相看。理沙子曾生气地说这样一点都不优雅，可我不这么觉得，老实说，反而很开心。"

"那是因为你不是一般女人。"须贝说，"刚才安西也说，像你那么熟悉橄榄球的女人，找不出第二个。"

听到熟悉的名字，日浦表情柔和下来。"安西还好？"

"老样子，就是肚子越来越大。"

"那家伙真是好人，一般人不会去请教女人。当年能进球队真好。"美月垂下眼帘，"要是能穿上护具就更好了。"

"早知道是这样，那会儿就让你穿一回了。"须贝笑着望向哲朗。哲朗点头称是。

"但美好时光也只有那一段。"美月的表情凝重起来，略微嘶哑的声音更加低沉，"刚才也说了，在公司上班的日子最糟糕，就因为拥有女人的身体，我不知有多懊丧……"

哲朗不知如何应答，端起杯子送到嘴边。他知道女性在社会中常受到不公平对待，但美月说的痛苦大概不属于这个层面。

"辞职后我做了不少尝试，寻找可以不用意识到自己性别的工作。然而问题不在于工作内容，而在于如何与人相处。既然要和人打交道，就不得不意识到身体和内心的反差。"

"所以死心了，"哲朗说，"想到结婚？"

"我想这样一来，自己总会有变化，只要结婚生子，就……"美月眼神凄凉。

"记得你有孩子。"哲朗问。

"六岁了，男孩，令人羡慕的是他有小鸡鸡。"

她大概是想开玩笑，可哲朗笑不出来。须贝盯着杯底。

这时，门外响起开锁声。三人相互看了看。

"理沙子回来了。"哲朗说。

美月直起腰，焦点不定的眼神在空中游离，这是她今天第一次面露狼狈。但她马上又坐下了，似乎在说：事到如今，急也没用。

哲朗来到走廊，理沙子正在玄关脱鞋。

"回来啦。"

或许是没想到哲朗会来迎接，她单脚站着，瞬间停止了动作。"啊，回来了。"

"这么晚。"

"我不是说了要晚回吗？"理沙子脱下另一只鞋，看看玄关放着的两双陌生鞋子，"有客人？"

"球队的家伙们。"

"这我知道，是谁？"

"一个是须贝，你猜另一个是谁？"

理沙子一脸不耐烦。"别兜圈子，我累了。"

她拎着装摄影器材的大包，向客厅走去。哲朗抓住她空着的那只手。"等一下。"

"怎么了？"理沙子皱起眉头，刘海遮着眉梢。

"日浦来了。"

理沙子蓦地睁大眼睛，一脸猝不及防的表情。

"日浦美月那家伙来了。"

"美月？是吗？"她面露喜悦，看样子想立刻见面。

哲朗没松手。"见她之前，我有话跟你说。"他看看诧异的理沙子，接着说，"那家伙跟以前不一样了。"

"怎么回事？"

这时，门开了。理沙子转身看去，美月站在那儿。

"这么回事。"她说。

5

就哲朗的观察，理沙子并没太惊讶，见到美月的一瞬间，好像并没认出她是谁，随即不加掩饰地流露出见到老朋友的喜悦。

对哲朗他们坦承过的话，美月又对理沙子说了一遍。理沙子坐在刚才哲朗坐的座位上，抽着薄荷烟聆听，几乎没插嘴。安静的屋子里充斥着和美月面容极不相符的粗哑低沉的声音。

等她说完，理沙子在烟灰缸里摁灭烟蒂。

"虽然吓了一跳，"她说，"又觉得在意料之中。"

"你早知道？"须贝瞪大了眼睛。

"没到明了的程度。我没想过美月的内心实际是个男人，但总觉得和我们有不一样的地方，一直这么觉得，又搞不清究竟是哪里不一样。现在觉得解开了一个谜。"理沙子对着曾经的朋友笑了笑，"你该早点跟我们说。"

"是想说来着，但说不出口。"

"嗯，明白那种感觉，虽然说不清。"

两位前帝都大学美式橄榄球队的女经理互相看了看，相交的视线里似乎包含了只有她们能明了的种种感受。见此情形，哲朗觉得，美月的内心即便是个男人，但因和理沙子同样拥有女性身体，两人有着相通之处。莫非这就是超越了性别的友情？

"后来呢？"理沙子说道，"结婚、生孩子，后来怎么样了？看样子，女人的角色扮演得不是很成功啊。"

"嗯，很失败。"美月指着理沙子面前的烟盒，"能给我一根吗？"

"抽吧。"理沙子递过烟盒，美月抽出一根，理沙子已点着打火机候着了。"多谢。"美月叼着烟凑近。

"刚才也说过了，和我结婚的那个人并不坏，工作努力，顾家，对我也很好。只是很遗憾，对方得是女人，他的这些优点才行得通，对我来说只是徒增麻烦。"

"麻烦？"理沙了歪了歪头。

"很苦恼。他待在身边，我就觉得烦闷，交流也很麻烦。他一碰我的身体，我立刻起鸡皮疙瘩。当然这不怪他，都是我的原因。我给自己找借口，以为结婚生子之后，自己会有改变。可事实并非如此，反而陷入困境，意识到自己的肉体和精神格格不入。也按自己的方式努力过，长久以来一直、一直在演戏，心想这样总有一天就变得不是演戏了。结果还是白费力气，因为欺骗不了自己的心。"

"然后就离家出走了？"

美月吐了口烟。"去年年底走的，之前也一直想出走来着，母亲的离世让我下了决心。"

"你妈妈去世了？"哲朗问。

"嗯，食道癌。最后瘦成一把骨头。因为得照顾她，她走之前我不能离家出走。"

"你父亲呢？"

"父亲身体还好。母亲去世后，觉得他轻松了一点。说起来，母亲的葬礼之后，我就再没见过他。"

"我说，"理沙子开口，"你说的离家出走，是指和丈夫离婚？"

这也是哲朗在意的问题。

美月吸了两三口烟，摇摇头。

"一天忽然就从家里跑出来了。是在送他出门上班，把孩子送到幼儿园之后。之前的几天已收拾好行李，准备好能让自己活下去的钱，只等行动了。如果丈夫要求警察搜寻会带来麻烦，所以出门前给他写了信放在厨房桌上。"

"事情的原委，信里全写了？"

"没有。"

"为什么？"

"也想过要写，"美月夹着烟，手撑着额头，"说谎时间长了以后，再想坦白太难了，又不想让孩子知道。要是知道自己的母亲其实有颗男人的心，那会对他造成多大的伤害……一想到这些就下不了笔。"

"那，你丈夫和孩子会不会在打探你的消息？"须贝担心地问。

"大概吧。"

"他们挺可怜的。"须贝看看哲朗和理沙子。

哲朗没点头，心里也这么觉得。或许美月的丈夫也隐约感觉到了什么。

"离家以后都做了什么？"理沙子问道。

"各种活儿，比如在酒馆里打工之类……"

"作为女人？"

"不，"美月用力摇摇头，"当然是作为男人。好不容易自由了，怎么可能让这样的机会从手里溜走？"她把烟在烟灰缸里摁灭，摊了摊手，"怎么？你们不觉得我看上去是男人吗？"

哲朗觉得看到的与其说是男人，不如说是少年，这不仅因为美月个子矮小，还因为她身上有着那种少年特有的中性气质。

须贝说怎么看都是个男人，理沙子则含糊地评论"还行、还行"。

哲朗问了他关心的话题："你在注射激素吗？"

19

美月眼神认真起来，目不转睛地盯着哲朗，点点头。"是。"

"从什么时候开始的？"

"一离家出走就开始了，因为一直以来都想。托它的福，你看，有长胡子的苗头了。"美月指指下巴，往理沙子那边凑了凑。

"真的哎。"理沙子说。须贝也凑过来看。

"接下来就是胸了，怎么也小不下去。"美月站起来，不等别人反应，不由分说地开始解黑衬衣的扣子。她脱去衬衫，露出晒黑的肌肤。她胸部裹上了棉布般的东西，令女性胸部的曲线完全不见踪迹。

美月想让大家看的好像并不是这个，她把右胳膊抬到齐肩的高度，握紧拳头，使劲弯起胳膊，亮出肌肉块。

"怎么样？货真价实吧？能来个八十码的长传。"

的确是充分锻炼的结果。但哲朗还是觉得，这身体的某处让人痛惜。

理沙子也沉默着将视线转向上方。哲朗注意到她露出了那种看拍摄对象的眼神。

只有须贝感叹道："真了不得！"

"声音也是服药的结果吗？"哲朗问道。

美月意味深长地抿抿嘴角。"不完全是。"

"还做了什么？"

"这个嘛，"美月把食指向嘴里插了插，"用铁扦子把声带弄伤，用了好几根呢。痛得直打滚，吃尽苦头，但很快就变成这样的声音了。"

听到这番话，须贝皱起眉头。"光是听着就觉得疼。"

"非得做到这一步不可吗？"哲朗问。

美月刚要穿上衬衫，听到这儿又脱了下来。"只要身体能变成男人的，我什么都愿意做，豁出命去也在所不惜。我是在修正这个被造物主做坏了的身体。"

6

冰箱里的罐装啤酒全拿了出来，别人送的白兰地也打开了，哲朗家意外地成了同学会的延续。话题依然是大学时代的回忆。谁都不提辉煌往事，记忆中只有失败和意外。

"还记得大三那年和西京大学那场恶战吗？"须贝赤红的脸上笑意盈盈，"西胁传球被拦截，差点让对手抢先时，和对方的拦截队员撞在一起，结果球顺势高高飞起。"

"不知怎么回事，球刚好掉进安西手里，对吧？"理沙了做了个抱球的动作，"随后大家大喊：快跑！"

"安西这小子糊里糊涂拔腿就跑，前头没有一个人，对这家伙来说，这是他橄榄球生涯第一次也是最后一次达阵的机会。"

"我也以为得手了，一阵狂喜。"

"结果是那一幕惨剧，大家全失控了。"

须贝的话让哲朗也想起当时的场景，哑然失笑——拿球的安西鬼使神差地摔倒在得分线跟前。

"那小子那时候就开始发福了。"须贝说完又笑。

说起往事，话匣子就合不上。说橄榄球的时候，大家似乎都没在意美月的特别，一个个话多了，酒量大了，喝的速度也快了。

首先醉倒的是须贝，被拖到客厅旁边的和室，酒会也散了。

"你和理沙子一块睡卧室。"哲朗说。

美月没点头。"我在这儿就行，沙发足够了。"

"可是……"

"像对须贝那样对我就行了。"她抬眼看着哲朗。

哲朗吃了一惊，再次认识到情况复杂，而自己还没接受。

他只说了声"好吧"，理沙子默默拿过毛毯。

已经过了凌晨三点。哲朗和理沙子在卧室的双人床上并排躺下。其实哲朗已很久不睡在这张床上了，可两人并没有说什么，各自关掉床头的夜灯。

哲朗闭上眼，却全无睡意。越努力入睡，脑子越清醒。他睁开眼，黑暗中隐约看得见天花板。

那一幕情景在脑海中复苏。

美月一丝不挂，屈起膝盖，两腿微微张开，双手放在背后。她没什么赘肉，肌肤紧致，不大但形状漂亮的乳房冲着哲朗，乳头呈略带粉色的浅棕，耻毛并不浓密。荧光灯的光芒照彻她全身。

那是大四的五月，窗外细雨如丝。窗帘没拉上，玻璃上映出哲朗的身影。他刚从卫生间出来，眼角余光捕捉到了自己发呆的影子。

"做吧，"美月抬头看他，脸上浮出冰冷的笑，"或者，你不想？"

"不……"哲朗躲开她的目光，全身发热。

是在球队出去喝酒之后。不知怎的，美月跟着到了哲朗的住处。去 QB 那里再喝点吧，好啊好啊——大约有过这样的对话，已记不清具体情形。

两人喝了几杯廉价威士忌。美月很能喝，哲朗酒量也不错，即便如此，两人都有了几分醉意。

美月是在哲朗去卫生间时脱了衣服，一丝不挂地等他出来。

之后的事哲朗记不清了，但还能记起美月身体的触感，皮肤光滑有弹性，像嫩竹一样柔软。

美月不是处女，但还是疼得皱眉。荧光灯关掉了，灯泡微弱的光照着她的脸。哲朗抱着她，几次窥探她的表情，看她的反应。她闭紧双眼，咬紧嘴唇，丝毫未发出呻吟，能听见的只有呼吸。哲朗怀疑她是否只有痛苦。

然而，第一次结束后，美月把手伸向他的下体，等他有了反应，问道："再来一次？"

哲朗马上压了上去。正值精力过剩的年纪，他把所有的青春和体力都向美月倾泻，而她的身体也足以承受。他俩做了好多次，直到天亮。闷热的夜，满头大汗的人。榻榻米上铺的被子几乎湿透了，后来拿起被子一看，连榻榻米都吸足了汗水。两人倒头大睡，醒来后发现四周扔着纸团，屋里腥味扑鼻。

至今哲朗也弄不清那晚究竟是怎么回事。之前他并没怎么意识到美月是异性，做梦也想不到会和她有肌肤之亲。她大概也一样，所以对两人独处一室也没犹豫。她那么主动，只能说是唐突。

哲朗想不起那个早上美月是怎么离开的，大概是像什么都没发生过一样吧。事实上，两人的关系也没有从此变得亲密，仍像原先一样相处、对话，依旧是球队队员和经理的关系。就连两人独处的时候，也没再说起那天晚上的事。

哲朗没去细想，对自己说那没有特别的意义，想让自己相信，不少年轻人萍水相逢，当天就可以上床，自己和她也只是体味了一下恶作剧的感觉而已。但他无法释怀。美月不是那种轻率主动的女孩，自己又没有勇气去问她的想法，觉得那样会引火烧身。总之，他逃避了。

十多年过去了，那天晚上的情景作为奇怪的回忆刻在哲朗脑海里。事到如今，他已不再琢磨美月当时真正的心情，对弄清美月的想法已经死心，只能断定，有什么事让她一时冲动。

可是……美月说她很久以前就认为自己是男人了。那么，当时和哲朗挥汗相拥的她也该是如此。怀抱男人的心却和男人亲热，哲朗无法理解这种心理。他也想过这或许和同性恋一样，又觉得哪儿不对。

正这么胡思乱想，房间外传来微弱的声音。是脚踩地板发出的声音，有人在走动。

哲朗想，大概是去卫生间。可紧接着听见玄关方向有人在动鞋子，然后是门开关的声音。

哲朗坐起来。身旁的理沙子正在酣睡。他下了床，穿上扔在脚边的裤子，赤身套上夹克来到走廊。玄关的鞋架上不见了美月的运动鞋。打开客厅门，沙发上空无人影，须贝鼾声如雷。

哲朗打开抽屉拿了钥匙和钱包，转身走向玄关，光脚套上跑步鞋，打开门。空气清冽，但他无暇返回穿上T恤。

哲朗乘电梯下到一楼，穿过宽敞的大厅跑出去。一辆大卡车正从公寓前驶过。他走到人行道环顾四周，不见美月的踪影。如果她搭乘出租车，就追赶无望了。

哲朗朝着东高元寺车站小跑，每逢经过能遮雨的楼间空隙，他都留心查看，却一无所获。

跑到一个小公园前，他停下来环视一圈，像是没人。刚想往前走，一件东西映入眼帘。

公园入口放着个垃圾箱，旁边挂的东西似曾相识。他走近拿了起来。

没错，是美月戴的女式假发。他朝垃圾箱里看去，里面扔着黑色短裙和灰色夹克。

哲朗走进公园，定睛搜寻树丛间，心想带电筒出来就好了。

眼角捕捉到有东西在动，他迅速看过去，只见滑梯下有个黑影，像是有人蹲在那儿。他慢慢走近，隐约看见一个蒙着黑衬衫的背影。

美月抱膝而坐，头埋在膝盖间，唯一的行李——那个大包放在旁边。

哲朗靠近，把手放在她肩上。美月吓了一跳，身子一颤，抬起头来，目光凶狠，等到认出是哲朗，表情又变得像个要哭的孩子。

"QB……"

"为什么跑出来？"哲朗问，"有什么不满意吗？"

她俯身摇摇头。"我不想给你们添麻烦。"

"我们没觉得麻烦，你想多了。走，回去。"

她再次摇头。"能碰到大家，我已经满足了，了无牵挂，接下来的事我自己办。"

"我明白你的决心，可也不用偷偷出来吧。不怕我们担心？"

"抱歉，可我要是说了，你们会挽留。"

"那还用说！这么晚能让你出来吗？"

美月站起来，拍了拍屁股，拎起包，朝与哲朗家相反的方向迈开脚步。

"我家在这边。"

"我坐出租车去商务酒店，这样你总不用担心了吧？"

"等等！"哲朗抓住她的手腕，"为什么这么赌气？"

"不是赌气，"美月甩开哲朗的手，"不能给你和理沙子添麻烦。其实连见面也是麻烦……"她低下头，咬着唇。

"我不明白，"哲朗笑笑，"有什么麻烦呢？留老朋友在家过夜有什么问题？"

"不，不是这么回事。"美月挠挠短短的头发，踢着地，"我不想把你们卷进麻烦，不能因为搅乱你们的生活，让自己活在内疚中。"

"说得那么严重，没那回事吧，你想多了。总之先回家，有话回去慢慢说。"

哲朗想再去抓她的手，她往后退。哲朗想往前一步，她伸出右手制止："不行，我不能去。"

她的语气里有一种类似悲壮的意味，哲朗终于开始意识到事态非同小可。

"你有什么事瞒着我？"

美月移开视线，沉默不语。从表情上看，她似乎在寻找合适的语言。

"说来听听，否则我没法退让。"

美月似乎在犹豫，盯着一处，反复深呼吸。

不久，她抬头望向哲朗。"我不说，你迟早也会知道。"

"什么意思？知道？什么时候？"

"早一点的话是明天，也许后天。"

"明后天？"哲朗一头雾水，"既然迟早会知道，那就现在说呗。"

"我说了，你就一个人回去？"

"这可没准，得看说的是什么。"

哲朗以为她会生气，说自己狡猾，不料情形却全然不同。她露出浅笑，又慢慢摇头。

"听了我的话，你大概就不会留我了。所以也许还是说了好。"

哲朗不明白她的意思，这回轮到他沉思了。

美月呼出一口气。"我被人追。"

哲朗"啊"了一声，以为自己听错了。"被人追？"

"对，被追，准确地说应该是……即将被追。"她似乎觉得找到了恰当的表达，点点头，"是警察，他们找到我只是时间问题，然后大概就完了。"

"警察？你……"哲朗脑中一片茫然，"你干了什么？"

"还想知道这个？"

"还用说？"

"是呀，当然，"美月耸耸肩，定神看着哲朗，"罪名将是谋杀，我杀人了。"

这句话传进哲朗的耳朵，刺着他的心，刺得他一时间动弹不得，也无法出声。

"你没听见吗？"美月问，表情有点像恶魔。还是一张女人的脸——哲朗混乱的脑海一角这么想。

7

哲朗站着，不知该说什么。美月从牛仔裤口袋中掏出个东西掷过来。

他伸手接住。是个一次性打火机，黑底上画着两只金色的眼睛，中间有"猫眼"二字，那设计让人想到歌剧《猫》。

"这是……"哲朗终于出声。

"之前打工的地方。"

哲朗再度查看，背后印着地址电话。是银座的店。

"我在那儿当调酒师。"

哲朗玩着手里的打火机。"以男人的身份？"

"当然。"美月说得坚决，"别看我这样，有天赋的。"

哲朗点头，打了一下火，火苗比想象的大。

"店里有个叫香里的姑娘。我们都叫她小香，其实她已经三十上下了，在店里说是二十六岁。"

不知美月的叙述会怎么继续，哲朗默默听着。

"有个男人每天晚上盯着小香，一直等到她从店里出来，跟着她。如果她和客人去别的店，他会守在那家店前面。如果客人乘出租车送她，他就开车追。总之，他的眼睛一秒钟都不离开小香，直到她回家。"

"跟踪狂呀。"

"简单来说正是。"美月点头，"不光跟踪，每天还打电话纠缠，留下恶心的留言，有时还寄来偷拍的照片。"

"常听说这种事。"

"小香每天生活在恐惧中，说客人送不了自己的时候，害怕一个人回家。这种时候我就送她回家，乘出租车到她住的公寓，看她进屋之后再走。她住在锦系町，我住菊川，同一个方向。"

"保镖？"

"算是吧。昨天深夜这样送她回家，那个跟踪狂照例跟着，把车停在公寓附近。我送小香到家门口，她的手机响了，那男人打来的，大意是说不许让那家伙进门，当然指的是我。跟踪狂大概对我这个每晚送她回家的调酒师恨之入骨吧。小香立刻挂了电话，却比往常更害怕，因为那人之前从没拨打过她的手机。不知他用了什么手段，知道了她的手机号码。"

"这个，大概有不少办法。"

"那人有种种卑劣手段。总之我火了，小香进屋后，我立即朝他走去，想做个了断。"

"了断？怎么了断？"

她握紧拳头。"跟这种变态狂做了断，还不是只有一条路？因为他根本不会听你劝说。我打算给他点厉害瞧瞧，让他别再干变态的事。"

哲朗看看她那作为男人来说还相当纤瘦的体格，心想，就凭这体格？

"别看我这样，我也在每天锻炼呢。不是你的对手，可换了一般男人，掰手腕我还输不了。"像是猜到了他的心思，美月说道。

"然后呢？"

"我走近那人的车，强行坐进去。他大吃一惊，我警告他今后不许接近小香。他根本不听，胡说什么是为小香好才跟着她。我心头火起，冲他的脸就是一拳，他也气坏了，开始还手。后来的事不说你也知道，就是在狭小的车里打斗。原以为他只是个软弱的变态狂，可毕竟是个男人，力气很大。我失去了理智，回过神来时，发现正掐着他的脖子。"

美月说得淡然，光听语气，像是在讲述电影镜头。哲朗觉得不真实。

"那人不动了，摇他打他都没反应，我马上想，呀，完蛋了。"美月浮出笑意，"没有犯罪感，也没觉得可怜，只是生气，因为他居然这么容易就挂了。"

"所以没报警？"

"根本没想，觉得为这种浑蛋进监狱，也太没道理了，就决定逃跑。"

"尸体就那么扔着？"

"连车一起挪到不显眼的地方才逃的。"

"那，打算接着逃？"

美月耸耸肩。"我也知道还是自首为好。本来身体就和常人不同，很麻烦，再来个通缉，根本没法好好活。"

是呀，哲朗想。

"说实话，昨晚几乎没睡，一直在想是不是该自首。无意间看见日历，想起来是十一月第三个星期五，一下子很怀念大家，打算见一面之后再决定。"

"那进聚会那家店不就好了？"

"想进去，可我要是见了大家之后不自首，而是潜逃，也许会给大家添麻烦。这么一想就作罢了。"美月把手放在额上，摇摇头，"我真是没用，要是考虑到那一步，赶紧离开就好……"

"被我们发现了，是吧？要是装作没看见就好了？"

美月微微歪头。"不知道。很高兴能和你们交谈，能说说心里话，舒服多了。"她抬头望向夜空，左右晃晃脖子，松松肩膀，微笑着对哲朗说："坦白完毕。"

"现在还犹豫该不该自首吗？"

"不，就在刚才，下了决心。"美月眨了眨眼睛，"天亮就去警察局，去自首。"

"真的决定了？"

"你想阻止我？"

"不，老实说，我不知怎么应对。不想让你去警察局，可又觉得这种情况应该自首，是在情和理之间摇摆吧。最强烈的感觉是吃惊，而且束手无策。"

"因为你是正常人，这样就行，不用困惑。这么苦恼，对于我来说就是负担。你就当什么都没听说，回家就行。"

你这么说，我也不能回去。哲朗伫立不动。

"不能这么做，是吧？"美月像是明白他的心情，"那我消失。多谢了，问理沙子好。"她拎起大包，背朝哲朗，毫不犹豫地迈步离开。

"等等！"哲朗喊道，但她没停。他追上去，抓住她的肩。"我说，等等。"

美月想甩开他的手，他没松开。美月抓住他的手臂试图拉开，他却抓得更紧了。

美月抓着他的手臂苦笑。"不愧是男人，有劲。男人的手臂就得这样才行。"

"不管怎样，先回我家一趟。不然我怎么跟理沙子解释？"

"把我说的原原本本告诉她就行。"

"你去说，她肯定也想听你亲口说。"

美月的手顿时没了力气。她叹了口气，轻轻摇头。"别强人所难，QB，你让我再重复一遍那些不愿说的事？"

"去了警察那儿，你得一遍又一遍地说，直到你要发疯。在这之前，先在理沙子面前说一遍。"

"你……"

"我不会松手，就算你逃走了也会去追。这双擅长带球冲锋陷阵的腿还利索着呢。"

"知道了。"美月的肩膀松弛下来，"想去见大家是个错误，直接去警察局就好了。"

"这个结论下得太早了。"哲朗轻推美月的后背。

回到公寓附近，大门的台阶上坐着一人，是理沙子。看见他们，她站起身。"回来啦。"她对美月说道。

"我发现她溜走，就去追，在公园找到了。"

听到哲朗的解释，理沙子只答了句"哦"，眼睛仍盯着美月。

"她有话跟你说，很重要，你听听吧。"

理沙子默然点头，一脸思考的表情。大概是在想象将听到什么。但毋庸置疑，怎样的想象都比不上事实。

"现在就说吗？"

"只能现在说，到明天就说不了了。"美月说完，瞥了哲朗一眼。

8

以前都没在意过挂钟秒针的移动声，今晚却很刺耳。哲朗不禁想，以前门外的汽车声也没这么清楚吧？

须贝也起来了，美月在他和理沙子面前再度诉说。听杀人经过的时候，理沙子好像也方寸大乱，几乎没插嘴，聆听过程中吸了五根烟。须贝则僵硬得如同一尊石像。

说完，美月低下头。理沙子交抱双臂，斜眼看着上方。须贝不时搓着额头。哲朗在厨房盯着他们。

又听明白了几点：美月已经给"猫眼"酒吧的老板娘打电话辞了职，解释是出于个人原因；她之前住在菊川，房主是旅居国外的熟人，已经给房主打过电话，说要搬走，邮寄了钥匙。

哲朗想，警察盯上美月只是时间问题。死者是纠缠"猫眼"女招待的跟踪狂，想来有几个人知道，这样，忽然消失的调酒师就不能不被怀疑。

"能问个问题吗？"理沙子终于开口。

"问吧。"美月回答。

"假如去自首，那事怎么办？"

"那事？"

"你的身体。刚才你不是跟我们说过吗，要修正造物主的错误，这下就不管了？"

"不是不管，我的想法没变。"

"可是，如果自首，被警察抓走，心愿就实现不了了。你有心理准备吗？"

"我进了监狱，也打算作为男人活下去。"

"这可有点困难。"理沙子有点粗鲁地说,"你进去的话,绝对会进女子监狱。不管本人怎么说,他们会优先考虑户籍上列出的性别。"

"这没办法,就当是上女子学校,也没什么。"

"那激素注射呢?进了监狱,可就没办法注射了。"

大概是没想到这一点,美月刹那间有点狼狈,但旋即恢复了冷静的表情,摇摇头。"走一步看一步。就算失去了身体,我也会努力不让自己失去男人的心。"

"此话当真?"

"当真。"

"我觉得这不是你的真话。你刚才给我们看了身体,那么骄傲。你很在乎作为男人的身体。那是你牺牲了家庭才得到的,当然在乎。正因渴望得到,你才会狠心弄伤自己的声带。如此辛苦才得到的身体,能这么简单地抛弃?"

"别说了,理沙子,你懂什么?她也没料到事情会变成这样。"

"我……"理沙子大声说道,深呼吸一下,又面朝美月:"我不想让你的人生半途而废。你的人生才刚开始,如果就这样进了监狱,将没有任何答案。在监狱里自欺,说自己是个男人,难道这样你就能满足?"

"那你说怎么办?别净说不负责任的话!"哲朗从椅子上站起身吼道。

理沙子坐直,斜视美月,身体微微倾向哲朗那边。"责任我来负,这样行了吧?"她像在发表宣言。

"责任……什么意思?"

"我不会让美月去警察局,不管谁说什么。"

第二章

1

眼看时钟的指针绕过五点半，哲朗去取了早报。周围仍漆黑一片。四人即将这样迎来黎明。

在电梯里哲朗打开报纸，很快就找到了相关报道：

> 星期五下午七点左右，江户川区篠崎一家造纸厂废品放置处发现一具男尸。发现者是该厂工人，尸体藏在金属大圆筒后。死者三十到五十岁，身着灰夹克、藏青宽松长裤。未发现钱包、驾照、名片之类。

"写着呢。"一回到房间，哲朗就把报纸放到桌子上。须贝率先像被黏住一样认真地读起来，理沙子也从一旁瞟着。

"是这个？"理沙子问美月。

"差不多吧。"美月答得生硬。

"钱包和驾照是你偷的？"哲朗问。

"想制造一般犯罪的假象。"

"扔哪儿了？"

"没扔呢。"

"那，藏哪儿了？"

"这儿。"美月打开手提包，取出黑色的钱包和记事本放到桌子上。

哲朗刚想伸手，又打消了念头，他觉得不能留下指纹。理沙子却毫不犹豫地抓了过去。

"为什么要留着这种东西啊？"

"本来打算马上处理掉，可想到要自首，觉得还是留着好。把这个给警察一看，就能证明我就是凶手，不用多费口舌了。"

理沙子非常吃惊地摇了摇头。"你啊，在这一点上还真是丝毫没变。该说你大方呢，还是……"

"让我看看。"既然理沙子已经碰过，横竖都是一回事了。哲朗这么想着，伸过手来。

驾驶证装在钱包里，照片上是一张瘦削男人的脸。眼睛从凹陷的眼窝深处看过来，短发，宽额，脸颊消瘦，门牙有点前突，脸色近似灰色。

户仓明雄，家住板桥区板桥三丁目。从出生日期来看，今年四十二岁。

钱包里装着两张名片，是他本人的，上面写有公司名"门松铁厂"。公司好像也在板桥。户仓的头衔是执行董事。就算是中小企业的执董，大概也会常去银座。

"这都是什么呀？！"理沙子翻着记事本，愤怒地喊道。那个旧记事本脏兮兮的。

"龌龊吧？"美月噘噘嘴。

"怎么啦？那个记事本怎么了？"

理沙子把记事本递了过去，好像在说，看了就会明白。

打开一看，哲朗不由得瞪圆了眼睛。细小的文字写得密密麻麻。

因为是铅笔写的，页面已经磨得有点发黑。下笔似乎也很重，表面明显凹凸不平。

看完，哲朗更是诧异。一个人的日常生活被一丝不苟地记录在案。

五月九日下午 三点十五分便利店 卫生纸、几样食品（三明治和牛奶是可以确定的）、喷雾器罐（发胶？）晚上七点整"猫眼"（藏青西服、黑高跟鞋、黑包）凌晨一点二十五分 和两个客人、一名女公关一起出店门 到七丁目的"达茨"凌晨三点二十五分 被一个客人（稍胖、五十来岁、西服）送回家 三点三十分 定时联系 无异常情况

五月十一日 下午五点二分外出（灰西服、黑高跟鞋、白包和纸袋）到银座四丁目 大都银行自动柜员机 松屋（几样化妆品）安藤书店（杂志一本）下午六点二十分到咖啡店"Sepia"六点五十分和男子（茶色西服、白发、五十来岁）一起出来 晚上七点到餐馆"滨节"九点十分出来 九点三十二分去"猫眼"十一点二十四分茶色西服的男人回去 香里去送别 凌晨一点二十八分出店和另一名女公关（好像叫奈美）一起乘出租车回家 两点五分到家 两点八分定时联系 无异常情况

这之后，没过两三天就有同样的记载。记录持续到十一月中旬，也就是最近。

"真是太厉害了。简直就跟侦探一样嘛。"须贝在一旁看着，吃惊地说。

"什么呀，这是？"哲朗抬头。

"都看到了吧，户仓在监视香里的生活，更过分的是还做了记录。看看内容就明白他到底有多固执了。"

"这老头，工作怎么办啊？"须贝质疑。

"香里说，现在好像没正经工作。"

"所谓的定时联系是什么？"哲朗问。

"户仓会给香里打电话，盘问很多东西，比如'刚才一起回家的那人是谁''偶尔不能早点回家吗'之类的。"

"哦，还真是传说中的跟踪狂啊。"须贝嘀咕着，一脸厌恶。

理沙子从哲朗手中夺过钱包和记事本。

"这两样东西暂时由我保管。要是留在美月那里，她有可能一时冲动跑去自首。"

"没有它们，我也可以去自首。"美月说。

理沙子面色冷静，手拿钱包和记事本站起来说："也许，但你不会去的，只要这些东西还在我这儿。因为你不想给我们添麻烦。"

美月把手指伸进短发，使劲挠头。这证明理沙子没有说错。

"想让我逃亡？可如果被逮捕，会给大家带来更大的麻烦。"

"找一个既不用逃亡也不用自首的方法。"

"哪有这种妙计。"

"让我想想。刚才我也说过，不能让这种无聊的事毁了你的人生。这种下三烂的变态狂！"挥舞着记事本说完，理沙子走了出去，随即传来卧室的开门声。

回来的时候，她顺便去了厨房，冲了咖啡端过来。

美月问："钱包和记事本呢？"

"秘密之处。"理沙子一边为众人摆放杯子，一边回答。

"理沙子，自首也不一定要进监狱啊。"哲朗说出了刚才一直在想的事，"有了那个记事本，就可以证明户仓是跟踪狂这一事实。只要我们说是为了帮助香里，不得已为之，想必警察也会酌情考虑。"

"太天真了。"理沙子坐到沙发上，喝了一口咖啡。

"怎么？"

"你没听美月说吗？那天晚上户仓并没有对美月和香里做任何事，

先出手的反倒是美月，你认为警察会相信'是为了帮助香里'这一借口吗？"

"无罪自然不可能，但也不会判杀人罪吧？美月并没想杀害对方。"

"怎么证明呢？美月可是把对方勒死的啊。不管是出于冲动还是怎样，你不觉得被判为故意杀人的可能性很大？"

"这……不太好说。"哲朗拿起大杯子喝了一口，很苦。理沙子总是喜欢把咖啡冲得很浓。

"没关系，由我来承担。"

"承担？"

"我说过，关于这件事，我来承担全部责任。你和须贝只要装作什么都不知道就行。那样万一警察查出来，也不会殃及二位。"她看了看美月，嘴角浮出一丝笑意，"当然，我会尽全力避免出现这种万一。"

"你是不想把我们卷进这种棘手的事件，才说这种话吧？现在我们要考虑什么对日浦来说才是最好的办法。"

"进监狱，然后放弃做男人的梦想，美月，这对你来说算是最好的吗？别开玩笑了。"

"我只是就事论事，你知道警方的调查现在进展到什么程度吗？"

"你还不是一样，明明不是很清楚。"

"我是不知道。因此才不会小看他们。也不会像你这样，不考虑任何具体的对策，只会在这儿乱发脾气。"

"别说了！"美月两手拍着桌子吼道。

哲朗吃了一惊，回头看着美月。并不是因为声音有多大，只是那种语调根本就不像一个男人。

"求你们，别说了！"美月表情痛苦地重复道，脸颊也有些红了，"不希望你们因为我的事，发生这样的争执。"

美月两手撑在桌子上，耷拉着脑袋。哲朗不忍看她，便毫无意义地望向窗外。朝霞已散尽，厚重的云彩遮住整个天空。

"唉，可能是一些陈词滥调，你们能先不笑，听我说吗？"

理沙子的声音有些紧张，哲朗和美月一起等着她说下去。

"美月是我的挚友，这与性别没有关系。正因如此，如果她遭遇什么灾难，我会想尽一切办法来保护她，原则和规矩一点都不重要。如果这都做不到，那我们作为挚友的意义也就不存在了。嗯，那样我们就算不上挚友了。"

哲朗带着复杂的心情听理沙子淡淡诉说。他察觉到这番话不单是对美月，也是对自己说的。与此同时，他理解了理沙子为何固执到如此地步。

"谢谢你。"美月低头致意。抬起头时，她脸上有着少年般羞涩的笑。

理沙子点点头，抓起放在桌上的烟和打火机。

"果真是很老的套话。对不起。"

她一口一口、不慌不忙地吸着烟。灰色的烟雾在头上升腾。

"日浦，"哲朗说，"也是我们的挚友。"

一旁的须贝点头赞同。

理沙子不可能没有听到哲朗的话，却没有任何回应，仍旧侧着脸继续抽烟，只是眨了好几次眼。

"谢谢。"美月再次说。

2

哲朗提议大家一起分析眼下的情形，即针对现场留下了什么线索、谁知道些什么进行透彻的分析，从而推断警察能否追查到美月。理沙子也赞同。

美月说她不清楚作案和搬运尸体时有没有人看到，当时周围好像没什么人。

"我有个问题，"哲朗对美月说，"你说过连户仓的车一起移走了，对吧？"

"是啊。"

"但报道上说，在金属大圆筒的后面只找到了尸体。车哪儿去了？"

美月"啊"了一声，点头称是。

"被我扔到别的地方了。一来想让死者的身份难以识别，二来也想隐藏自己的痕迹。因为在车里打斗的时候，有可能会有毛发脱落，指纹想必也留下了。"

"扔哪儿了？"

"地名……我不是很清楚。大半夜的，胡乱转了一通之后，扔到路边了。想着路上停着很多车，大概很难被发现。"

"大致位置也不知道吗？"

"基本不记得了，好像是被吓傻了。"

"扔完车之后呢？"

"到大路上拦了一辆出租车。"

"你还记得些什么吗，比如说路呀建筑物之类的？"

"抱歉，我真不记得了。坐上出租车之后，根本就没有精力去看周围，光想着下一步该怎么办才好。"

"那是肯定的。那种时候谁都会不安。"理沙子像是有意袒护美月，说完又问哲朗："扔车子的地方就那么重要？"

"要是车子一直放在那儿，附近的人总有一天会去报案。那样警察很容易就能查明车主。要是车主被杀，那辆车就会被彻底搜查。那时若日浦已经被列入犯罪嫌疑人名单，警察通过残留在车里的指纹和毛发，有可能推断出日浦就是凶手。"

"啊，那就糟了！"须贝同情地望向美月，"怎么样？你觉得车子会轻易被找到吗？"

"不太好说。"美月有些无奈地回答，"因为我连扔哪儿了都不知道。"

须贝烦闷地抱着头。理沙子面露难色，重新读起报纸。看得出，她很用力地抓着报纸的两端。

哲朗改变了提问的角度。

"户仓跟踪香里的事，除了你还有人知道吗？"

"'猫眼'的老板娘肯定知道，其他就不太清楚了。"

"户仓最近也常去'猫眼'吗？"

"最近两三个月都没来了，只是在店外等着香里。香里说以前他也算不上常客。"

"那么，即便查明死者是户仓，也不清楚警察是否会立即去'猫眼'。"

问题的关键似乎在于有多少人知道户仓明雄是跟踪狂的事。哲朗抱着胳膊，头因睡眠不足而异常疼痛，急切渴望新信息来填补。

理沙子从报纸中抬起头。

"你本不是男人这件事，店里的人都知道吗？"

看得出美月对这一问题有些始料不及，但并不太抵触。

"嗯，究竟怎样呢？应该没有多少人察觉到吧。我看上去像女人吗？"她依次看向其他三人。

"从声音来看有可能被当作美男子。你不说，大概不会有人知道。"理沙子和须贝都赞同哲朗的说法。

"对吧？"美月看似满足地扬了扬下巴，"只有老板娘和香里知道，是我跟她们说的。"

"她们俩知道你本姓日浦吗？"猜想美月有可能用假名字，哲朗提出了这样的疑问。

"我说过，不知他们还记不记得，好像也没有特意记在什么地方。"

"简历上没有写吗？"

"不想写。"美月断然道，随即瘪了瘪嘴。

"原来的住址和户籍呢？"

"那些我都没写，担心万一他们跟家里联系就惨了。很幸运，他们没让我出示居民卡。"

哲朗记起美月也有过所谓的"家"。她的丈夫和亲生儿子现在还住在那个家里。

"'猫眼'那边有你的照片吗?"

"只要没被偷拍,应该没有,我一直都避着镜头。"

"这样说不定就有希望了。"哲朗嘀咕,"即便警察注意到'猫眼'的调酒师,也抓不到真相。"

理沙子就那样坐在沙发上,深深吐了一口气,像是下了什么重大决心。

美月在桌边双手支着脸,好像在沉思什么。哲朗觉得她大概还在犹豫。

"美月,"理沙子问道,"你在店里用的是什么名字啊?"

美月略带犹豫地说是"见鹤"。

"见鹤?日浦见鹤?"

美月摇摇头。"神崎见鹤。"

"神崎?那个神崎?"须贝瞪圆了眼睛。

"是的,就是那个素有魔鬼之称的神崎。"美月微笑道。

"啊?"理沙子的表情完全松弛了。哲朗也不由得松了松嘴角。神崎是帝都大学美式橄榄球队传说中的魔鬼教练。

3

时近正午,须贝说要回去。哲朗把他送出公寓。须贝不无担心地问道:"日浦的事,你打算怎么办?"

"嗯……"哲朗明白须贝想说什么,"想必很难逃脱。"

"那是肯定的啊。又不是电视剧,继续窝藏案犯是不可能的。还是让她赶紧去自首吧，这也是为她好。"

"嗯，那，我们再商量商量。不会给你添麻烦的。"

须贝略显尴尬地捋了一下腮边邋遢的胡须。

"曾经是好朋友，所以想略尽绵薄，但换成杀人这种事，就有点力不从心了。我家里有贷款要还，老二也要上小学了。"

"我知道，你也有很多困难。"哲朗拍拍他的肩，"代我向你老婆问好。"

"你们也不要插手为好。"须贝说完便离开了。

回到房间，理沙子和美月都在沙发上睡着了，打开的报纸就那么放着。哲朗来到卧室，躺在床中央。很久没有一个人睡这张床了。

哲朗很理解须贝的心情。谁都不能责备他。这是人之常情。并非友情不在了，只是重要性的顺序变了。

同时，哲朗也深深理解理沙子为何那么固执地想要保护美月。这和她一直以来的生活方式相关，其中也包含和哲朗的婚姻。

他们是二十七岁时结的婚，在那之前过着类似半同居的生活。为了使双方父母都放心，理沙子办理了正式的入籍手续。另外，也有经济方面的原因。哲朗刚从一家小出版社辞职，理沙子也想自立，成为摄影师。他们一致认为两个人互相帮助会更有利。

这个选择并没有错，哲朗如今仍这么认为。在没有可预见的可靠收入的情况下，相互鼓励，由宽裕的一方贴补另一方，各自都打下了坚实的基础。

有时候他会想，那段时光大概是最美好的。当然，这并不是说想回到那个不知写了多少稿却拿不到一分钱、净被支使去做一些烂差事的时代。但要是只谈和理沙子的关系，毫无疑问，当时的生活更充实。那个时候哲朗由衷希望她成为一位独立的摄影师。如果有一天两个人组成搭档，一起工作，就太好了——这句话他不知对理沙子说了多少遍，的确是他的肺腑之言。

他们各自朝着成功的阶梯迈进的同时，矛盾也接踵而来。最初并没有觉出不正常，只是对话少了，在一起的时间也少了。他单纯地认为只不过因为都太忙。跟以前不同，两人总是优先考虑工作，并将其解释为受到重用的代价。

哲朗的脑海里浮现出厨房流理台上堆积如山的餐具。那是六月，正值梅雨季节，那天也下着淅淅沥沥的小雨。如山的餐具是二人交替着堆筑而成的。那段时间两人一起吃饭的机会也少了，因为工作内容和工作时间完全不同，这也是理所当然。吃的大多是外卖和便利店的盒饭，和普通家庭相比，使用餐具的机会并不多。即便如此，橱柜里的咖啡杯、玻璃杯、小碟子之类的还是不断地被移动到流理台。哲朗每次进厨房，都会变得满脸愁容，因为餐具越积越多。理沙子很可能也是以同样的心情看着那座"山"。

关于家务的分配，并没有什么特别的规定，一直都是谁有空谁收拾。之前从未出过问题。

那时两人都没空。其实，客观说来，也并非毫无闲暇，洗餐具这点时间两人都有。哲朗虽苦于截稿日期迫近，整天忙着采访和写稿，但也不是二三十分钟都挤不出来。理沙子应该也一样。

只要有一个人提议一起收拾，就什么问题都没有了，但两人都不说。个中原因自不必说，因为他们都不想干，总指望对方去处理，于是，就会傲慢地想：自己比对方更忙更累。

绷紧的弦因为一件小事挣断了。当时两个人很难得地都在屋里，哲朗喝着袋泡红茶。他用的茶杯是橱柜里仅存的一个。

看到这一幕的理沙子异常愤怒，说那个杯子是她昨天洗的。

"我用用，也没什么不行吧？"

"不要那么厚颜无耻，明明你从来就没洗过。"

"你不是也没洗吗？"

"可那个茶杯是我洗的。因为想着今天要用，就洗好备着了。你竟然那么随便就用了，岂不是太无耻了？"

"好，那么以后不是自己洗的就不能用。我洗的你也别用。"哲朗起身把刚才用的那个茶杯先洗了，紧接着伸手去拿堆积如山的餐具最上面的盘子。

"洗你用过的就好了。"理沙子发话道。哲朗回头一看，她抱着胳膊站着。"我用过的你就放着吧。"

"那当然。"哲朗赌气般地说道，开始清洗。

其实，哪个是自己用过的并不是很清楚。即便如此，哲朗还是将差不多一半的脏餐具扔在原处。那些餐具几个小时之后也被放回橱柜里了，却不是原来用的橱柜。大概是为了区分哪些是自己洗的吧。

这个习惯并没有固定下来，现在两人已达成各自用完后就马上清洗的约定，那天孩子气的争吵后也很快就和好了。但是哲朗记忆犹新，认为这是某种前兆。

随着分歧日渐增多，之前两人认为彼此一致的价值观和人生观也显现了微妙的差别。最具代表性的就是关于孩子的想法。

理沙子原本吵着要早生孩子，以便早点解脱，尽情享受之后的人生。与此相反，哲朗希望她能等到有信心胜任摄影师工作之后，再考虑孩子的事。要是有了孩子，理沙子就暂时不能工作，只能靠哲朗一人的收入过活。哲朗认为自己的想法比较妥当。那个时候，理沙子也顺从了他的愿望。

可是，随着哲朗的收入越来越稳定，理沙子的情形也发生了变化。摄影事业蒸蒸日上，若因为怀孕、生儿育女而把工作停下来，显然不是上策。

很想要孩子，但现在不行——这是理沙子一贯的态度。哲朗问她要等到什么时候，她又答不上来，只是一味含糊其词。

理沙子大概也很迷惘：不是没心情要孩子，只是不想就这么放弃成功的机会。

哲朗过去总想尽早确立体育记者的地位，现在他的心态也变了，开始追求家庭的安稳。他所处的环境很难算个家。

哲朗清楚地意识到，他总是按照一般模范家庭中妻子的标准去要求理沙子——牢牢守着家，营造让丈夫舒适的环境。哲朗明白，这只不过是任性的男人们编造出来的美好幻想。所以他一直没说出口，也没想表现出来。他表面上很支持理沙子，心里却盼着她遭受挫折，幻想着她能够为了自己，系上围裙走进厨房。

两年前，发生了一件事。

理沙子说要去海外短期逗留。不是单纯的旅行，而是和好友——一个女记者一起去做现场报道。听到她们的目的地，哲朗大吃一惊。虽然是在欧洲，却是形势极为紧张的地区。

"不是说好出书的时候，要和我一起合作的吗？"

理沙子闻言一脸诧异。"你不是专攻体育吗？"

"以后想涉足体育以外的领域。"

"你是想让我等到那时候吗？"理沙子双手叉腰，"很遗憾，这次的计划你无法参与。题目已经定了，叫'女性眼中的战场'。"

她接着说："做了很多工作之后才明白，女性拍档绝对效率高。如果和男人合作，怎么说呢，不是很合拍。"

这番话并未让哲朗感到意外。根据之前理沙子的言行举止，他已大致猜到会这样。

"坦白说，我不同意。太危险了。"

"但还是有人在做啊，所以在日本也同样能看到战地报道。"

"没必要让你去做吧？"

"是我自己要做的。"

她完全没有要屈服的意思。哲朗明白这说不定是一次很好的机会，也清楚自己没有反对的权利。但是理解和接受是两回事，他最终也没有同意。

理沙子却开始一点一点地准备，和女记者连续多日商量到很晚，去见有战地摄影经验的人，还报了英语口语的短期培训班。

就这样过了大概一个月，理沙子的身体忽然发生了奇怪的变化，多处特征都表现出怀孕的迹象。

"太奇怪了！"

理沙子红着眼角跑出家门。她去了药店，买回验孕器具，直接进了卫生间，过了很久才出来，像是世界末日一样，默默地将一根白色小棒递给哲朗。那是验孕棒。哲朗第一次见到这种东西。

"偏偏在这种时候……"

理沙子跌坐下去，抱着双膝，把头埋在中间。

"怎么办呢？"

理沙子不答，如雕塑般良久一动不动。

"这是为什么呢？"她终于抬起头，看着哲朗，"我们很小心地避孕了，是吧？"

"我觉得是这样。"

"是吗……真奇怪啊！"理沙子像是头痛难忍一样摁着额头，把前额的头发往上拢，"总之还是先去一下。"

"去哪儿？"

"这不明摆着嘛，医院。"她站了起来，看似身心都很沉重。

从妇产科回来后，理沙子似乎心情舒畅了一些。她看看哲朗的脸，例行公事般说："好像有两个月了。"

哲朗点了点头，但感觉很不真实。"你打算怎么办？"

理沙子歪了歪脑袋："你该不会说，还是去做掉吧？"

"不不，我才不会这么说呢。"

"这正是你期望的，不是吗？"

"虽然很不是时候。"

"简直糟透了！"她坐到沙发上，揉着后颈，"得给她打个电话，我该怎么说呢？离出发只剩十天的时候……"

哲朗不清楚理沙子和女记者究竟谈了些什么。对方好像很坦诚地表明，既然怀了孕，就不能一起工作了。

理沙子大概在打电话时就做好了心理准备，没看出她受了多大的打击。要是能换来孩子，大概只好做出放弃梦想的决定。

十天后，女记者一个人出发了，理沙子一整天都阴沉着脸。那段时间开始读的育儿书连翻都不想翻。

第二天深夜，哲朗忽然被摇醒了。理沙子一脸严肃。

"我有事要问你。"她语气很生硬。

"什么？"哲朗有些不耐烦地说。事实上，他略感不安。

"这个。"她把什么东西摆到床上。

是装有杀精剂的袋子。哲朗和理沙子一直都用这个避孕，是薄膜状、独立包装的那种。总共摆着四袋。

"这个怎么了？"哲朗问道，心中很不平静。

"为什么还有四个呢？"

"剩下了不行吗？"

"太奇怪了！和我们的次数合不上。要是每次都用，应该只剩三个才对。"

"你记错了吧。"

理沙子摇头。"绝对不可能，我都做了记录。要是你认为我撒谎，我拿给你看好了。"

哲朗觉得脸开始发热。

"你什么意思？"

理沙子直直地盯着他，仿佛要看穿他内心的变化。

"那时，你真的用了？"

"什么那时？"

"上个月七号。"

"七号？那天有什么不对？"

"那天是危险期。你明明出去采访了，却很难得地主动挑逗我。"

"或许是吧。"

"然后呢？"

"什么？"

"你用了吗？"

"用了。不是明摆着用了嘛。"哲朗提高嗓门。

理沙子面不改色地说："是那天怀上的。"

"可能失败了吧。我听说杀精剂的失败率很高。"

"我原先也这么想，但是看了这个，我有了新想法。"她用下巴示意床上的四个袋了，"数目对不上。"

"我怎么知道？"哲朗伸手把它们拂开，"这种事，管它呢。怀孕这个事实反正已经改变不了。"

"对我来说是件大事。你以为我牺牲了什么？"

"真啰唆！要这么说，你自己做好避孕措施不就行了？总是让我来做，你才会这样。"

"我一直认为避孕这件事，男人应该配合，还必须互相信任。"

"你想说什么？"

理沙子沉默不语，一一捡起掉在地上的袋子，然后站起来，背对着哲朗。

"干什么！有什么想说的话，你就说清楚！"哲朗厉声说，但很快就闭上了嘴，因为他看到了理沙子颤抖的后背，也听到了她控制不住的呜咽。

"我说不出口，太让人伤心了！"扔下这句话，她走出了卧室。

哲朗伸出一条腿，想追过去，却又不知追上后该说什么，于是又将腿抽回。

阴霾覆盖了哲朗的心。

他想不论因为什么，怀孕不都很好吗？她自己大概也为怀了孩子高兴吧。另一方面，他也深深地感受到女人的直觉有多准。

理沙子的怀疑是对的。那天晚上，他并没有用杀精剂。

可以说他早有预谋。为阻止理沙子去海外，他能想到的唯一办法就是让她怀孕。哲朗猜想，不论她多么渴望追逐梦想，想要孩子的心情大概也不会变。哲朗不知这样能不能让理沙子怀上，因此，他也是下了很大的赌注。

他希望自己能赢。虽然事后也有过内疚，但他一直告诉自己，这样对两个人都好。

可是回到现实，他发现好像伤害了理沙子。他早有心理准备，明白可能暂时要在比较尴尬的气氛中生活，但觉得，随着腹中的孩子一天天成长，理沙子也会有身为人母的感受，只要忍到那时就好了。

可事情并没有他想得那么简单。四天后，哲朗从外地采访回来，看到理沙子一脸憔悴地躺在床上。哲朗询问缘由，理沙子仍背对着他说道："做掉了。"

哲朗愕然。他以为自己听错了，又或许是理沙子在开玩笑，但是从笼罩着理沙子的气氛来看，两者都不是。

他近乎发狂，咆哮道："为什么？为什么不跟我商量就那么做？你是白痴啊！你究竟在想什么？！"他知道理沙子的身心都受到了很大伤害，但仍忍不住对她发泄怒火。

在他喊叫的时候，理沙子就像死去的虫子一样一动不动，也可能是充耳不闻。

从那以后，两个人就分开睡了。

哲朗心里明白自己也有不对的地方，但还是和从前一样，不知该怎么办。应该一切都由着她的性子来吗？那样才是相互尊重吗？

哲朗觉得到头来他和那些古板的老头子很可能是一类人，开始强烈厌恶自己。口口声声说希望妻子能够独立，内心其实很抵触。自己可能还没察觉到这一点吧。

哲朗明白理沙子想保护美月的心情。因为理沙子知道女人生活的艰辛，希望美月能开启新的人生之路，另外，哲朗对她提到的"挚友"一词记忆犹新。理沙子和女记者之间的友情，被男人的任性妄为毁掉了。她可能认为那简直是对女性之间友情的蔑视。

那个女记者最后下落不明。理沙子只收到过两封信，过了一年多还是杳无音讯。这肯定也令理沙子备受煎熬。

所以，她不想再度失去挚友。

4

哲朗在门铃声中醒来。不知什么时候睡着了。大门的对讲机响个不停，理沙子一定去接了。

走廊上传来脚步声。理沙子打开门，一脸严肃。

"来了一个不速之客。"

"谁啊？"

"中尾。"

"啊？"哲朗慌乱地坐起来，"中尾怎么会……"

"不清楚，我让他在下边稍等一下。"

"究竟怎么回事啊？"哲朗努力理清思路，可刚睡醒，头脑有些昏沉。

"怎么办？总不能把他赶回去。"

"知道了。我下去看看。"

哲朗换好衣服来到公寓门厅。一个瘦削男人站在公用玄关那儿，朝哲朗笑了笑。

哲朗起初以为与来者互不相识，但同时又觉得应该认识。这双眼睛和这副表情确实在哪儿见过。这张笑脸可是帝都大学的王牌——跑卫中尾功辅特有的。

哲朗把门打开，中尾慢慢走了进来，身上的衣服做工精良。

哲朗没能马上认出他来，是因为他太瘦了，瘦得简直没法和上次见面时相比。瘦削的脸颊，尖突的下巴。哲朗想起须贝开玩笑说"倒插门真是辛苦"时的情景。

"好久不见。"中尾说。

"中尾……你怎么会来这儿？"

"来见一见啊。"

"见一见？"

"对啊。"中尾点点头，往上瞥了一眼，"他们说她在。"

哲朗屏住呼吸。他明白中尾指的是什么。

"今天往须贝家打了个电话，她老婆接了，说须贝还没回来。我打听了很多事情，觉得他可能住到你这儿了。她说女经理也在一起，所以就想到了。"

"你和须贝聊过了？"

"还没有。"

看来中尾还不知道那起案件，对美月现在的样子大概也一无所知。

"在吧？"中尾右手拇指朝上指了指，又问了一遍，"让我见一见。"

哲朗不知该怎么回答。他找不到拒绝的理由。如果说不在，让他就这样回去，反倒显得不太自然。

中尾说声"走吧"，径直朝电梯走去。哲朗只能跟上。

乘上电梯，哲朗仍在为该怎么办烦恼。既然都到了这儿，就没有理由不让中尾和美月见面了。但他很困惑，在中尾毫不知情的情况下，这样做好吗？如果来人不是中尾，美月也不是杀人犯，就不会这般令人苦恼了。

毫不知情的中尾一直盯着电梯的显示屏。哲朗想起以前透过面罩看到的中尾那双犀利的眼睛。持球的他就像野兽一样活跃在球场上。

他在美式橄榄球队员中算是小个儿，但跑卫的角色让他引人注目。对方的防守阵营就像抓不到兔子的大猩猩一样东奔西窜。

出了电梯，往家走的时候，哲朗忽然驻足。

中尾一脸狐疑。

"你最好有个心理准备。"

中尾眼里闪过一丝困惑，但很快又浮现出成年人游刃有余的笑容。"你把我想得太天真了吧？"

"不是那么回事。看到如今的日浦，估计你会很惊讶。我是提醒你，让你心里有个底。"

"时间一长，谁都会变的。"

"变化的方式也有很多。"

可能因为哲朗咄咄逼人的架势，中尾也终于觉察出他并非开玩笑，脸上的笑容也消失了，但表情很快又柔和起来。

"我只是因为想念才过来看看，并没有特别的期待，所以也谈不上失望什么的。"

哲朗呼出一口气。会令中尾失望的不是现在，正是他珍惜的过去。

一打开公寓的门，理沙子便迎了出来。她表情生硬。

"好像是从须贝的妻子那里听来的。他说想见见日浦。"哲朗说。

"哦。"理沙子像也在犹豫，但是也清楚逃不掉，"真是没法子。"

对啊。哲朗点头赞同。

理沙子看了中尾一眼，皱起眉头。"中尾，你瘦了。"

"因为受了不少苦。高仓你还是和以前一样黑啊。"

"因为我是户外型的。"理沙子强颜欢笑，然后转头看向哲朗，像是在问该怎么办。

"日浦在里面吗？"

她点头。

"那，把她叫过来怎么样？"

"也好。"

"等等。"中尾说，"我过去好了，没关系吧？"

哲朗和理沙子四目相对，微微点头。"那也行。"

中尾脱了鞋，沿走廊前行。

"呃……"理沙子像是有话要说，被哲朗制止了。

中尾打开客厅的门。他往里走了一步，就定住了，一动不动地看着里边。哲朗看到他就像冻结了一样。这情形持续了好几秒。

终于，传来了声响，美月来到中尾面前。之后又是短暂的沉默。他们，还有哲朗和理沙子都被一种奇怪的氛围笼罩。

"QB，"美月看着中尾说，"不好意思，能让我和功辅单独待一会儿吗？十分钟，不，五分钟就行。"

哲朗看了看理沙子。她点点头。

"不管十分钟还是十五分钟，你们爱怎么聊都行。我们在这边。"

"抱歉。"美月关上了客厅的门。

哲朗拉开卧室的门，和理沙子一同走进去。

5

根本听不到两个人的对话。哲朗盘腿坐在地板上，理沙子躺在床上，等着有人来敲门。

哲朗想象着，美月同此前一样，用平淡的口吻讲述着复杂艰辛的经历。但这次的谈话对象换成了中尾，所以讲起来会更加痛苦。

哲朗想起了白色的滑雪场。大四那年的冬天，他和理沙子一起搭乘双人座的缆车。前边也坐着一对情侣：中尾和美月。那年冬天，四个人一起去了苗场。

只有哲朗和理沙子知道中尾和美月交往的事，并被拜托一定要保守秘密。至今他们还遵守着这个约定。

至于他俩是怎么走到一起的，哲朗也不是很清楚。他不喜欢盘问那种事，也有要隐藏他和美月的关系的负罪感。理沙子似乎也没从美月那里听到什么。

滑雪旅行是理沙子提议的，中尾第一个表示赞同。因为和美月的关系，哲朗稍微有点犹豫，可又找不到正当的理由拒绝。另外，他听说美月也同意去，觉得自己也没必要如此在意。

在滑雪场的宾馆里，他和美月有过独处的机会。那个时候也是，但他们都没有提到那晚在他住处发生的事。哲朗只是试着问："你打算以后怎么和中尾相处呢？"

说到底就是"关于将来，你有什么打算"这个问题。

美月歪着脑袋。"倒还没有考虑过，我一直都很担心像我这样的女生是否适合他。"

"你说得很深奥嘛。"

"我并没有这个意思。"

谈话基本就这些。

现在想想，那时美月的话里似乎隐藏着很重要的东西。虽然她和中尾在一起，但依然很烦恼。

中尾和美月的交往还不到一年。第二年正月，哲朗听中尾说他们已经分手了。

"并不是自己逞威风，但我没觉得自己被甩了。"中尾如是说，"怎么说呢，这种恋人关系，我们俩好像怎么都处理不好，总觉得做好朋友可能会是最好的选择。所以今后还会继续交往下去，只是不再是恋人关系了。"

听到这番话，哲朗回答："嗯，这样也好。"

其实，他并不认同，终究还是把这解释为失恋。

但或许那番话并不假。中尾并不知道事情的真相，但可以想象他多少看出了美月不为人知的一面。

哲朗看了看表。两人已谈了二十来分钟。

"哎，"理沙子开口，"中尾应该受到了很大刺激吧？"

"应该会。"

"会不会生气？"

"嗯？"

"因为一直被蒙在鼓里……"

"不会吧。"

哲朗嘴上这么说，其实很没有信心。他只和美月发生过一次关系，没有被她迷住。即便如此，当知道她内心其实是个男人的时候，哲朗心里就像打翻了五味瓶一样。

"中尾他，"理沙子说，"瘦了好多啊。"

"我也这么觉得，好像受了不少苦。"

"都说他攀上了高枝呢。"

"也不完全是好事啊。"

中尾的妻子是一家大型食品制造公司董事的千金。好像是那家公司赞助的美式橄榄球队夺得全国冠军的时候，他们在庆功会上认识的。中尾是当时的最佳跑卫。对方也算不上橄榄球迷，只是恰巧来玩的，所以也算有缘。

那家公司称得上规模庞大的家族企业，可以说这也注定了中尾的将来。如今他在成城有一幢独门独院的宅第，和妻子及两个孩子一起生活。不用说，房子是他岳父给的。

中尾现在已改姓高城，但哲朗等人从不这么叫他。他还是他们原来的好朋友中尾功辅，就像理沙子现在还被称为高仓一样。

客厅那边响起开门声，接着是脚步声。理沙子从床上坐起，哲朗凝视房门。

有人敲门。哲朗说了声"请进"。

门一开，便看到了美月。"谈完了。"

"中尾……怎么样？"

"什么怎么样？"

"什么样子？"

"有没有受到刺激？"

"嗯……究竟怎么样呢，"美月好不容易开口道，"看了不就知道了？"

那倒也是。哲朗和理沙子对视一眼，站起身来。

中尾站在客厅的立柜前，手里把玩着装饰在上面的美式橄榄球。哲朗他们进来后，他依旧拿着球，转过脸来。

"那个时候，你也没有想到冲锋达阵吗？"中尾问哲朗。

"那时候？"刚一说完，哲朗就明白了，"总决赛？"

"对方认为我们只会传球。不是还有攻其不备这一说吗？"

"那可有十八码远啊。"哲朗微笑道。

"有点勉强。"昔日的跑卫伸长了脖子，把球放回原处，然后看了看理沙子，"据说是你说服美月不去自首的。"

"不行吗？"

"不，你这么做真是太好了。这家伙做事从不考虑后果，现在变成男人了，好像还是一点没变。"

中尾说话时带着笑容，不难看出他对美月变身这件事表现得很乐观。但哲朗还是有些莫名的心痛，不忍再看他。

中尾接着说："无论如何也不能让美月进监狱。"

理沙子安心地点点头。"我就知道你会这么说。"

"但是，依你看来，我们具体该怎么办才好？"哲朗试着询问。

中尾好像还没有考虑过这个问题，他低下头，脸色变得阴沉起来。

"我有一个提议。"

理沙子的发言引起了另外三个人的关注。紧接着，她指了指沙发，示意众人坐下。

哲朗和中尾并排坐下，理沙子坐到双人沙发上。美月在与和室交界的草席上抱膝而坐。

"我先从结论说起，我是这么想的，想躲过警察，最好的办法就是让美月消失。也就是说，让美月变样。"

"怎么变？"哲朗问。

"假使警察注意到神崎见鹤这个人，这个人实际上也并不存在，到头来他们一直在追踪的只不过是个疑似的人。所以，只要把美月变成不像那样的人就好了。"

"总之，"中尾探询似的说，"就是说，要让美月放弃男人的打扮？"

理沙子点头，示意完全正确。

"你们放过我吧。"美月依旧抱着膝盖低语，"都现在了，还让我扮成女人？"

"警察若盯上忽然从'猫眼'辞职的调酒师，会先从女扮男装这一点切入调查。"

对于理沙子的看法，中尾也只能表示同意。因为猫眼的老板娘好像也知道美月其实是女儿身，并且不可能对警察说谎。

"这样，警察就会重点调查有这种女人聚居的场所，比如专门为有这种嗜好的人提供服务的店之类的。"

"所谓的拉拉的店？"中尾有些痛苦地说。他好像很不乐意提到这个词。

"我才不会去那种地方呢。"

"知道。所以警察在那种地方找不到你。那他们接下来会把目标放在哪儿呢？"

理沙子环视四周，想看看众人的反应，但谁都没说话。

她给出了答案。"我猜是医院。"

"确实，"哲朗终于明白了，"你是指激素疗法？"

"警察从'猫眼'的员工那里了解到，消失了的调酒师一直在接受手术治疗。他们大概会推断至少也会注射激素。这样一来，这个人就要定期去医院。他们不可能猜不到。"

"能给我打针的不光只有那些正经医生。"美月说得硬邦邦的。

"大概吧。但是，如果连你都知道那些地下医生，你不觉得警察也能找到他们吗？"

美月不作声。这说明理沙子的推论没有错。

"美月暂时不能去医院了吗？"中尾两手按着内眼角。

"正是。这样就不能让美月一直装扮成男人，太危险了。"

"为什么？"哲朗问。

"明摆着嘛，要是她不接受激素疗法，就会渐渐变回女儿身。现在不管怎么看都是个男人，慢慢就会变成穿男装的女人。到那个时候，就会格外引人注目。在大家都想保护她的时候，那恐怕不是什么好事。"

"警察只怕也会猜到嫌疑人有可能变回女人。"哲朗说。

理沙子也表示赞同。

"那就没有办法了。但我不认为这样我们就会有多不利。警察并不知道神崎见鹤的真名，相关人员中也没人知道'他'变回女人时的样子。只要美月还是女人，警察手里的线索就基本没用。"

哲朗琢磨了一下理沙子情绪激动地说出的这番话，觉得这个主意还行得通。

但这个妙计对于美月来说，算不上值得高兴的提案。她咬着食指的第二节。

哲朗对理沙子说："刚才日浦说要去自首的时候，你好像说过，好不容易才有了现在的男儿身，就那么轻易地放弃了吗。现在，你是要她放弃吗？"

"我承认语言上自相矛盾，但觉得这个想法还可行。"理沙子起身来到美月面前，"要是进了监狱，只会被强行夺走珍贵的东西。美月的个人意志和理想都将被忽视。这与为了将来暂时假装一下，本质上完全不同。"

美月抬起头。"那要让我装到什么时候？"

"这……"理沙子略显犹豫，"坦白说我也不知道，得看形势的发展。"

"总之，就是很可能一辈子呗。"

"不至于吧……"

美月看着哲朗问："杀人的诉讼时效是十五年吧？"

哲朗点点头。美月苦笑，长出一口气。"为了不做女人，最糟糕的情况要花十五年吗？"

她的自语引发了一阵沉默。大家都各有所思。

"美月，"理沙子终于发话，"这种时候，我要说出真心话。如果光顾表面，就什么也做不成了。"

哲朗看着妻子的侧脸，不明白她要说什么。美月也一脸茫然地看向她。

"我想你们都清楚，我是个女人，当然有这样的身体。作为这样的人，我要说一句，你对女人身体的哪一点不满？我想你的身体也会说，自己没理由被那么讨厌吧？"

"你的心和身体是一致的，"哲朗在一旁说，"日浦因为不一致才痛苦。"

"这个我也知道，为什么一定要一致呢？心是男人的，身体是女人的，这不也很好吗？"

"我希望别人把我当男人看待。"美月说，"正因如此，男人的外表也是必需的。明白了吧？"

理沙子叉着腰，轻轻地做了个深呼吸。

"美月，你的话很有问题。你是说一个人对待别人的时候，会因为男女有别而存在差异？"

哲朗趁她不注意活动了一下脖子，轻叹一声，心想又开始了。

"你不觉得那本身就很奇怪吗？"

"奇怪也好怎样也好，那都是现实，根本没有办法。"美月自暴自弃地说道。

"难道你就不想改变这样的现实吗？只要男女有别的对待没有了，你的烦恼也就消除了。"

"哪有那么简单？"哲朗说，"社会不会改变，因此只有改变自己，日浦是这么想的。你说的只是梦一般的理想论。"

理沙子终于朝他看过来。"这个我也知道，所以也想尊重美月本人的意愿。我想说，改变肉体来达到身心一致只是个妥协性的提案。我觉得这不是切实可行的方法。刚才我也说过要让你们听我的心里话。我还有几句话要说。"她又看了看美月，"身为女人，美月感受到的烦躁和愤怒，所有女人或多或少都会有一些。并不是说心是女人的，就不会在意，只是大家都习惯了，然后死了心。"

"我要说的就是这些"——她说完这句话，坐回沙发，抓起桌上的烟，用打火机点燃。

她吐出的烟缭绕上升。空气苍白而混浊，宛若大家的心情。

"理沙子……你忘了最重要的一点。"美月说，"能看到自己的不只有别人，世界上还有镜子这种东西。"

"你不觉得看镜子的目光也扭曲了吗？"

"或许，可这也毫无办法。"

理沙子嘴唇微动，可能是想说"我并不这么认为"，但终未出声。

电话忽然响了，像是要打破沉闷的气氛。哲朗拿起听筒："喂。"

"西胁吗？是我，须贝。"

"啊，怎么啦？"

"呃，我老婆多嘴了，把日浦在你那里的事告诉了中尾。"

"我已经知道了。中尾现在就在这儿呢。"

"哦。"须贝压低声音说，"那，现在情况怎样？"

"没事，中尾很冷静。"

须贝放心地呼出一口气。

"这样就好。我还担心会出什么乱子呢。"

"你就不用瞎操心了。我们会处理好的。"

"对不起，没能帮上什么忙。其实我也在用自己的方式收集信息呢，警察那边好像没有什么进展。要是现在自首——"

"等一下，你说你在收集信息，怎么收集的？"

"也没什么了不起的，我给早田打电话了。"

"早田？"哲朗把听筒捏得更紧了。理沙子、美月和中尾都不安地看着他，哲朗边回头看了一下他们边问，"你在电话里都说了些什么？"

"关于江户川区的杀人事件，要是他知道什么，希望能告诉我。我说那附近住着一个熟人，想了解详情。他没觉得奇怪。"

"早田很快就把消息透露给你啦？"

"他说需要时间调查之类的，就挂了，之后又打了过来。现在他不属于记者俱乐部，好像是自由记者。据他调查，被害者的身份好像已经确定了。果真是板桥那个老头。知道的仅限于此，警察好像还不知道他跟踪别人，还有经常去银座酒吧的事。"

听得出他有些兴奋，大概觉得自己弄到了有用的信息，有点得意。哲朗根本看不出那些信息有何价值，在意的倒是别的。

"知道了。嗯，须贝，你没有跟早田多说什么吧，比如日浦的事？"

"没理由说啊，我还没傻到那个地步。"

虽然没有傻到那份上……哲朗忍住了想说他确实够傻的冲动。

"好，谢了。嗯，麻烦你不要再给早田打电话了。要是他问你什么，你就说已经没事了。"

"为什么？有他在，很容易就能搞到信息。"

"总之先按我说的办吧，你也不想卷进这么复杂的事情吧？"

"那是。所以才……"

"说定了啊，不要再和早田接触了！"

听到哲朗语气严厉，须贝似乎有些仓皇失措，沉默了片刻，还是无法接受似的说了声"知道了"。

挂了电话，哲朗把通话内容告诉三人。中尾只能苦笑，理沙子抱着头。

"早田大概会觉得很奇怪。"美月说。

"可能。他也不是愚蠢之辈啊。"哲朗同意美月的看法。

早田在报社工作，是社会部的记者，这也是他从大学时代以来的梦想。

"但须贝也只是问问。早田应该不知道这跟美月还有我们有关吧？"

"现在是这样，只能祈祷他早点忘记。要是他凭直觉猜到这一步，也只有投降了。"

"要是真成了那样，就只能拜托他与我们合作了。"

"这没用吧？"中尾冷静地说，"不管是好是坏，那家伙不是那种被感情左右的人，他能冷静地思考应该怎么做。我觉得他会选择工作。"

"我也这么认为。"美月嘟囔了一句，"所以他才是近端锋啊。"

近端锋承担着封锁对方阻截行动的重要任务，还得根据具体情况钻对方防守的空子，接球瞄准得分线进攻。这个位置对人的随机应变能力要求很高。

哲朗对理沙子和中尾说："既然须贝打了那个电话，早田就有可能找到我们。还是先做好心理准备吧。"

夜更深了，中尾说要回去。哲朗送他出了公寓。

他的车停在前面路上的停车区。是一辆深绿色的沃尔沃，尾灯旁边凹了进去。哲朗指着车问："怎么回事，这个？"

"啊，那个啊，被追尾了。"

"没事吧？"

"不是特别厉害，幸运的是没有受伤。比起这个，"中尾直直地看着哲朗的眼睛，"美月的事，就拜托你了。"

"我知道。"

中尾点点头，坐进驾驶座，发动引擎，然后把车窗摇下来，说："再见。"

"中尾，呃，可以问个问题吗？"

中尾轻轻笑了笑。"想知道在得知美月内心是男人之后，我作何感想？"

"……"

"也是，不能说一点刺激都没受，但没关系。"

"没关系？"

"那个时候和我们，那个时候和我在一起的美月绝对是女人，我坚信。"

"哦？"哲朗也冲他笑了笑，"是啊。"

中尾扬了扬手，关上车窗。

车无声地往前驶去，哲朗目送着尾灯消失在远方。

第三章

1

阴沉的天空下，几个女运动员在奔跑，背景是陈旧的工厂。她们的动作强健有力，富有韵律，看样子状态不错。哲朗觉得，虽说是长跑运动员，可她们的速度远远超出了常人全力奔跑时的水平，并且以这样的速度一跑就是几千、几万米，真是厉害。

她们的教练有坂文雄看了看电子秒表后看向哲朗，像是在问"呃，觉得怎么样啊"，眼里充满了自信。他觉得哲朗根本不可能否定。当然，哲朗也没打算破坏他的好心情。

有坂点点头，把手伸到深蓝色训练服内侧，挠了挠腋下。他算不上肥胖，但脖子周围有少许赘肉。他做运动员时瘦得像根铅笔，箱根长跑接力赛时曾备受关注，但进入职业田径队以后就没什么发展了，长期受伤病困扰。

"你今天采访什么啊？长跑接力前几天不是刚弄完吗？"有坂问。

"其实，我是有事相求。之前您不是跟我说起过第一高中的选手吗？"

"第一高中？"有坂好像想起来了，"啊，是末永吗？"

"对，叫末永睦美……是吧？我想问点跟她有关的事。"

"那你还是问中原好了，他比较了解。但是，"有坂看了一眼哲朗，"你要采访她？"

"想先见一见。"

"哦？你还是放弃为好。"

二人回到活动室，一个身穿白色防风运动衣的小个子男人朝有坂走过来。

"有坂，那个体能测试数据，我已经放到你桌上了。"

"哦，谢啦。对了，西胁说有事找你。"

"哦？什么事啊？"

男人朝哲朗笑了笑。他就是田径队的队医中原，也是大学的副教授。

"他想听听末永的事情。"

"哦。"中原眼里的笑意消失了，他坐到旁边的长凳上，"你想问她什么？"

"比较具体的问题。她好像是两性人？"

"对。一种性分化没能顺利完成的病，生殖器官具有男女双方的特征。"

"户籍上是女的吗？"

"对，出生的时候大概没能确认阴茎的存在。所谓的真性两性人，拥有睾丸和卵巢两种组织，在婴儿时期大多数很难区分性别。"

"这个选手当真是两性人？"

"不管是真是假，她本人是这么说的。"一旁的有坂说。

据他说，好像是在今年夏天知道了末永睦美的情况，是第一高中田径队的校友提起的，商量两性人运动员是否可以参加女子比赛。

一直到初中，末永睦美都过着和普通女孩子一样的生活，对自己的身体也没有任何疑问。但初二的冬天，她因车祸住院，主治医生注意到了她身体的秘密。

可她父母被告知真相后，并没有让她接受手术治疗。据说当时并没有什么大碍是主要原因，另外也有经济方面的考虑。

不久便发生了奇怪的变化。睦美的身体渐渐现出男性特征，与此同时，她的纪录也不断刷新。田径队的顾问伤透了脑筋。她在加入田径队的时候，就已经讲明自己是两性人。

"因为有睾丸，会分泌雄性激素，使女选手兴奋。实际上，末永这孩子有着女孩子没有的肌肉。她有这么好的纪录，也完全是这个造成的。"中原解释道。

"虽然没有正式的纪录，但据顾问说，她跑五千米只用了十五分钟。"有坂说。

哲朗瞪圆了眼睛。

"这不是全国纪录吗？"

"还有人说她九分钟跑完了三千米。"

"那也很厉害啊。"哲朗提高了声音，"可要是做性别鉴定，结果想必就不是女人了。"

中原摇了摇头。

"不，如果做性别鉴定，很可能被判定为女性。"

"啊？是吗？"

"检查的方法有很多，最近采用的是一种促使 DNA 增殖的 PCR 法，本质上和以往的并没有太大区别，总之就是要检查性染色体。男的是 XY 型，女的是 XX 型，你们应该都听说过吧？"

"对。"

"这种最新的方法就是要找出具有 Y 染色体的人，从巴塞罗那奥运会时开始流行。可真性两性人并不具有 Y 染色体，所以就算检查，仍会作为女性顺利通过。"

"那么末永那孩子不就没问题了吗？"

"检查上确实没有问题。要是在过去，这样的选手还是有可能参加比赛的。"

"如今不也是，时不时就有这样的人参加比赛。"有坂说，"外国选手中，那些绝对有问题的人还不是照样堂而皇之地参加。"

"但只要通过了性别鉴定，别人也不能仅凭外貌就提出申诉。"

"末永也用同样的手段不就行了？"哲朗提出来。

"问题在于道义上。"中原说，"两性人是先天性的疾病。因为生病，才有了女性本来不具备的能力。你不觉得让这样的选手参加比赛本身就有问题吗？"

"是说不公平？"

"这是其中之一。可在这之前，还有一个问题需要周围的人关心：要是生了病，首先考虑的应该是让她接受治疗，而不是盯着纪录让她去参加比赛。"

"可要是周围的人都不知道……"

"是，或许谁都不知道最好。但我们已经知道了。"

"还不如不知道呢。"有坂苦笑道，"要是她一直隐瞒，我们就毫不犹豫地选她了。既然已经知道，就不能这么做了。"

他虽是半开玩笑，但也夹着真心话。

"规定是怎么说的呢？"

"没有正式的规定，说没法制定规章制度或许更贴切。我刚才也说过，现在的性别鉴定并不能找出真性两性人，只能依赖自己申报。"

哲朗不能完全接受中原的这种说法。

"如果两性人选手自己说要参加呢？"

"也不能说不允许，但是日本田联那边多半会说希望不要参加。"

"理由是什么？"

"纪录的意义没有了。要是那人破了纪录该怎么办？能说是日本女运动员的最新纪录吗？"

哲朗无话可说。他理解了问题所在。

"是个好选手啊。"有坂说，"就算不考虑她身体的特殊性，也不能低估她的能力，是个实力派选手。但就算她想参加比赛，也会有人横加干涉。和田联对着干不会有什么好结果，到头来，我们还是得说服选手不要参加比赛。那样就没有意义了。不给选手参赛资格，我们也不能把她请回去啊。"

这番发言符合职业田径队教练的身份。哲朗点点头。

"那个选手高中毕业以后有什么打算？"

"她说要放弃比赛。好像最初参加高中田径队的时候，也没想要去参加比赛。只是因为喜欢才跑的。"

"喜欢就能跑出日本纪录，"有坂挠挠头，"果真不是女人啊。"

离开泰明工业，在电车里，哲朗一直在想末永睦美的事。想了解她，是在美月对他坦白以后。性格认同障碍和两性人，先不管肉体和精神的差异，在超越了性别这一点上是相同的。该怎么对待这样的人才好呢？这是哲朗一直以来的烦恼。

对于女子体育界不接受真性两性人选手的理由，他还能理解。她们拥有与男性同等的体力。要把她们和普通女选手放在相同位置上进行比较，确实很难。

但是，难道她们就不是女人了吗？户籍上写的性别为女，她们自己也这么认为，却得不到相同的回应与对待，这有道理吗？

很明显，使用兴奋剂是很卑劣的行为，但是真性两性人选手们能够产生雄性激素，这只能算是她们自身的特殊能力。而体育从一定意义上来说，不就是特殊能力的较量吗？例如在田径界，有这样一句话，短跑选手不是培养出来的，而是创造出来的，即顶级短跑运动员的必备素质由遗传基因决定。奥运会和世锦赛的百米决战中，黑人选手排成长排，正说明了这一点。跟别的人种相比，他们很明显有一种特殊的能力。

在体育界要说男女之别，不单单是在如何对待真性两性人，别的方面也是矛盾丛生。

中原医生说有这样的例子：有的选手不论怎么看都是女人，户籍上是女性，本人的意识也是女性的，在性别鉴定后却被判定不是女人。

"检查的出发点是尽量测出是否具有 Y 染色体。可在现实生活中，确实有携带 Y 染色体的女性。这些人毫无疑问可以称为女人，至少在体育界看来，她们和一般女性相比，不存在体力上的优势。"

中原接着说，这有两种类型。一种是患有睾丸女性化症的病人。这种病，细胞内没有雄性激素的接受体。因此，不论睾丸产生多少雄性激素，身体也不会具有男性特征。也就是说睾丸携带的是 XY 型的染色体，但性征完全是女性的。

另外一种是性腺形成异常症。这是在胎儿早期，睾丸就已经萎缩，因此无法产生雄性激素。在这种情况下，染色体也是 XY 型的，本该当作男性来抚养，可没有雄性激素，最后身体就会出现女性特征。

两种情况的染色体都是 XY 型的，在性别鉴定上却屡屡受阻。从外表看来明明是女性，社会上也承认她是女人，她们也不觉得自己的性别有什么异样。

"如今这两种病被人们所熟知，只要由医生检查并开具证明，就能获得参赛资格。但是以前，患有这种病的人即使成绩很好，也没法参加需要做性别鉴定的大型比赛。"

哲朗想，这太没有道理了。

"简直就是没天理。现在虽说对这些选手有救助措施，但大家还是对她们投以异样的目光。可以说这是事关人权的问题。总之，这种性别鉴定的标准就是，只要体内大量分泌雄性激素且受其影响的人就不是女性。这算是做了明确的划分，却给我们留下了一个疑问：能以这样的方式来划分吗？真性两性人选手们就是这个悖论的具体实例。"

"那究竟怎么办才好呢？"哲朗如此发问，中原没给出明确的答案。

"我个人的意见，应该从根本上改变对男女之别的看法。因为男女之间的界限是模糊的，强制性地划分当然会引发许多矛盾。如果非要划分出一定的界线，必须清楚说明这种划分方式并做出区分。"

哲朗想到了美月。她觉得自己是个男人，所以要是参加什么体育活动，当然要和男人们站在一起。这也不是不可能，因为性别鉴定是针对女性进行的。可要是和男性一起竞争，美月根本就没有取胜的希望。要是在这种没有成熟的状态下去应战，只能让她报名参加女子那一边了。

哲朗想，正如中原所言，区分男女实际上是件相当困难的事，而且，这不仅仅是体育界才有的问题。

哲朗想，一定要见见那个叫末永的选手。中原答应若有机会帮他问问。

2

回到公寓，天已经黑了。

哲朗打开门，朝里边喊道："我回来了。"却没有回应。他提着行李穿过走廊，推开客厅的门。

一尊裸体映入眼帘。他惊呆了。

是美月。说是裸体，她还穿着短裤，只是平时一直都穿的胸罩不见了。她的胸不算大，但显然不是男人的胸。她并没有要回避的意思，盘腿坐在地板上，挺着胸脯，眼睛稍稍往上看着。

哲朗没敢再看她。

仔细一看，沙发和房间中间的桌子都被搬到角落里了。理沙子站在屋子中央，摆好拍照架势，连看都没有看哲朗一眼。

她连续按了三下快门。

"在做什么？"哲朗问道。

理沙子不答，转来转去地寻找拍摄角度，找到了就按下快门。

"再往上看一点，身体再往右靠一靠。对，就是这个姿势。要自然，表情无所谓，怎样都好。"

这么拍了几张后，理沙子打开相机盖换胶卷。

"喂，理沙子，"哲朗再次叫道，"你没听到吗？喂。"

理沙子像是故意耸了耸肩，深深叹了一口气。"听到了。"

"那为什么不回答？"

"不想回答。拍照的时候我想尽量集中注意力。但现在不行了，已经没法集中了。"理沙子坐到角落的沙发上，"怎么了？有什么事？"

"我问你在做什么。"

"一看不就知道？在给美月拍照。"

"为什么要拍照？"

理沙子轻轻耸了耸肩。"没什么特别的理由，只是想拍就拍了。不行吗？"

"我原本没什么兴趣。"美月说。她不知什么时候披上了衬衣。"这样的胸本不想露出来，可理沙子说可以把现在的样子留下来。确实也是，要是不注射激素，就会变回女人的身体。努力到今天好不容易才练成的肌肉，想想也真是可惜啊。"

"我不是在为美月拍纪念照，只是在做一个摄影师应该做的事。美月的身体也有这样的价值。"

"真的吗？"美月挠了挠后脑勺。

"你不会是想在什么地方发表吧？"

"现在还没这个打算。"

"现在？"哲朗复述道，"以后也不行，你知道现在是什么状况吗？"

理沙子像赶苍蝇一样厌烦地摆了摆手。"知道。我又不是小孩子。"

哲朗想再次叮嘱她，理沙子却像是被弹起来一样，飞快地摆出拍照的姿势。

美月叼着烟，正要点火，见状像是被吓着了，停住了手。理沙子把这一幕也拍了下来。

"没关系，把火点上吧。不看这边也没事，爱怎么吸就怎么吸，放松就好，也不用摆什么姿势。"

快门声接二连三响起。美月就像和着笛声起舞的蛇一样扭动身体，动作既妖艳又略带粗犷。理沙子像被迷惑得眼花缭乱的野兽一样，围着她左右打转。两个人的动作和表情默契异常，各自用兴奋的心情感染对方，同时又因为对方营造的氛围而陶醉，她们制造出这样的循环。别人似乎无法涉足她们两人组成的世界。

"对，这样就好，盘腿坐着就好。像个男人一样，展示出你男人的一面，让我看看，只让我看。"

哲朗一边听着理沙子的话，一边从冰箱里取出一罐啤酒，走出客厅，推开卧室旁储藏室的门。

说是储藏室，但只有四叠大，房间平面图上标示的是附赠房。像是免费多得了一个房间。没有标示成一般房间，据说是因为建筑法规。

这个房间本是理沙子的暗房。哲朗曾明确地说自己不要工作间，因为他有在咖啡店写稿的习惯。但渐渐地，工作量不断增加，有时也需要在家里写稿。原本只是想暂借一用，把桌子搬进去，在这儿工作，后来将书架也搬了进来，紧接着是橱柜。在两个人之间没有任何交流的情况下，哲朗一点点占据了这个房间，在理沙子还没有成为独立摄影师的时候乘虚而入。

关于这件事，理沙子没有当面质疑公平性，但有时她会在这儿弄黑白胶卷、晾晒照片。每当看到这种场景，哲朗总能感觉到她那无声的抗议：我可没有允许你这样……

哲朗坐到椅子上，打开笔记本电脑。等待开机的时候，他打开一罐啤酒。

"太好了。我还想，要是被你放上个台式电脑可怎么办呢。"

哲朗想起他买电脑时理沙子的话。经常在外工作的哲朗不可能买台式电脑，但要是不说点什么，她又没法消气。

还能隐约听到理沙子她们的谈话声，听不清内容，好像在笑。理沙子兴致很高，刚才她拍摄时的表情，哲朗好久都没有见到了。

忽然间，他眼前又浮现出美月裸露的胸部——刚才偶然看到的一幕。她的胸脯平时总裹着布，所以比别的地方要白，大小和形状都和十年前看到的没有太大变化。

"不是很好么。"

记忆中的美月朝他低语。她的脸和刚才看到的乳房重叠到一起。哲朗想起吮吸她乳头时的感觉，掌心有一种轻柔的感觉。

忽然间下休开始膨胀。哲朗对此也很困惑，急忙把大学时代的景象逐出脑海。即便如此，刚才看到的裸体的残像仍深深印在了心上。

正喝着啤酒，挂在椅背上的外套口袋里的手机响了。他慌忙取出。

"喂，你好。"

"好啊，是我。"

"哦，"哲朗不由得警觉起来，是早田打来的，"什么事啊？真难得。"

"现在方便吗？在哪儿呢？"

"在家。"

哲朗想起须贝说，曾向早田打听过案件的情况。

"上次也没能坐下来好好聊聊，真是太遗憾了。"

"嗯，那样的环境嘛。"

哲朗边回答边思索早田为什么会打来电话。

"其实我有点事要拜托你。明天有空吗？"

"明天？具体什么事情？"

"也不是什么大事。有个采访，一个人不太方便去。作为感谢，我请你吃饭。"

"和你的记者朋友一起去不就行了？"

"不，最好是能和部门以外的人一起。要是明天不行，就挑你方便的时候吧，时间你定。"

真奇怪！打电话本来就很罕见了，再加上这样的请求，未免让人觉得有些诡异。哲朗有种不祥的预感，但又找不到拒绝的理由。另外，他也想知道早田目的何在。

"知道了。那就明天，去哪儿？"

3

他们约在池袋车站前的一家咖啡店见面。哲朗在约好的六点准时进门。早田幸宏已坐在靠里的位置，看到哲朗后扬了一下手。

"事出突然，不好意思啊。"哲朗点好咖啡后，早田说。

"没事。我们今天要去哪儿？"

"一会儿跟你说。其实之前想顺路去个地方。实在抱歉，你能跟我一起去吗？不会占多少时间。"

"那倒不要紧，去哪儿？"

"呃，不是很远，坐车还不到二十分钟。又不是很急，先喝点咖啡吧。"说着，早田点了支烟。他旁边放着一个小小的纸袋。

不一会儿，咖啡端了上来。哲朗边喝咖啡边琢磨早田的意图。该不会是从须贝的问话里察觉到什么了吧？就算那样，也没有接近自己的理由啊。他希望是自己想多了。

他忽然想起做球员时的早田。不论攻击还是防守，早田都无懈可击。他对规则和战术都很了解，最初想当四分卫，可最终被选为近端锋，因为教练判断他比较适合。他既有很强的防御能力，又能钻对方的空子，攻防兼备。

"工作怎么样？忙吗？"早田问道。

"零零碎碎的，到了年底，足球和英式橄榄球的赛事也比较多。"

"美式橄榄球怎么样？还是和以前一样没什么人气吗？"

"是啊，写了很多稿，就是没有一家杂志愿意买。"

早田闻言不语，只是笑。他把烟捻灭，又点了一支。

"我还以为你毕业了也会继续玩橄榄球呢。"

"是吗？"

"当时我想你肯定还有未完成的心愿。可是，说不定放弃才是对的。那时候也有好几个俱乐部邀请我参加。"早田朝上吐着烟，"美式橄榄球已经腻了，或者不如说是已经厌倦了群体比赛。那种事也只有那个时候才做得了。"

"现在不还是群体的一员吗？"

"形式上是。"他的话语背后藏着记者独有的骄傲，"你没有继续玩橄榄球，高仓不失望吗？"

"没有，没什么特别的反应。"

"都没有商量吗？"

"没有。"

"哦。"早田点点头，把还剩很长的烟折到烟灰缸里，"我们走吧。"他抓过账单站起身来。

在车站前拦了一辆出租车。上车时早田对司机说去板桥。

"板桥？"哲朗惊奇地问。

"对，去一个被害人家里，一件大概一周前的案子。"早田看了一眼哲朗说，"有什么问题吗？"

"没什么。"哲朗轻轻摇摇头。

"那家的户主被杀了，尸体是在江户川的工厂里找到的。凶手还未查明，死者是一个中年潦倒男人。这样一说，总觉得不像特别受关注的案件。"早田取出烟，又很快放回口袋。他注意到车里的标签上写着"禁烟车"。"你知道这起案子吗？报纸上也登了。"

"好像看过，不太记得了。"

"嗯。"早田点点头，朝前望去。

哲朗感到腋下渗出冷汗。他认为这绝非偶然。早田知道这起杀人案与哲朗有关，才故意叫他一起去被害者家里。他怎么会知道？大概和须贝的电话有关。但仅因为这个，就能和自己联系起来吗？若果真如此，就只能说他独具慧眼了。哲朗觉得还有点别的原因，那究竟会是什么呢？

"去被害者家里干什么？"哲朗试着问。

"只是问两三个问题。要是不方便，你找个地方等着我也行。可是，"他嘴角露出一丝怪笑，接着说，"想想以后的事情，去接触一下这样的场面也没什么不好吧？你也不能老是写些体育的东西。"

"也是。"哲朗略一思索，"我和你一起吧。"

不知早田究竟意欲何为，哲朗想探个明白。另外，他也想知道调查的进展。

早田点点头，像是说很好。

他们在小型房屋密集的住宅区下了车。走了不一会儿，早田停住脚步说："就是那家。"他指着一幢很旧的房子。在只能勉强停一辆小型汽车的停车场旁有一扇门，上面的漆已经剥落。门边装着现在已经很少见的门铃。

"大概二十坪吧。"哲朗看着装有廉价铝窗的二楼窗户。

"十八坪。"早田当即说道。

"你查过了？"

"如果被害者死去，谁会受益？我想先抓住这一条线索。但我好像完全估计错了。就算是狗窝，也能卖点钱，但房子若是别人的就不用提了。"

"租的房？"

"好像是他堂兄的。他堂兄经营一家制铁厂，被害人是那儿的执行董事。确切地说，他是在被炒鱿鱼之后，被堂兄雇到那儿的。如果我是他堂兄，既要照顾他的工作，还要给他安排住处，这样的亲戚简直就像瘟神一样。"早田手指夹着烟，晃了一下身子。

听早田的语气，他已经对户仓明雄做过大量调查。

"结果只是个形式上的执行董事。他没什么特殊技能，也不善交涉，能做的好像只有应酬，因为老板不会喝酒。"

"说到应酬，应该去银座什么的吧？"

"嗯，大概经常在那一带出没。"

哲朗推测，他大概已经去过"猫眼"。

"作为执董，生活也太朴素了。"哲朗又看了看那房子。

"只是形式上的执董罢了，听说员工们总是很鄙视地说这董事是个废物。工资也就那么点。而且，因为经济不景气，去年年底被炒了。"

"他今年失业了？"

"正是。"早田把变短的万宝路淡烟扔到地上，用厚底皮鞋踩灭，"这下你也了解了些情况，咱们走吧。"

哲朗点头，跟在早田身后。

来到屋前，早田按了门铃。哲朗看着一旁的停车场，那里放着三盆没有土的盆栽和一辆车架已锈迹斑斑的自行车。他想，这么小的一块地连普通的车也停不了，户仓开的莫非是小型车？但是美月好像说在车里打斗过。那么，小型车的可能性就不大了。

哲朗刚想到这儿，门内似乎传出声响，紧接着听到开锁的声音。门打开了一道十厘米左右的缝，系着一条很旧的门链。

门缝里露出一张矮个老太太的脸，眼睛睁得很大，眼角满是皱纹。

早田先做了自我介绍，然后从门缝里递上名片。

"关于这起案件，我们还有点情况想问问您。"

看过写有报社名称的名片，老太太好像稍微放松了一点，但还是很不安地看着他们。

"警察让我不要乱说。"

"您不想说的时候，保持沉默也没关系。我们不会胡乱问的。"早田用上了哲朗从没听过的柔和语气，还连连鞠躬，表示歉意。

老太太好像仍不太情愿，但还是把门合上，取下链条，打开门。这次能看到她的全身。哲朗看出她其实并不矮，只是腰弯得比较厉害。

"你们想问什么啊？"

"主要是关于明雄先生的事，比如他的日常生活什么的。"

"警察也问过我很多这方面的问题，不过好像都没有帮上什么忙。"像是说没能给调查提供可靠线索。

"那也没关系，我们不是警察，只说说明雄先生这个人就行。"

"啊，这样啊……"老妇想必是户仓明雄的母亲。她犹豫似的低下了头。早田他们显然是不速之客，但老妇底气弱，所以没有断然拒绝。

"只要一小会儿，可以吗？"趁着老太太犹豫，早田抢先一步踏了进去。老太太仍旧一脸狐疑，应了一声"哦"，点头同意了。

哲朗以为就站在玄关说话，所以看到早田一进屋就开始脱鞋，不禁有些吃惊，好像早田早有预谋要进去一样。户仓的母亲好像也很惶恐，却又不好说"别进来"。

刚进去是一间约四叠半的和室。房间中央摆着一张圆桌，再往里摆着电视和茶柜，还有一个小小的佛堂。哲朗想起在以前的家庭剧里见过这样的摆设。唯一感觉现代一点的就是和电视相连的游戏机，应该不会是这个老妇玩的，大概是她孙子的。

佛堂上供着户仓明雄的照片。早田经老太太同意后，给他上了香，双手合十拜了拜。哲朗也学着他拜了拜。早田把带来的纸袋递到老妇面前。"这个，小小心意。"

老妇张了张嘴，可什么都没说，弯腰接过。

早田再次表达了对户仓之死的遗憾，确认了一下老妇的名字。她叫佳枝，和儿子一家住在一起已经三年，之前一直和老伴住在练马的公寓里，老伴去世后才搬过来。

"您还有孩子吗？"早田问道。

"只有明雄一个。和别的亲戚联系不多，这么一来就真的只剩我一个人了。"

据佳枝说，直到今年三月，她还和明雄的妻子泰子、儿子将太一起生活。至于泰子带着将太离家出走的原因，她不是很清楚。

"他们总是吵架，泰子多半是终于受不了了，才走的吧。"

"吵架的原因是什么？"早田问。

"这个，"佳枝把布满皱纹的脸转向一边，"我已经决定不再管他们的事了。"

"您儿子有外遇吗？"

佳枝还是那副表情。"这种事大概也有，我不是很清楚。这段时间以来，我也没怎么和儿子说过话。"她叹了口气。

在一旁听着的哲朗无法判断她到底有没有隐瞒什么，但警察很可能叮嘱过她，所以关键的地方就不说了。

"抱歉，明雄先生好像失业了吧？"早田说，"那他每天都做些什么？一直待在家里？"

"呃，啊，他有时候在家，有时候出去……各种情况都有。"

"晚上也出去？"

"啊，那个，偶尔会……"

"您知道他去哪儿吗？"

"那，这个，"老妇歪了一下头，"虽说是我儿子，但都是大人了，我不可能老是问他去哪儿。"

既然要跟踪女招待，那户仓明雄几乎每天都要出去，晚上回来得肯定也很晚。哲朗看过他的记事本，能做那么细致的记录，绝不可能悠闲地待在家里。作为母亲，不可能不知道这件事，问题在于她有没有注意到他的跟踪行为。

早田接着问："有人来看过您儿子吗？不管男女。"

"这一年里都没有什么客人来过。"

"那电话呢？经常有人给您儿子打电话吗？"

"电话啊……我一直都没怎么注意，好像几乎没什么人打给他。"

早田针对户仓明雄的近况和人际关系反复提问，但佳枝的回答基本上都一样，总之一句话，"不是很清楚"。

"你有什么想问的吗？"早田问哲朗。他用的是"你"，哲朗有点不知所措。

他没说话，只是摇了摇头。在早田面前，他只能装出一副不在意的样子。

早田询问能否看看户仓明雄的房间。

"保证不会乱碰，只是想通过他的房间来感受一下，他过着怎样的生活。"

佳枝略显犹豫，意外的是竟然淡淡地说"可以"。

"但都没有整理。好久没有打扫了，这段时间警察来做了很多调查。"

早田边说"没关系"边站起来。

登上狭窄的楼梯，便看到两个连在一起的房间——六叠大的和室和稍小一点的西式房间。好像原来是用拉门隔开的，现在拆掉了。

和室里有电视和收纳柜，还有书架。叠好的被子堆在角落里，哲朗觉得那被子大概常年铺在地板上用。在两个房间交接的地方，有一个看似廉价的玻璃烟灰缸，想必户仓明雄是把枕头放在那头睡的。

西式房间基本用来堆放杂物。墙边并排摆着组装式的收纳家具，每个小架子上都塞满了东西，装不了的东西就放在地板上。有几个不知装着什么的硬纸箱摆在一起，上面还堆积如山的衣服。哲朗觉得，佳枝很难将这间屋子打扫干净。

"我家媳妇比较懒散，所以就成这个样子了。"看着这两个房间，佳枝解释道。

"这两个房间都是您儿子他们用的吗？"早田问道。

佳枝称是。

哲朗想，不知这对夫妻间发生过什么，房间变成这个样子居然也能忍受。

"其实我从认识的一个警察那里听到了一件奇怪的事情，"早田对佳枝说，"说是在这屋子里找到了几个人的户籍誊本。"

哲朗吓了一跳，不由得看向他。早田眨了一下眼睛。"是真的吗？"他向佳枝求证。

她表现得很为难，好像不打算说。"嗯，好像是的。"

"在哪儿找到的？"

"好像是被撕破了，扔在垃圾桶里。"

"都是什么人的？"

佳枝摇摇头。"三个人，都不认识。明雄怎么会有那种东西呢……"

"那些东西不在这儿了？"

"没了，被警察拿走了。"

早田点点头，看了看哲朗。哲朗急忙看向别处。

户仓怎么会有那种东西呢？不会和案件有关吧？哲朗怎么想也想不通。但根据美月所言，好像没什么关系。要是与户仓的跟踪行为有关，那些户籍誊本中有一个可能是叫香里的女招待的。哲朗想，这样事情就变得复杂了。

总之，问题的关键就在于，户仓跟踪香里一事有没有留下什么蛛丝马迹。哲朗把焦点集中在这一点上，把整个屋子看了一遍。可若真有这种东西，很可能已经被警察带走了。

哲朗的目光停留在放着十四英寸电视的台子上。那里胡乱地摆着录像机和几盒录像带。他蹲到前面，拿起其中的一盒。白色贴条上用铅笔写着几个女人的名字。注意到其中之一是很有名的 AV 女优时，他终于明白了。其他录像带大概也是一样。他脑子里浮现出被妻子抛弃的丈夫在这样一个煞风景的房间里，独自看成人录像的情景。非常伤感的画面。

他正要把手里的录像带放回原处，忽然看到了一样东西。他先是一惊，不由得把它拿到手里。是个一次性打火机，黑色质地，上面画有金色的猫眼。是"猫眼"的打火机。

"怎么啦？"早田旋即问道。哲朗猛地一惊。

"没，没什么。"

早田无视他的回答，靠了过来，望向哲朗的手。现在再慌慌张张地把打火机藏起来倒显得不自然了。

"只是个一次性打火机。"

"让我看看。"

哲朗别无选择，只能递过去。

"'猫眼'？以前去过吧？"早田看着打火机的背面说。

他在监视我。哲朗望着早田冷漠的表情想。从跨进户仓明雄房间的那一刻起，早田就在想我会有什么样的反应。为弄清这一点，他才带我来到这儿，这才是他的真正目的。

"大概是关于过去的美好记忆。"哲朗说，"公司还景气的时候，他不是管应酬的吗？"

"大概。"

这时，楼下传来开门的声音。有人进来了。

哲朗看到一瞬间佳枝的脸变形了。她好像知道来访的人是谁，那人似乎并不受欢迎。

来访者上楼来了，好像注意到有客人在。从脚步声可以判断来者有防备之心。

一个女人出现在面前，四十多岁，身材瘦削，脸色看上去不是很好，大概是因为没有化妆，穿着牛仔裤、外套和卡迪根式开襟毛衣，蓬乱的头发扎在脑后。

女人站在走廊里，交替看着哲朗和早田，一副推测他们究竟在做什么的表情。眉间可能是无意识地挤出了皱纹，是岁月留下的痕迹。

"打扰了，我是昭和报社的早田。"早田声音特别大，递过名片，"您是明雄先生的夫人吧？"

女人露出几分迷惑的表情，接过名片。"对，算是。"她答得含糊。

"您不在的时候来访真是抱歉。我们正在听您母亲讲前段时间的事。"

"啊，哦。"女人瞟了一眼婆婆。佳枝将脸转向一旁，两人的视线不可能相交。

"这次的事，真的很遗憾。"早田低头致意。

"呃，户籍虽然还没有转出去，我和那个人已经……"

"我已经听说了。"

"今天我只是回来取点行李，事情一办完马上就走。"她的话好像不是说给哲朗他们，而是对佳枝说的。佳枝似乎没什么反应。

"这样啊……那么，我们先告辞了。"

哲朗附和道："是啊。"

下了楼梯，一个五六岁的小男孩在那间和室里玩电视游戏。男孩只看了哲朗他们一眼，马上又转头看电视画面。哲朗想，这要是户仓明雄的孩子，真是小了一点。

佳枝跟着下楼，问要不要喝点茶什么的。两人婉拒后离开了户仓家。

上了出租车，早田告诉司机去银座。

"占用你的时间真不好意思。"他向哲朗道歉。

"没关系。有什么收获吗？"

"有啊。"早田取出万宝路淡烟，"算是马马虎虎吧。"

"那就好。我只是在一旁听，但还真是长见识了。原来是这样采访的啊。"

"也没做什么特别的事。"早田吐出一大口烟雾,"对了,那个老太婆可是个老狐狸啊。"

"是吗?"

"在玄关外面的时候,她的腰还弯得很厉害;可是我们快离开的时候,她很硬朗嘛,那么狭窄的楼梯毫不费力地爬上爬下。"

的确如此。哲朗很失望,自己竟然完全没有注意到,太粗心了。

"你说她弯着腰是在演戏?"

"好像是先看对象再决定态度。根据情况,有时可能会特意强调自己是老年人,不方便时就装聋作哑。"

"警察让她这么做的?"

"不,好像不是。"早田依旧望着前方,"感觉不是被人指使的。情况不明时不会说出真心话,这大概是她多年的经验。"

"真心话是指……"

"她很可能隐瞒了我们意想不到的情况。她说对儿子的事情一无所知,对此我很怀疑。"

哲朗犹豫着要不要问问户籍誊本的事,但终究忍住了。他不想表现得很关心这起案件。

"都年底了,街上的热闹劲儿可真是不足。还是经济不景气闹的。"早田望着车外,"银座或许会好一点。"

"去银座哪里?昨天听你说,好像是家一个人不方便进去的高级店。"

"高级不高级我不知道,但可以肯定是个来历不明的地方。"说到这儿,早田从口袋里取出什么东西,"去这家店。"

正是刚才在户仓房间里找到的"猫眼"的打火机。

4

银座的人并不多。下了出租车，早田说："若一直如此，日本会沉没。"

"说到年末的银座，过去可是人如潮涌啊。"哲朗说，"就算店铺都打烊了，打不到车没有去处的人都在大街上乱晃。"

"道路变成了出租车和包车的停车场。客人慷慨地大把大把撒钱，在女招待的簇拥下离开，就连给司机的小费也大方。多好的时代啊！"

"那时你来过吗？"

"入报社后不久，跟前辈来过几次。那时就想，要早点到这么奢华的地方就好了，其实真到这一天，已经没那么热闹了，奢华什么的都不复存在。"

"须贝也是这么说的。"

"他待的保险公司，那时可是独霸整个业界啊。"

哲朗他们大学毕业时正值全日本经济蓬勃发展的时期，可以如愿进心仪的公司，随时都能跳槽。没人想到这是一个后来被称为"泡沫"的时代，大家都很要强。回想起来，若不是那个时代，哲朗大概也不会想当记者。

哲朗忽然想起了户仓明雄。他依靠亲戚的关系当上了执董，别人笑称他为接待员，经常光顾银座。对他来说，这大概是迟了一步的泡沫时代。就像所有那个时代的人一样，他也沉浸在一种错觉里。这是常人都有的错觉。即使梦醒了，依然停留在幻境中。香里对他来说就是一种幻觉的象征，所以他没有离开……

"到了，就是这儿。"早田仰望眼前的大楼。排成一排的招牌，从下往上数第五个写着"猫眼"的字样。店在三楼，黑色的门上刻有猫的浮雕。两人一进去，一个穿黑色衣服、身材苗条的女人就过来引导他们入席。店里大概有二十坪大，已经来了两组客人。

一进门左手边有一个柜台，一个男人坐在靠近门的位置，只能看到他的背。

哲朗和早田这桌由一个穿黄色连衣裙的年轻女人作陪。女人眼角上挑，贴着一对部分染成粉红色的假睫毛。

湿毛巾先送了上来，接着是冰桶和野火鸡威士忌。女招待问哲朗："喝加水的可以吗？"哲朗刚一说好，女人便一副理所当然的样子拿起那瓶酒开始调制。她好像认识早田。

哲朗拿过挂在瓶子上的小牌。上面写着"安西"。

"昨天来过。"早田小声说，拿出一支烟。女招待立刻为他点着，用的正是那种打火机。

"你一开始就想带我来这儿？"

"是啊。"

"那位死者偏爱这家店，你之前就知道？"

"这种事情很快就能查到。"早田笑了笑。

"为什么要叫上我呢？昨天你来过，今天一个人来不是也行吗？"

"连着两天，一个人实在不好意思进来。偶尔一起喝喝酒也没什么不好的。别考虑那么多了，今晚你就放开了喝。"早田拿起杯子碰了一下哲朗的杯。

肯定没错。出于某种原因，早田得知哲朗与那起案件有关。拉他一起去采访，只是在等他露出破绽。哲朗实在没心情如早田所言开怀畅饮，但又不想白跑一趟，于是暗暗观察四周。

在柜台调酒的是一个女人，短发简单地向后梳拢，好像化了淡妆，有点像宝塚的男角，白色衬衫和红褐色背心搭配得恰到好处。同样是男人打扮，但她和美月风格迥异。美月若在那么昏暗的地方，谁也察觉不出她是个女人。

哲朗和早田都不说话，女招待开始寻找话题，如天气、美食、最近流行的话题等。他们稍一附和，她就问他们的职业。早田说自己做的是出版相关的工作，哲朗也配合称是。

一个身穿和服、四十五六岁的女人过来打招呼。她像是老板娘，给的名片上写着"野末真希子"。

"这位先生是初次光临吧？"她看看哲朗，对早田说。她把昨天刚来过的早田当熟客一样对待，大概是为了让他觉得受到了重视。

"这是西胁，体育记者。"早田介绍道。正在想要不要用假名的哲朗有些不知所措。

"哦，那应该出书了吧？"真希子睁大了眼睛。

"没有，只是给杂志写东西。"

女人们都想要他的名片，出于无奈，他给了每个人一张。野末真希子说"总有一天会很有用的"，很珍惜似的收在怀里。

她肯定还想问一些更具体的来由，但没有刨根问底，只说声"慢用"便起身告辞。她真正的价值可能就在于毫不做作。

接替她的是一个穿黑衣的女招待。大家淡淡地聊了一会儿，早田在黑衣女人耳边低语了几句。女人轻轻点了点头。

过了一会儿，她起身离开，哲朗的目光一直跟着她。她来到一张桌旁，对一个穿深棕色西装的女人说了些什么。那个女人对客人说了一两句话，便起身去了吧台，又来到哲朗桌旁。她身材娇小，脸庞也小，眼睛很大，是那种能给人留下深刻印象的女人。她道声打扰，坐到哲朗身边。

"你叫什么名字？"早田问。

"香里。"

哲朗闻言不由得看向她。女人也看看他，朝他笑了笑。

"能给我张名片吗？"他问道。

她的名片上印着佐伯香里。自然，电话号码和个人信息一概付诸阙如。

哲朗猜想着早田叫这个女人的原因。不会这么巧吧，他知道户仓明雄过去很偏爱她？

香里看上去二十五六岁，也可能三十来岁，华丽的妆容却不给人俗艳的印象，是个有特殊魅力的女人，和什么样的男人都聊得来。早田热情地和她攀谈，她应答自如，几乎没什么停顿，还说了一些自己的看法，声音也很温柔。

"我这是第二次来，还真是家不错的店。什么样的客人比较多啊？"早田用很平淡的语气问。

香里歪了歪脑袋。嫩白的耳朵上戴着金色耳环，上面闪着光的应该是真正的钻石。

"什么样的客人都有，好像也没什么特别的。"

在这一点上，她回答得无关痛痒。这样的店应该是不允许谈论其他客人的。

早田拿出烟，香里马上拿出打火机，打着火，正待点燃，早田忽道："你知道门松铁厂吗？"

香里握着的打火机倏地灭了。她又慌慌张张地重新打着。

"门松……"

"不知道？哦，其实我是从他们老板那儿听说你们这家店的。我们报社出了一些和铁厂有关的专业杂志，所以熟络起来。我问起银座哪家店比较好，他们说了'猫眼'。"

"这样啊，那以前我应该见过您的，可能是别的女招待陪着您吧。"

哲朗十分认真地观察香里说话时的表情。一听到门松铁厂，她一下子变慌张了。不管怎样，她肯定是想到了户仓明雄。

"西胁你也别光坐着啊，好歹说点什么。"早田诱导着哲朗。他一定是想看看面对户仓明雄迷恋的女人，哲朗会采取何种态度。

若早田不在旁边，哲朗有成千上万个问题要问香里。关于那起案件，她知道多少？警察来过没有？若来过都说了些什么，隐藏了什么？

对于忽然消失的调酒师作何感想？可现在这种情形，他什么也问不了。

哲朗夸赞起店内的装潢和音乐品位。香里态度柔婉地道谢。之后哲朗说的也是和体育、流行有关的话题。早田只是坐在一边，但很明显一直在竖着耳朵聆听。

喝了约一个小时，二人起身准备离开。女招待们递上寄存的外套。早田站在门边正要穿衣服，手碰到了一个坐在吧台边喝酒的男人的后背。

"啊，真对不起。"早田马上道歉。

男人稍稍向后扭了一下头，马上转了回去。哲朗恰好看见他一晃而过的脸，下巴很宽，嘴和鼻子都很大，只有眼睛很小，但目光犀利。

女招待送他们出门。来到大楼前面，已经十点四十了。

"怎么办？再去一家？"早田问道。

"不了，今天就到这儿吧。"

"哦。"早田露出一副意料之中的表情。

哲朗想，难道就没有什么办法弄清此人的真正意图吗？但若胡乱提起，可能会自掘坟墓。

早田忽然伸出手，站住了。被拦住了去路，哲朗也停了下来。

"怎么啦？"

早田不答，用拇指指了指后面。

后面几米处站着一个人，两手插在米黄色外套的口袋里，正盯着他们。是刚才坐在"猫眼"吧台那儿的人。

早田挠着鼻子走到那人面前。"就算你跟踪我们，也得不到任何线索。"

那人显得很不耐烦，交替看着早田和哲朗。

"这得由我来决定。总之，我们先谈一下？"

"这和他没有关系，"早田扬起下巴指了指哲朗，"他是个自由记者。我们只是好久不见了，一起喝一杯。"

"那种事我不管，我是说有话要问你。"

"哦。"早田耸耸肩，回头看了一眼哲朗："抱歉，能陪我一会儿吗？"

"没问题。"哲朗嘴上这么说，实则一头雾水。

那人径直走进旁边的咖啡店。哲朗和早田紧随其后。

5

那人是警视厅的刑警，姓望月，和早田好像早就认识。可在"猫眼"的时候，两人形同陌路。哲朗将其解释为他们之间无声的默契。

对于哲朗的身份，望月一开始表现得很惊讶，但似乎没有起疑。

"那么，"喝了一口咖啡，望月看了哲朗一眼，"能告诉我你去那家店的意图吗？"

早田笑道："去酒吧还能有什么事情？去喝酒啊。"

他话刚说到一半，望月就很不耐烦地开始摇头。

"大家都很忙，你就别跟我兜圈子了。把你知道的都说出来吧，别跟我耍滑头。"

"望月先生您怎么会在那儿呢？"

"现在是我在问你。"

"光是你问吗？你凭什么问我们啊，理由呢？"

刑警叹了一口气，再度将犀利的目光投向早田。

"你叫那个女人去你们那桌，目的是什么？"

"哪个女人？请把名字告诉我。"早田的语调沉稳、认真。

过了一会儿，望月眼里闪过一丝疑问，然后说："那个叫香里的女人。"

"什么样的女孩子啊？"

望月啪地拍了一下桌子。他的手真大，哲朗吓了一跳。一旁的早田却不为所动，悠然叼了一支烟，缓缓地点上火。

"我去问过门松铁厂的老主顾，应酬的时候他们最常去哪一家店，户仓偏爱的女招待是谁，就这样知道了银座的'猫眼'，还有名叫香里的女招待。"

"能把那位老主顾的公司和姓名告诉我吗？"

"真没办法。"早田从怀里取出名片夹，从中抽出一张放到桌上。上面印着一家知名机械制造企业设备设计科科长的名字。

"我收下了。"望月摆出一副理所当然的表情，把名片放进口袋，"可我还是不明白，为什么你要去追究这么不起眼的杀人案呢？你到底对这起案件的什么地方感兴趣？我听说有一个很愚蠢的刑警经不住你软磨硬泡，把那些户籍誊本给你看了。"

"我没把它登在报上不就行了吗？"

"我没说这个。我想知道，你为什么要到处打探？"

"为什么呢？不知道为什么我就是很在意。总之我现在还是自由记者，急着建功立业。"

望月将信将疑地看着早田，脸上写满怀疑。

"户仓在银座的女招待身上花了很多钱一事，你是怎么知道的？"

"也没有特意去哪儿打听，只是去门松铁厂问了问。户仓以前负责接待，人际关系多半也就是以此为中心，展开调查就好了，仅此而已。"

"可是户仓来银座已经是好几个月前的事了。你觉得和这起杀人案有关吗？"

"不知道，大概有吧。"

"为什么会这么想呢？"

望月一问，早田冷哼两声。

"因为'猫眼'有警视厅的刑警在啊。我确信这不会有错。"

听了这番话，刑警表现得很厌烦。

"没什么能保证我们做的就是对的。你不也清楚这一点吗？"

"嗯，我很明白。可是，至少警察和我们的调查路线交会了，这是事实。"早田依然用指尖夹着烟，微微探出身子，"现在轮到你告诉我了。你为什么会在那家店里？你把注意力放在香里身上的依据又是什么？"

望月交替看着哲朗和早田，煞有介事地抚摸着脸颊，像是在衡量提供情报的得失。

"是手机。"

"手机？"

"户仓身上的手机，上面的通话记录还在。"

哲朗差点呼出声来。手机的通话记录居然还在！

"就是说他在遇害之前，还给'猫眼'的香里打过电话？"早田问。

"差不多是这样。不单是遇害之前，一天之内打好几次，每次的通话时间倒不长，多的时候打了有二十多次。"

"就像，"早田稍微顿了顿，"就像跟踪狂一样。"

不是就像，根本就是如假包换的跟踪狂。哲朗暗道。

"香里有男人？"早田问。

"那谁知道。"望月喝了一口咖啡。

"你不告诉我也没有关系。只要我出马，那也不是什么难事。我是问香里本人，还是她的同事，还是把'猫眼'的老板娘或熟客拉来问一下呢？好像都行。"

望月的脸变形了。如果报社记者胡乱打探，可能会妨碍调查。早田也是知道这一点才这么说的。

"我们已经派人守在香里的公寓附近了。"望月低声说。

"就是说有男人进出她的公寓？"

"至少，好像以前有过。住在附近的人说，他们见过那个人的背影好多次。"

"没看到长相吗？"

"好像记不清了。他们说那人个头很小，头发很短。"

哲朗感到胸口隐隐作痛。小个子、短头发……说的不就是美月吗？

"望月先生，你觉得那个人很可疑，是吧？"早田试探道。

望月从鼻子中喷出一口气，又耸耸肩。

"还没有见过那个人，名字也不知道，对我们来说就像个幽灵一样，我们也不好下结论。总之，能不能请你不要在'猫眼'和香里面前乱晃啊？要是因为你们胡来，引起对方的注意，就逮不到老鼠了。"刑警拿过桌上的账单，看了看价钱，把手伸进口袋，掏出六个百元硬币放到桌上。起身之前他问哲朗："你是早田的朋友，想必也玩那个吧？"他做了个投球的姿势。

早田抢先说："他可是最佳四分卫。"

"哦，难怪……"望月看着哲朗的右肩，"果真如你所说，体格真好。感觉你能扔出很好的长传球。你有绝杀对手的实力，防守方一定直到最后一刻也不能松懈。"

"你玩过美式橄榄球？"哲朗问。

"我？没有。"望月摇摇头，"我玩英式橄榄球。美式的看看还可以，自己玩就不行了。我不太擅长这种完全听命于上级指示的事。可是擒杀四分卫看上去很爽啊。一心一意地盯准对方的心脏部位打过去，那可是以防守为名展开的进攻。我要是有机会也想玩玩。"

擒杀四分卫，是指防守方在对方四分卫将球传出之前，将其阻截。

"扯远了啊，再见。"刑警扬起一只手，先行离去。

"你知道有刑警在监视，所以才去了'猫眼'？"刑警的身影消失后，哲朗问早田。

"怎么可能？"早田淡淡笑了笑，"到了那儿我才发现。没想到他也会在那儿，老实说，我吓了一跳。"

"我可没看出来。"

"那当然，不能表现得太慌张。"

"这倒也是。"哲朗舔了一下嘴唇，"对了，我还真不知道你是通过那种途径盯上'猫眼'女招待的，真是长见识。"

早田脸上的笑容马上消失了。他用指尖捋了捋下巴上乱糟糟的胡须，转头望向哲朗。

"你不会以为我对望月说的都是真的吧？就是关于户仓负责接待，所以我去酒吧调查那些话。"

"不是吗？"

早田没有再看哲朗，陷入沉思，像在犹豫什么。

他把杯子里的水差不多喝了一半，再度望向哲朗。

"嗯，西胁，你怎么看待报社记者这个职业？想试试，还是没兴趣？"

"忽然间问这个，真奇怪。"

"怎么样啊？"

"没怎么考虑过。觉得是一份比较有价值的工作，只是困难也很多，并且责任重大，需要有相当的心理准备。"

"的确，要做好心理准备。"早田点点头，"我刚开始做记者时就下定决心，为了将真相公之于世，不论失去什么都不后悔。如果总是害怕失去，就什么也得不到了。这和害怕被断球就不可能长传达阵是一个道理。"

"这不是很伟大的决定吗？"

"也许你会觉得幼稚，但还请你谅解。不管怎样，我是刚大学毕业、一身稚气时做出这个决定的。虽然幼稚，可这是原则。每当遇到困难，我总会想起那时的决心。"

"所以呢？"哲朗咽了咽唾沫。他好像渐渐明白早田要说什么了，手不禁在桌子下握成拳头。

"坦白说吧，我没法和你们站到同一边。"

哲朗几乎瘫倒。他想说"你在说什么"，可嘴唇颤抖得什么也说不出来。

"我现在还没拿到什么证据。但有一点我很清楚：你们知道些什么。

知道，并且想隐藏。"

此时的哲朗或许应该假装听不明白，但他没有那种心情。并非因为没用，只因他觉得早田在向他展示某种诚意。

"我想你也知道，我的工作就是把隐藏起来的东西曝光。我不会考虑这会给人带来多大的伤害。所以，你们隐瞒的东西，我也必须公之于众。"

哲朗自然地点点头。早田的话令他只能这么做。

"但是，"早田接着说，"我不会把你作为目标，也不会从你身上或周围获取信息，会从别的途径追查案子。至于最终能走到哪儿，我暂不考虑，也不去想会失去什么，之后的事情就顺其自然吧。这就是我的做事方式，至少我想公平竞争。"

哲朗看着早田真挚的眼神。说出这番话之前，早田心中一定很矛盾。一念及此，哲朗觉得很对不起他。

"我非常理解。"哲朗说，"那，今天就到这儿。"

"暂时这么办吧。"早田说着拿起桌上的账单。

"你做了这一决定，所以今天才约了我？"

"算是吧。想抓住你的狐狸尾巴，你却丝毫不露，真是厉害。"

服务生过来想为早田续水，早田伸手拒绝了。

"几天前，须贝打来电话，很奇怪地问在江户川区发现男尸一案的调查进展程度。我对他说死者的身份好像已经查明，他又问，是否已开始调查死者与女性的关系。我忽然有一种直觉，关于这起案子，须贝知道些什么，并且同户仓与女性的关系有关。我去找他偏爱的女人，正是因为这个。"

哲朗不由得闭上眼。须贝的那一通电话终究是打草惊蛇了。

早田窃笑。"那家伙一点也没变，一直不擅长撒谎。你还记得吧？有一次他想假装射门，却引得对手一阵爆笑。"

"那是和东日本大学的热身赛吧。"

他们当时制订了这样的作战计划：踢球手故意装作要射门，实际上由别的选手持球进攻。可是，踢球手须贝在比赛开始之前就做出好几次踢球的姿势。他大概是想一定要让对方觉得他要踢球，但反而很不自然，最后连对方的防守阵营都忍俊不禁。

"你觉得如果须贝和案子有牵连，我也脱不了干系，是吧？"哲朗追问。

"该怎么说呢，"早田歪了歪头，"还不能这么说。总之，在这件事上，我不会再给你们打电话。"他脸上的笑容消失了。

他拿着账单站起身来。

"等一下。"哲朗从钱包里掏出自己那杯咖啡的钱，"AA 吧，你不是要公平竞争吗？"

"对啊。"早田伸出大大的手掌接过。

6

排队等出租车时，哲朗想起早田不知何时说过的一句话。

"我喜欢美式橄榄球，正是因为那种很彻底的公平竞争。"

他拿无线耳机为例说明。

现在的美式橄榄球比赛中，使用无线耳机再正常不过。四分卫的头盔上装有无线耳机，就算在场上，也能向领队和教练请求指示。教练则坐在赛场的前排观众席坐镇指挥，观察对手的动态，利用手边的电脑进行数据分析，然后再向领队或运动员传达具体作战方针。这是一项利用高科技仪器的高科技化运动项目。

早田曾经说过在 NFL（美国国家美式橄榄球大联盟）的比赛中，一方的无线耳机出了故障无法使用时采取的应对措施。

"那种情况下，消息很快就传到裁判那里。裁判会采取怎样的对策呢？很令人意外，裁判会禁用另一方的耳机。一方不能用，那就双方都别用了。这就是绝对的公平竞争，日本人就没有这样的认知。"

早田不会帮助他们，作为交换，他也不会去调查他们周围的人和事物。这正是他的做事风格。

回到公寓时已近十二点。哲朗一开门，里边隐约传出声音。

"我没有狡辩，因为不喜欢，我说我讨厌这个，理沙子你根本就不明白我的心情。"

"我什么时候说过我明白你的心情啊？这不是心情的问题，而是必须如此，所以我才这么说。我这也是为你好。"

"所以，我才不想服从这样的命令。"

"这不是命令，我是在恳求你。请你穿上吧，我是这么说的啊。"

和美月情绪化的语调比起来，理沙子的言辞显得很平静，就像母亲在劝说女儿一样，不，应该说是儿子。

哲朗打开客厅的门。美月双手叉腰站着，理沙子坐在沙发上，盘着腿，双臂环抱胸前。两人都没有看哲朗。

"怎么啦？"

哲朗问道，可两人都不出声。理沙子盯着美月，美月望向斜上方，就那样一动不动。

双人沙发上摆着很多衣服，有短裙、连衣裙、夹克、衬衫、内裤，全是理沙子的。

哲朗觉察出事情的原委，像是理沙子想让美月穿这些衣服。

"理沙子，还是不要过于勉强为好。"

"不要多管闲事，我在很认真地思考美月的事。"

"我也在认真考虑。"

"那你应该知道必须做什么。"

"到底发生什么事情了？"

哲朗一问，理沙子就大大地耸肩，叹了口气，伸手去取桌上的烟。

"白天，公寓的物业管理公司来人了。"

"物业公司？"

"来检查火灾报警器。两个男人进了房间。"

哲朗想起信箱里有告知要来检查的通知书，只是自己没太在意。

"然后呢？"

"他们看到美月了。本想避一避，可每个房间都有火灾报警器。"

"那又怎样？被看到也没什么大不了的。"

理沙子吐出一大口烟。

"检查结束后，我正在盖确认章，一个人忽然问我，刚才那个人是女人吧。"

哲朗看向美月。她正看着装饰在客厅立柜上的橄榄球，轻轻地咬着下唇。

"他多半没看清日浦的长相，大概觉得要是男人的话有些矮小，所以才这么问。"

"他看得很仔细。我察觉他斜着眼睛瞟了很久。"

"……你怎么回答的？"

"我告诉他是男人。因为美月当时穿着男式衬衫，说话嗓音也粗。我如果不这么回答反倒奇怪。对方露出一副很意外的表情，他可能注意到美月是个女人了。"

"也没什么吧。只不过是物业公司的人，应该不会传到警察那里。"

理沙子用力摇头，像是在说哲朗没有明白问题所在。

"我认为关键在于，就算毫不知情的人，也能一眼看出现在的美月是女人。我们每天都见面，所以没有察觉，美月正一天天变回女人。"

"不会吧？来这儿才一周都不到。"

"好像已经快三周没有注射激素了，对吧？"理沙子问美月。美月不答。

"我倒没看出有什么变化。"

"变化比较微妙，可世上就有人能看出来。这身打扮，发型也明显是男式的，可明眼人还是看得出来。那有多危险，你应该也知道。那家有个人女扮男装——如果这样的谣言传开了，该怎么办？"

"不出门不就行了？只要小心地不和人碰面，就没有问题。"

"净说些中听不中用的话，现在的情形不会好转。总不能一直把美月关在这儿。你也考虑点更现实的问题吧。"

"你在考虑吗？"

"我当然在考虑。我跟美月也说过，想让她暂时来当我的助手。钱不是太多，但我一直都想找个人来辅助一下。美月很可信，我也很需要她的帮忙。"

她想要个助手，哲朗还是初次听说此事。他们最近没怎么谈论工作方面的事。

"日浦同意吗？"

"要是有能帮忙的，我很乐意去做，现在这样就是在吃白食。可是，"美月拿着橄榄球，像是什么宝贝一样，用手掌抚摸着，"如果为了那个必须打扮成女人，我不想做。"

"你现在这样也出不了门啊，这是没有办法的事，并且也不是要你扮成女人，只是恢复以前的装扮。"

"我说了，我就烦这个。"

"美月，求你了，不要再赌气了。只要我们能顺利瞒过警察，就把那些女人衣服统统脱下来扔了。你只要忍到那个时候就好。"

美月拍了一下抱着的球，举了起来。

"够了。"她把球扔向哲朗。球在空中划出一道美丽的弧线，重重地撞上哲朗的胸口，跌落地上。

"日浦……"

"够了，到此为止吧。我本就不应该来这儿。"美月摇了摇头，开门出了客厅。

"美月！"理沙子蹦了起来，像是要追。

"等等。"哲朗挡在她面前，玄关那边传来关门声。

"你要干什么？让开！"

"你待在这儿别动，我去。"

"你说让你去……"

"总比你去要强些，男人与男人之间好谈一些。"

理沙子睁大了眼睛，像是很吃惊。

"我走了。"哲朗拿起挂在椅背上的夹克，转身去追美月。

哲朗手拿夹克朝电梯间飞奔。电梯门徐徐关闭，他和电梯里的美月一瞬间四目相对。

他毫不犹豫地沿旁边的楼梯疾奔。皮鞋底很滑，哲朗真后悔出门时没穿运动鞋。

本来对自己的体力很有信心，不料下到二楼就已上气不接下气了。哲朗咬牙朝最后几级台阶走去。正要往下走，他忽地僵住了。美月就在楼下。她好像猜到哲朗会下来，正抱着双臂抬头看他。

"超时了。"美月做出按秒表的样子，"像你这么慢，就没法和对方争夺了，作为四分卫太失职了。"

"有名的四分卫都不用自己跑，这个才是第一位。"哲朗伸手指着太阳穴，走下台阶，途中把手中的夹克朝美月扔去，"你这样会着凉。"

美月接过夹克，心情像是被破坏了，下巴拉得很长。

"不要老把我当女人。"

"别说傻话了。如果是女人，衣服就不会扔过去，而是温柔地从后面帮她披上。少废话，你快穿上吧。要是感冒了，我又不能带你去看医生。"

美月好像仍要说什么，却还是乖乖地套上夹克的袖子，两肩一滑，颇费周折才把手从袖口伸出。

"QB 果然很高大啊。"她低声道。

"和安西那又大又臭的运动服比起来，要好很多吧？"

进攻内锋安西是队里出汗最多的人，美月给他起了一个外号叫"洒水人"。好像忽然记起那外号，美月的嘴角露出几分笑意。

"要不要谈谈？"哲朗说。

"好。"美月点点头，看着哲朗，"男人之间的交谈？"

"当然。"

哲朗想找个地方边喝边聊，美月提议去他们一起去过的那个公园。

"那儿很冷吧？都已经十二月了。"

"还没那么冷呢，风吹着很舒服。并且有这个，我很暖和。"美月合上夹克的前襟。

两人来到那个美月向哲朗坦承自己杀了人的公园。里面亮着灯，几把长椅上都没有人。两人并排坐在离入口最近的椅子上。

已是深夜，却有老人在遛狗。

"那边的老人家看到我们会怎么想呢？"美月说。

老人手持狗绳，狗站在树下。他不时看看哲朗他们这边，就像关心狗到底要不要大小便一样，他也很在意他们。

"嗯，这样的季节还在吹风，他可能觉得我们两个大男人太奇怪了吧？"

"要是这样就好了，他好像不是这么想的。"

"那，又是什么呢？"

"那位老伯是这么想的：这样的季节还吹风，真是奇怪的情侣啊。"

"真遗憾，他猜错了。"她补充道。

"是吧。他离这儿有三十米左右，应该看不清楚你的脸。"

"对啊，正因为看不清长相，就根据整体氛围来判断。看我们的样子，他只会觉得我们是一对亲密的情侣。"美月说完往后一靠，并拢的双腿分得很开。

老人一直注视着他们。看不清楚表情，但看得出他一直盯着这边。

美月大笑起来。

"喂，他犯迷糊了。那老伯根本想象不出，女孩子怎么可能两腿分得那么开坐着呢。"

狗撒完尿就动起来了，好像是被拽了一下，老人也走出了公园，最后仍不时望向他们。

美月忽然站起来，做了个深呼吸，转头看向哲朗。

"我也觉得很奇怪。我一个人的时候，不论谁都会把我当成男人。这一点你根本不用怀疑。可有时会因为跟我在一起的人而令我暴露出真实身份。"

"怎么回事？"

"就像现在这样。QB你这么魁梧，也很有型，举手投足男人味十足。跟你这样的人在一起，我怎么都会逊色。更何况，我现在还穿着你这件典型的男式夹克，谁看了都会觉得是情侣，别人把我看成女人也没什么大惊小怪的。不管去哪儿，大概都会这样。"

"所以你才不想去酒吧？"

"算是吧，也不单单是因为这个。有别人在，我们就不能推心置腹地谈了。"

美月坐回哲朗身边，两手抱头，手指伸进短发挠着。

"我很不甘心。无论我怎么努力，都不可能变成QB你这样。"

"不变成这样不也很好吗？"哲朗朝她笑笑，"你应该有理想中的男人形象吧。"

美月抬起头，直直地盯着哲朗，眼底泛着光，十分认真。哲朗稍微往后挪了一点。

"我没说过吗？"美月问。

"啊？"

"我以前应该对你说过。"

"什么？"

美月的嘴角溢出诡异的笑容，眼睛眨巴了两下，重新注视着哲朗说："QB 你就是我理想中的男人——我应该说过的。"

几秒后，哲朗低低地呼了一声。记忆开始清晰地浮现出来。

就在那天晚上。在脏兮兮的住处，他面对着一丝不挂的美月。

"这不也很好嘛。"说完，美月又接着说，"因为 QB 你是我理想中的男人……"

当时拥着美月的感觉，两人的呼吸，接二连三地在哲朗的脑海中浮现。他似乎想甩开这些，用手捂着脸。

"想起来了吧？那天晚上的事。"

哲朗答应着。他不知道该怎么面对美月。

"那时候的事，QB 你最终还是什么都没说。就像没有发生过一样。"

"我觉得那样比较好。莫非你觉得不好？"

"不，简直是帮了我大忙。"美月双手抱着胸，前后摇动着身体，"我一直觉得那是一桩傻事，就算那么做，还是什么也解决不了。"

"你想解决什么问题吗？"

"嗯，很多事情……"说到这里，美月就止住了。

两人都陷入沉默。风中有一股汽车废气的臭味，大概是因为青梅大街就在附近。哲朗仰望天空。明明没有云，却看不到星星。上大学时，训练结束后经常仰望天空，在脑中整理编排好的作战队形，不断想象着队友们按计划行动的场景。若比赛的时候能真正执行，再也没有比这更令人开心的事了。现在没有一件顺心的事，也根本没法制订计划。

"过去真想变成 QB 这样。"美月自语。

哲朗看着她的侧脸。美月将脸转向他。

"想要那样的脸，那样的身材，那样的声音。要是我生下来就是那样，应该会有很不一样的人生。"

"不一定就是好的人生。"

"会是好的人生，"美月眼里泛着光，接着说，"至少，可以得到那个女人。"

哲朗嘴张得很大，但无法出声。他在咀嚼她话里的含义。

美月强笑着。"一直都是我告白。第一次是我向你告白，说我其实是个男人，接下来，就是对你说我杀人了。这算是我第三次对你告白了。"她竖起三根手指头，笑容也消失了，"我早就喜欢理沙子。一直都是，这种感情至今未变。"

哲朗屏住呼吸，看着美月的侧脸。她什么都没说。时间就这样流逝。

觉得口干，舌头碰到了冷飕飕的空气，哲朗这才注意到自己一直张着嘴巴。他咽了口唾沫，又舔舔嘴唇。

"吃了一惊。"暂且这么说吧。

美月的脸颊松弛下来。"这种事的确会让人吃惊。"

"你不是开玩笑？"

"嗯，是认真的。"

"哦？"哲朗叹了口气。他明明不是有意的，这声叹息却拉得很长。

他忽然想起比赛时的情景。理沙子和美月分头给队员们发饮料和毛巾。打扮时髦的理沙子在球队外也很受欢迎，是美式橄榄球队的象征。美月不太惹眼，但精通比赛规则，善于聆听，所以负责和队员们沟通。两个女经理配合得很好，简直无可挑剔。大家一致认为她们是最佳组合，私底下她们俩也情同姐妹。

可美月那时就已经是"男人"了。在别人看来，她们只是很好的同性朋友，可美月对理沙子怀着很特别的感情，这很容易想象。自己早已听了她的告白，却一直没有注意到这一点，真是愚钝。

"或许你一时不会明白，我有过好几次向理沙子表白的冲动，在读大学的时候。"

"是吗？"

"但是，无论如何也不行啊。我真的无法想象理沙子会接受我。也是在那时，我知道她有喜欢的人了。还记得吧？刚上大四，有一次训练的时候你忽然晕倒了。"

"啊……"

那是四月。那天下着雨，所以在体育馆里做体能训练。刚开始大家有的举杠铃，有的用器械。不久，不知谁拿来一个球，开始练习传接球。后来又增加了防守练习，又加了几个人，开始玩小型比赛。哲朗中途也被拉了进来，因为若没有标准的传球者，比赛就没意思了。

大家都没有戴护具和头盔，因为规定不准抱人截球，腰间都系着毛巾，若毛巾被人抢去就视为遭到阻截。可大家越来越投入，平时的一些习惯也暴露出来，有时还会有人使一些野蛮的手段。

有队员向正要传球的哲朗攻过来。他确实是来抢毛巾的，可因为速度太快力量也很大，他直接撞到哲朗的下半身。哲朗当即向后倒去。周围的人都蜂拥过来，争抢掉在地上的球。

后来的事情，哲朗毫无记忆，听别人说是引起了脑震荡，被及时送到了校医院。

"那时，理沙子在医院候诊室就哭了。"

"不会吧？"

"你没想到吧？她那么要强的女孩子。那是我第一次也是最后一次见她哭。"

对我来说那才是最后一次，哲朗想着，脑中出现了当理沙子知道怀孕是他一手策划时的情景。

"就在那一刹那，我才放弃的，同时感觉无法让这个女人倾心于我。我果真只能作为一个女人继续活下去。"

不知是否那时万念俱灰的无力感再度袭来，美月的嘴唇抿成了一条线。

哲朗忽然醒悟过来。"所以，那天夜里你才来到我住处……"

美月有些尴尬地挠了挠眉毛。

"具体原因我也说不清楚，因为我自己也不知道。那时我只想被这个男人拥入怀中。或许因为你是理沙子喜欢的男人，或许是一直都很崇拜你，总之，我觉得若想从我心里把男人的部分彻底赶走，唯一的方法就是和 QB 你做爱。"

哲朗现在还能想起那时美月的表情。很难看出那是为了寻求快感，即使如此，她还是很固执地向他索求。两人满身是汗，彻夜缠绵。哲朗是地地道道的男人。美月是极力想使自己变成女人吗？抑或那对她来说，是杀死心中某个东西的仪式？

美月站起身，面朝哲朗，摊开双手说："那不是我的第一次。"

"哦。"

"第一次是在初中的时候，和一个很无聊的男生，长什么样都记不太清了，所以那次经历对我来说没有任何意义。和 QB 的时候却不一样，坦白说，那才是我的第一次。"

"可能我的话让你很为难。"她又补充道。

"那么，和中尾又是怎样的呢？"

美月像是被触到了痛处，眉间堆起皱纹，两手插在牛仔裤兜里，运动鞋的鞋尖在地上画着什么。是"RB"，即 Runningback（跑卫）。

"功辅是个好小伙，有那么多好女孩，他竟然会喜欢上我。"

美月称呼的是中尾的名字，哲朗略感欣慰。功辅、美月，他们两是这么称呼对方的，和平常的恋人一样。

"前几天，中尾说：'我接受现在作为男人的美月，但当时和我交往的绝对是个女人。'他是这么认为的。"

"他的话可真让人心酸。"美月用鞋底抹去地上的"RB"字样，"但他能这么说，我很感激。其实，就算他打我，我也无话可说。"

"那时你喜欢中尾吗？"

"喜欢啊，不光过去，现在也喜欢。"

"那叫什么来着……"哲朗一时找不到合适的语言。

"你是想问是不是那种恋爱的感觉？"

"算是吧。"

"好难回答的问题。"美月盯着地面，"男人拥有的那种恋爱的感觉究竟是怎样的东西，我不太明白。和功辅在一起很开心，也能安下心来，这是事实。"

"那方面呢？"

"性爱？"

"对。"

"也没什么大问题。当然，我们也做爱，因为我并不太讨厌和功辅那样做。"

一个问题浮现在哲朗脑海中：和我做的那一次又怎样呢？但他没问。

"分手是我跟功辅说的。"

"什么理由？"

"我只说是为了我们双方都好。你也知道功辅的为人，如果对方提出分手，他不会纠缠着非得要个理由。他不会缠着不放。他说既然你这么说，那也没办法了，这样就算完了。"

哲朗想，还真像功辅的做事风格。

"功辅是个好小伙。"美月再度说道，"他这么好的男人，和我扯上关系就麻烦了。"她开玩笑似的摸了摸额头，"但要是这么说，就太对不住孩子他爸了。他才是最大的受害者。"

"孩子他爸，你指的是……"

"我儿子他爸。"

"哦……"哲朗总是忘记那个人的存在，因为从美月身上看不到那人一丝的影子。"你不担心他们吗？"

"你是说孩子和他爸？"

"对，你根本就不和他们联系？"

"我可是离家出走啊。"美月耸耸肩，"我告诉自己不去想他们，因为一想就觉得很对不起他们，情绪就会失控。我希望他能趁早找个人，赶紧结婚。"

"你老公……"哲朗刚说出口又闭了嘴，他想美月大概不喜欢这样的称呼，"离婚协议书他交了吗？"

"我在上面签完字才离开的，不知他有没有交上去。"

"我对这些也不是很清楚。先不说这个人了，你就没想过要见孩子吗？"

"我儿子？"

哲朗点点头。美月仰头看天，长出了一口气。呼出的气一下子变白了。

"怎么可能忘呢？我心里一直放不下。但就算是为了孩子，我还是不要见他为好。像我这样的人和孩子在一起，他是不会幸福的。"

看着痛苦得表情扭曲的美月，哲朗想起她生孩子时的情景。怀着一颗男人的心怀孕、产子，那是一种怎样的心境啊？当然，他无法想象。

"话题扯远了。"美月笑笑，"只想把我对理沙子的那份心情讲给你听。"

"我明白。"

"去新宿也是因为想见理沙子。我已经做好了被警察抓的准备，就算是最后一眼，我也想看看她。就算没法跟她说话也没关系。不，我根本就没打算要和她说话。我那时是女人打扮，不想让她看到那样的我。"

哲朗终于找到了答案，深深点了点头。

"所以你刚才那么固执地拒绝她。"

"我再也不想在理沙子面前扮成女人，想作为一个男人跟她接触。"美月转向哲朗，踢了他一下，"听到有人对自己的老婆说出这样的话，男人都会生气。"

"或许，可我完全没有那种感觉。"

"因为我不是真正的男人。你觉得随我怎么说都无所谓？"

"不是这样。"

"没关系，我明白。一切都是我的自我满足，是我一个人的相扑游戏。永远的单恋。可这对我来说也很重要。"

永远的单恋？

哲朗大致能理解她的心情。某些东西，明明知道没有意义，但依然很在意——谁都会有这样的东西。这算得上一个能证明美月拥有男人的心灵的证据。

"要不要回去？理沙子在等我们。"

美月伸手摸摸额头，顺势把手指伸进头发，狠狠地挠着。

"不该回去，可那样又不行。"

"是我在求你。你就回去吧。关于扮成女人这个话题，我们再慢慢商量。"

她只是苦笑。

"真是难为你了，QB，你究竟要发号施令到什么时候啊？"

哲朗摊开双手，无奈地说："到第四节比赛结束。"

7

和早田见面后倏忽已过一周。哲朗他们周围没有什么比较惹眼的变化。早田似乎也很守约，没有打探他以前的朋友。

"对方是早田，我们不能掉以轻心。"理沙子说。这天晚上，三个人很难得地聚到了一起。理沙子和哲朗都经常因为工作外出。

"早田很会将计就计。"美月说，"好几次对方的闪击都被他看穿，帮了QB。"

"就是啊。"

闪击是一种防守方使用的突袭战术。对阵开球的同时，线卫和后卫都直扑对方的四分卫进行拦截。哲朗经常遇到这种情形。

"我每天都胆战心惊，担心早田总有一天会来。他如果看到美月，肯定能猜到什么，所以我还是希望美月能扮成女人。"

美月不答。她还是和以前一样只穿男人的衣服。正因知道个中缘由，哲朗没法和理沙子站在一边。

"总之如果被早田盯上就麻烦了。我们可能算是得到了点消息，但付出的代价未免太大了。须贝也真是的，多管闲事。"理沙子撇了撇嘴。

"别这么说，他也没有恶意。"

"这我知道。"

虽说不想被牵扯进来，须贝这两周内还是打来了两次电话，毕竟还是担心老朋友。比起来，哲朗更担心中尾，从那之后就再也没有联系过，他想明天该打个电话。

警察的动向完全不明。既然望月在酒吧监视，他们肯定已经盯上香里。与此同时，他们肯定也在追查户仓被杀之后马上辞职的调酒师。哲朗想，问题的关键在于他们是否已查明这个调酒师是个女人，抑或根本不知道。望月说起有男人在香里家进出。警察会不会认为那个男人就是忽然消失的调酒师呢？据美月说，香里确实有个那样的男友。

"不能仅凭乐观的推测。"理沙子伸手去取桌上的烟盒，发现已经空了，就像拧毛巾一样捏作一团，扔向旁边的纸篓，却稍有偏差，落到地板上，她也不加理会。

当晚，哲朗上床不久，就听到外面有声音。客厅的门打开了，又被重重地关上。该不是美月又想逃走吧？他这么想着，躺在床上全神戒备。紧接着他又听到了别的门开关的声音，于是放下心松了口气。谁都会有夜里起床方便的时候。

他想，不知那家伙上厕所时究竟用什么样的姿势，他发现考虑这个问题没有意义，只好在心中暗暗苦笑。只要不接受手术，她的排泄器官就还是女人的，像男人一样上厕所是不可能的。

接着又传来了比较怪异的声响，像是在敲打什么。哲朗侧耳细听。过了一会儿，声音再度传来，这次连续敲了两下。又隔了一小会儿，听到接连不断的敲击声：咚、咚、咚、咚。

哲朗坐起身。理沙子好像也听见了，坐起身来。

"什么啊这是？"

"是日浦。"

"在干什么？"

"我去看看。"

哲朗掀开被子，下床出了房间，来到洗手间门口站定。声音从里面传出来。咚、咚、咚，是敲墙的声音，还夹杂着呻吟声。不，不是呻吟，是哭声。

"喂，日浦。"哲朗说，"怎么啦？没事吧？"

声音没了。哲朗正要说话，门忽然开了，差点撞到他的额头。

美月从里边飞奔出来。看到她，哲朗怔住了。她穿着 T 恤，下半身赤裸着。

她打开客厅的门，逃一般躲进去。哲朗跟在后面。客厅里很黑，他想摁电灯开关，却又将手抽了回来。他有一种直觉，不能开灯。这念头如警钟般在他耳畔鸣响。

美月就在朝着阳台的玻璃门前。透过窗帘间隙射进来的微光在她身上投下斑驳的影子。

她一边低声哭泣一边脱下 T 恤，就那么拿着，尔后瘫倒在地。她趴在地上，后背颤抖不已。

"日浦。"哲朗走近她。

"求你了，别过来。"美月带着哭腔说道，"求你了。QB。"

"可是……"哲朗忽然屏住了呼吸。他在美月紧绷的大腿内侧看到了一条线。周围很黑，可他还是能辨出那是红色的。刹那间他脑中一片空白，说不出话来。

身后好像有人。他扭过头，只见理沙子正往洗手间里望去。明白了事情真相的她表情僵硬地走了进来，把手伸向电灯开关。

"别开。"哲朗说。

理沙子像是被吓着了一样，缩回了手。"你们都习惯待在暗处吗？"她打量着哲朗和美月。

"是那个……吧？"

美月不出声。哲朗自然也说不出口。

"身体感觉怎么样？"理沙子想靠近美月。

哲朗马上阻止了她。"别过去。"

理沙子似有些意外，皱起了眉头，盯着他。"为什么？"

"你别过去，到那边等着。"

"为什么啊？你才应该出去。"

"我要出去。你也出去。"

"你说什么？这种事只有女人才知道该怎么处理。"

"日浦不是女人。"

"但身体是女人，所以才会发生这样的事。"

"这不是身体的问题，是心理的。"

"现在暂时是身体的问题。"理沙子推开哲朗，来到美月旁边。哲朗发现美月整个人都僵住了。

"你是白痴啊！"哲朗抓住理沙子的手腕，把她拉进走廊。

她大声嚷道："好疼！你干什么？"

哲朗把理沙子拉到卧室门口，理沙子瞪着他。

"你松手！"

"你一点都不了解日浦的心情。"他打开卧室的门，把理沙子往里一推，理沙子坐倒在铺着绒毯的地板上。"现在你给我老实待着。"

哲朗关上卧室的门，但也没有回去找美月。他想先让她一个人待一会儿。他打开一旁工作室的门。

他坐到椅子上，抹了一把脸，为这种始料未及的事苦恼。但美月既然没有继续注射激素，应该想到这一天迟早会来，这是不可避免的。比起女装打扮、外表的变化，这一事态更加严峻。

哲朗漫无目的地环视屋内，视线忽然落到一点上。几天前挂着底片的地方，现在挂的是冲印好的 B5 黑白照片。

哲朗走过去拿到手里。这是理沙子前几天给美月拍的照片。美月裸着上半身，托着脸颊看着什么地方，嘴唇像是在笑，又像是在低语着什么。不知道是不是有阴影的原因，让人意外的是她的胸部有些隆起，身体的曲线也很诱人。

哲朗发现这激起了自己的性欲，赶紧从照片那儿走开。对自己的厌恶就像细小的波浪一样涌上心头。

传来卧室门打开的声音，好像是理沙子走到了走廊。能感觉到她很小心地走着，尽量不出声。不一会儿，传来了敲门声。

哲朗压低声音说："进。"理沙子开门进来。

"你打算怎么处理啊？"她问他。

"正在考虑。"

"我很担心那孩子现在的状况。"

"嗯。"哲朗点点头，心想，如果美月听到自己被称为"那孩子"，肯定会觉得很受伤害。

"就这么不管也不行，她会胡思乱想的。"

"理沙子，你去不太好。"

"那你倒是做点什么啊。你能做什么？"

哲朗什么也说不出来，他根本救不了美月。美月讨厌被当作女人对待，可她身上发生的事正印证了她的女儿身。

哲朗拿起桌上的电话，同时看了一下表。刚过午夜两点。

"这时候你打给谁？"理沙子问。

哲朗不答，径自打开记事本，看着电话簿拨下号码，祈祷着对方千万不要不接电话。

"喂。"传来一个充满睡意的声音。这很正常。

"喂，是我，西胁。"

时值半夜，又是哲朗的来电，对方似乎也觉察出必定事出有因，声音立刻变得低沉但很清醒。

"美月出什么事了吗？"中尾功辅问。

挂了电话后大概三十分钟，玄关的门铃响了。

中尾身穿毛衣，外罩长款大衣，和上次来的时候相比显得粗犷许多，大概是无暇顾及的缘故。刘海耷拉在额头上。

"在哪儿？"一看到哲朗，他马上问道。

"客厅。"

"在做什么？"

"不知道，我想暂时先让她一个人待着比较好。"

中尾点头应了声"好"，脱了鞋。他左脚的鞋带也没系。

看着他打开客厅的门走进去，哲朗和理沙子回到卧室。

感觉还是输给了以前的恋人之间的那种牵挂。不，说是恋人好像不太合适——哲朗忽然想起那天在公园和美月的谈话。永远地单恋着别人的不止美月一人。

"中尾还是瘦了啊。"理沙子坐在床上说道。

"就是啊。"

"感觉身体都变小了。"

"肯定有很多难处。工作上的，还有家庭的。"

"而且还被卷进这种事情。"

哲朗在心里嘀咕道，这也没办法。

"我说，"理沙子撩了撩刘海，"究竟该怎么办才好呢？嗯，我也想尊重美月的心情，但让那孩子就这么一直保持男人装扮，我很不安。你就没有这样的时候吗？"

"我也觉得很危险。"

"那怎么办呢？"理沙子责备般追问道。

哲朗盘腿坐在地板上，双臂抱在胸前。

"又来了，沉默？像你那样光是嘴上说着担心，什么也解决不了。"

"只是不想草率行动。"

"你认为我的建议很草率？我是在认真考虑美月的事情。"

"但你没有考虑她的心情。"

理沙子深深地叹了口气，双臂一摔。

"又是这个？你老是说心情心情，还不是一样不明白，否则——"

"日浦她，"哲朗打断了她，"喜欢你。"

理沙子倒吸了一口凉气。夜用台灯在她背后，她的脸逆着光，但仍能明显地捕捉到她双目圆睁的表情。

良久，她才挤出一句："哎……"

"她说的。我一直在犹豫要不要告诉你。"

事实上他还没有考虑清楚。他满心想的都是，说话间，自己可能已做出无法挽回的举动。

"开玩笑的……"

"你指谁？我，还是日浦？"

理沙子紧闭双唇，仰着头。哲朗想她可能料到了。她这么敏感，不可能注意不到美月的心情。

"她说是作为男人的那种喜欢，想在你面前保留自己男人的一面。"

理沙子继续沉默，哲朗没有再往下说。昏暗的房间里只能听到理沙子微乱的呼吸声。

过了一会儿，客厅传来开门声，有人走到过道上。哲朗起身开门。中尾站在那儿，憔悴疲惫的脸上挤出几分微笑。

"情况怎么样？"

"嗯，"中尾来到卧室，对理沙子说，"想请你帮忙处理一下那边，如果你有多余的，就借来一用。"

理沙子一脸会意的表情，下床打开壁橱，猫着腰。

"还有，把内衣借给她吧。"

"啊，好。"哲朗来到装有自己内衣的衣柜前。

中尾马上说："不，如果可以，希望能借高仓的。"

哲朗的手本来已经碰到抽屉，他吃惊地回头，理沙子也猫着腰抬头望去。中尾交替看着他俩。

"女人的东西比较好。另外，有没有什么穿的可以借给她？在家里针织衫之类的就行。高仓有吗？"

"没有，家居服倒是有。"

"那也行。"

"可以吗？"哲朗问中尾。

"行啊，她本人也同意。"中尾声音很低，但说得很干脆，"我到对面去等，能帮我拿过来吗？"

"嗯，好。"理沙子回答。

中尾出去后，理沙子把自己平时穿的家居服都摆到床上。哲朗注意到其中没有裙子，但没有说破。

"就这件和这件吧……"

理沙子选了弹力裤和T恤，还有一件比较厚的衬衫，都是以黑色为基调，女人穿起来会很有女人味，男人穿了也不会给人异样的感觉。

两人来到客厅，看到中尾独坐在沙发上，看不到美月。里边和室的拉门关得很紧。

"有劳你了。"看到理沙子，中尾起身说。

"是我们麻烦你了。"她把换洗衣服和便利店的塑料袋递给他。

中尾接过，把和室的拉门打开约三十厘米。哲朗他们看不到里面的情况，那儿的灯好像关着。

"这是向高仓借的。知道怎么用吧？毕竟你也使用多年了。"

中尾大概是在开玩笑，可哲朗一点也笑不出来。

中尾关上拉门，坐到沙发上。

"真是给你们添了很多麻烦。"

"你道什么歉。"

"我们也想帮助美月啊。"

"你这么说，我很开心。嗯，关于她的住处我会尽量想办法，不会一直麻烦你们。希望你们再忍一忍。"

"我觉得还是应该把美月留在这儿。"理沙子说，"有个人在旁边看着她比较好，否则不知道她会做出什么事情。"

中尾轻轻地摇摇头。

"那家伙不会去自首的，刚才她已经答应我了。"

"答应啦？真的？"理沙子有些怀疑。

"真的。"

看着中尾笃定的脸，哲朗心想，这份自信究竟是从哪儿来的呢？还有，他是怎么说服美月恢复女人装扮的呢？目前这种场合不可能追问这些，但他很想知道。

拉门动了。明明开和关都没有什么问题，却开得很迟疑。开了大概五十厘米，美月出现在对面。她低着头。

美月呼了口气，挠挠后脑勺，坐到中尾旁边。

果然还是女人啊，哲朗想。虽然并没有明显的女人装扮，但和一直以来给人的印象很不一样。

"抱歉，给你们添麻烦了。"美月抬起头，看看哲朗又看看理沙子，"让你们看见我的丑态。"

"也没什么好难堪的。"哲朗说，理沙子默默点头。

"地板弄脏了一点。我大致抹了一下。"

"你别放在心上。"

"抱歉。"美月再度低下头。

哲朗瞥了一眼她的胸部。好像穿了裹胸，看不出女人的曲线。理沙子给中尾的那些替换衣物里有胸罩，但她好像还是不愿穿上。

"除了道歉，你不是还有别的要说吗？"中尾对美月说。

"啊。"她轻轻点头，再次看向哲朗他们。她的眼睛有点充血。"我决定按理沙子说的办。如果那是最好的方法，我也只得照做。"

"你是说暂时变回女人？"

"嗯，毕竟不能让警察抓到我。"

理沙子简单地答道："对。"听哲朗说出美月的心意后，理沙子心中必定已是五味杂陈。

四人被沉重的气氛所笼罩，好像都陷入了沉思。

"我还是先回去吧。"中尾看看手表。

"这么晚叫你出来，真是抱歉。"

"哪儿的话，你能叫我真的很好。"中尾看了美月一眼，站起身来。

哲朗独自送他到玄关。本想送到楼下，中尾固执地推辞了。

"太冷了，送到这儿就行。美月就拜托你了。"

"我明白。"

回到客厅，只见理沙子神情恍惚地吸着烟。美月好像进了和室，大概是不想让理沙子看到自己的女装打扮。

哲朗一时不知该说什么，来到厨房喝水。理沙子抽完烟，沉默着离开了客厅。

哲朗不想马上回卧室，就坐到了刚才理沙子坐的地方，但他又很在意隔壁的美月，无论如何也平静不下来。和室里一片静寂。

桌上放着理沙子的香烟和打火机。哲朗伸手取过，抽出一支。他偶尔也抽烟，但大多是一时兴起，并未成瘾。哲朗手里夹着烟，打着了打火机，但还没点就熄了。他受不了这沉闷的气氛，打开玻璃门来到阳台。冷风抚过脸颊。他把双肘搭在栏杆上，想重新点火。

这时，一辆沃尔沃映入眼帘，和上次中尾驾驶的那辆一模一样，停靠在路边。

哲朗心下诧异。中尾出去已有一段时间，应该已经走远。

哲朗手里拿着烟，不由得往下看。他想或许那不是中尾的车，可不论是颜色还是车型，无疑正是中尾的。

他在干什么？

会不会是在车里打电话？自从改了道路交通法以后，是不允许开车时打电话的。中尾好像一直严格遵守这方面的规定。

但似乎并非如此。因为排气管没有气体排出，前灯不用说了，两侧的车灯也没有开。这么冷的早晨，不太可能不先发动引擎就打电话。

哲朗回到客厅，把烟扔到桌上，出了走廊径直朝玄关走去。卧室那边，理沙子好像说了什么，但没听清。

出了房门，他进入电梯，不知为何胸中涌起万千思绪。

到一楼出了电梯，朝着大门走过去，哲朗忽然停下脚步。中尾蹲在门厅的角落里。

"怎么啦？"哲朗吓了一跳，赶紧跑过去。

中尾依旧蹲着，回头看过来。他脸色发青，可还是露出笑容。"出什么事啦？你怎么又跑下来了？"

"该我问为什么吧。我从上面看到你不在车里，觉得很奇怪。身体不舒服吗？"

"没事，没什么大不了的。"中尾靠着墙勉强站了起来，右手按着腰。或许是剧痛难忍，他的脸倏地扭曲了。

"是腰吗？"哲朗问。

"算是吧，神经痛的一种。"

"神经痛？"

"嗯。别担心，我最近正想去做个按摩呢，好好按一下就好了。"他用手撑着墙往前挪动。

"你还是不要逞强了。再到屋里休息一下？"

"不了，没事的。比赛的时候忍受这样的小痛是常事。"

"时过境迁了。"

"的确，咱们都变成大叔了。"中尾努力保持微笑，打开自动上锁的门，"在高仓和美月面前，你要替我保密啊，不想让她们为我担心。"

"我送你回去吧。我来开车。"

"不是跟你说了没事吗？"中尾做了个深呼吸，挺直腰板，"惊动你真不好意思，快回去吧。"

"你真没事吗？"

"啊。"

哲朗还是没有走开，把中尾送出公寓，等他坐上车。发动引擎时，中尾轻轻地摆了摆手。

回到房间，哲朗依然很担心。过了一会儿，他试着拨打中尾的电话。

可电话没有打通。哲朗劝说自己，大概是因为中尾正在开车。

第四章

1

球开得相当漂亮，十五颗球四面散开，有一颗顺利地滚进角袋。哲朗未及看清是几号球，却注意到对方的男选手忽然阴沉下来的脸色。

田仓昌子稍一观察台面上球的位置，微微弯下有些发福的腰，摆出击球姿势。她显然已经锁定目标，别人却难以把握。

她用球杆极轻地碰了一下母球，母球撞到一号球，一号球画出一道曲线掉进了出乎哲朗意料的角袋。哲朗被这精彩的一球激得几乎要拍手叫好，田仓昌子却一副理所当然的表情，已在思考下一步的球路。

听说有淘汰赛，哲朗才来到了大宫的台球场。参赛选手有四十二名，大约半数是业余的。与其说是淘汰赛，更像是练习赛，奖金之类就更不用提了。在欧洲，不乏奖金总额超千万日元的大赛，奖金过亿的选手每年也不是没有。可在日本，即使是职业选手，想单靠参加淘汰赛维持生计仍不太现实。总之，获胜奖金最高二百万，而且这种规模的大赛一年不过几场，即使全胜或接近全胜，收入也只能勉强和普通工薪阶层持平，更何况所谓奖金还是靠选手的参赛费拼凑的。

哲朗来之前和编辑部商量决定采访女选手。在这个男女不分组的比赛里，女选手究竟能奋战到何种地步呢？

　　田仓昌子赢了那场比赛，但随即连输三场，终究没能进入下一轮。但即便如此，也已晋级混合赛八强，战绩有了一大飞跃。"唉，本来能赢的呢。"田仓昌子在赛场的角落一边整理工具一边淡淡地说。看似平淡的语气中透着莫大的懊悔。

　　"和男选手对抗，有什么困难的地方吗？"哲朗问。

　　"我倒没什么，反而是对方比较难办吧？万一输给女人多丢脸什么的。"田仓昌子靠在折叠椅上笑道。和比赛时截然不同，那是一张普通中年妇女的脸庞。从简历上看，田仓昌子是日本职业台球联盟的五期生，虽不清楚出生年月，但哲朗判断她应已年过五十。

　　"那么，田仓小姐，为什么说你反而打得比较轻松呢？"

　　"应该说是求胜心更加强烈吧。怎么能输给男人呢？老实说，当初决定拿起球杆就是为了战胜男人。"

　　"啊……"

　　"我以前在银行待过，就因为是女人，吃了好多亏。我们年轻的时候不像现在，碰到性骚扰什么的抱怨也没用，没人理会你，明明比我还不会做事的笨男人都一个个晋升了。不仅如此，还被入行时自己教过的小子赶超了，实在气不过抱怨几句，却被告知'傻子，凡事男人只要下决心去做，肯定胜过女人'。从那时起，我便下定决心好好打台球，无论如何也要胜过男人。那时女人着迷台球的还很少。台球因汤姆·克鲁斯的电影而流行起来，是很久之后的事了。"田仓昌子盘起粗短的双腿，开始吸烟。

　　"现在应该很愉快吧？可以跟男人们较量，并且毫不逊色。"哲朗问。

　　"还行吧。"她侧着脑袋说道，"但我从没认为和他们是平等的。"

　　"怎么？"

　　"简单地说，你们就是很好的例子。来采访没什么人气的台球比赛，是因为女选手有可能获胜，对吧？如果女人赢了，那就有意思了……"

哲朗和女编辑交换了眼色，无法否认。

"'如果女人赢了，那就有意思了'——要是别人都这么看你，说明你的实力还远远不够。这真让人恨得牙痒，就像北湖① 那样。"

"我认为如果田仓小姐获胜，是对女人实力的证明。"女编辑补充说。她的年龄大概只有田仓的一半。

"那只能证明女选手赢了会引起一阵小骚动。要证明女人和男人一样能干，可能还要花相当长的时间——不是女人胜过男人的个别事件，而是当男人输给女人也不觉得羞耻的时候。那想必还是很遥远的未来，即使在小小的台球界也是如此。"

"关键是男人们的改变啊。"

听到女编辑的话，老练的女子台球健将摇摇头。

"女人也要改变，因为对方是男人就乱了阵脚可不行。在这一点上，我也差得远。"她说完，叹了口气。"话题一扯到性别问题就变得麻烦了。我真想早点从这种问题中解脱出来，当然，不是指台球。"田仓昌子大笑起来。

从台球场出来后，哲朗一行在咖啡店讨论了一个多小时后解散。报道的内容定为"在男人堆里奋战的女子台球健将"。田仓昌子若看见估计会笑着说："这样的内容也算报道，本身就成问题。"

来到家附近，哲朗走进常去的餐馆，点了份炸牡蛎套餐和啤酒，不禁想到有好几个月没有吃到理沙子亲手做的饭菜了，恐怕以后也没机会了。自己和理沙子以后会变成什么样呢？会不会一直持续现在的状态？试着想象十年后的生活，如果顺利，应该已确立了作家的身份与地位，说不定已开始涉足小说创作。理沙子应该还在继续摄影师的工作，摄影对她来说无可取代。可是，哲朗很难想象两个人共同生活的景象。可以设想两个人同在一个屋檐下，但只是被放置在模型一般

---

① 北湖敏满，日本相扑界第 55 代横纲，职业生涯早期曾屡战屡败。

虚有其表的房子里，空虚感四处蔓延。

吃完饭，哲朗回到公寓。走廊一片黑暗，灯光从客厅透出来，听不见说话声。

开门之前，哲朗先探头看了看里边的情况，一眼望去似乎没有人，其实不然，美月正伏在地板上。仔细一看，她正在做俯卧撑，肘部向下弯曲，胸部几乎触到地面。她似乎在测试肌肉的张力，缓缓抬起手臂，透过T恤隐约可见上臂膨胀的血管。

她重复这个动作两三遍后，哲朗打开了门。美月似乎早已察觉他的归来，没有表现出丝毫惊慌，继续以刚才的速度做着俯卧撑，呼吸声隐约可闻。

哲朗脱下外衣，去厨房倒了杯水，坐在客厅的沙发上望着美月。单他看到的俯卧撑就超过十个了。终于，美月的节奏开始混乱，面露难色。

"多少？"哲朗问。

"三十六，状态好的时候可以做五十个呢。"

美月仰面躺下，调整呼吸，胸部波澜起伏，哲朗慌忙移开视线。

"能做这么多已经算厉害了，不是吗？我做二十下都算超常发挥了。"

"体重不一样啊。"

美月抬起身子，微微弯曲膝盖，开始锻炼腹肌，可不固定住腿似乎做得有些吃力。

"要帮你压住腿吗？"

"嗯，那样就省力些了。"

哲朗脱掉上衣，蹲在她脚边，摁住她小腿到膝盖的部分，美月两手抱头，重新开始仰卧起坐。每次抬起身子，她的脸就逼近哲朗的眼睛，身体弯曲的时候，大领口T恤微微露出胸口。

令哲朗吃惊的是，五十次仰卧起坐中，美月的节奏丝毫未乱。之后，她脸上开始显出一丝疲倦，皱着眉，紧抿嘴唇，全力抬起上身。看着美月的表情，哲朗莫名地感到心跳加快。做了六十四次，她终于躺下不动了。

"不行，体力还是下降了。"美月摸摸腹肌，又用手估计双臂的尺寸，"手臂也变得这么细了。"

"我倒觉得没什么大变化。"

"你不用安慰我，我的事自己最清楚。"她两手抓着头发，"可能会这样恢复女人的身体吧。"

哲朗俯下身，叹了口气。美月开始做俯卧撑和仰卧起坐的目的显而易见，她还在竭力守护每天一点点流失的"自我"。

"QB也做做看嘛。"

"我就算了吧。"

"为什么？如果一点也不运动，身体会变迟钝的。"

美月催促般推推哲朗。哲朗仰面躺下，美月骑在他腿上。哲朗无奈地开始做仰卧起坐，身体的确变迟钝了，做了二十几次就感觉腹部使不上劲。

"怎么？加油啊！"

"不行了，饶了我吧。"

"说什么呢？才做这么几个。"

美月向前移动身体，正好趴在哲朗胸前。透过牛仔裤，哲朗仍感受到她充满弹性的肌肤。他勃起了。美月神情大变，因为那里正对着她双腿之间。她的眼神充满困惑，似乎无言以对。哲朗也一时语塞，只好望着天花板。她向后退了一步，离开哲朗的身体，捡起脱下的上衣套在T恤外面。哲朗也缓缓起身，拿起上衣。

"对了，理沙子呢？"

"接了个电话就出门了。像是原本准备登在杂志上的照片出了问题。"

"噢。"暧昧的场景还好没被理沙子看见，哲朗松了口气。

哲朗走进工作室，发现电话留言的指示灯在闪烁。他换上起居服，按下答录机按钮。一共三个留言，两个是出版社的，还有一个是泰明工业的中原医生打来的，询问明天想不想一起去第一高中田径队，如果去请于明天上午回电。该怎么办呢？哲朗有些犹豫，明天倒是没有必做之事，但现在脑子里全是美月。

敲门声响起。"进来。"哲朗应道。

门开了，美月有些迟疑地向里面张望，乌黑的大眼睛环视室内。

"怎么了？"哲朗问。

"对不起，没什么事。只是想看看 QB 的工作室。"

"噢，"哲朗点点头，"尽管看吧。"

"真挤啊。"

"原来是个储藏室。"

"理沙子可说了，不记得曾把这个房间让给了你。"

"她那么说了？"哲朗皱起眉。

"可不。"

美月的视线停留在墙边的一处，那是用夹子固定着的照片，理沙子帮美月拍的那组。除了这张落在地板上的，其余都被理沙子拿走了，哲朗便把它用夹子固定住。哲朗已迅速想好了辩解之词，但美月只是默默地移开视线。

"那时的感觉，我不太理解。"她喃喃道。

"那时？"

"刚才的那个。"美月指指哲朗的下半身，"那里硬起来的感觉。"

"哦，"哲朗盘起腿，"你自然会不懂。"

"是怎样的感觉？"

"很难说。"哲朗抱着胳膊，"刚才不是做了俯卧撑吗？"

"嗯，有点肌肉紧张、膨胀的感觉。"美月伸出左手揉着右上臂。

"和那种感觉有点像。"

"和这个？"她绷紧手臂使肌肉隆起。

"有点吧，血液同样会集中起来。"

"集中到那里？要用力吗？"

"差不多吧。"

美月想了想，偷笑起来，摇摇头。"不行不行，再怎么想象，没有那东西也没用。"

"是吧。"哲朗也笑了。

美月叹着气，伸手去拿夹子上的照片。

"我总是想如果有'那个'多好之类的。"

"果然。"

"你觉得我什么时候最想有？"

"呃……"哲朗思量着。

"上公厕的时候。"

"啊……"

"没开玩笑，真的。没有'小弟弟'就不能站着撒尿，所以即使是进男厕所小便，也得进单独的隔间，多不方便啊。我真想像个正常男人那样，迅速走进厕所，利索地解决，然后随便洗个手就出来。"

"想过做手术吗？"

"当然想过。日本也认可这种手术之后，我考虑得更加现实，但终究无法下决心。"

"感到迷茫吗？"

"或者说是还没有真正了解自己。比如究竟想变成什么样？想如何生活……"美月不由得苦笑起来，"我真像个傻子。"

"世上还有许多因为没有健全的身体而痛苦的人呢。"

美月似乎没听懂，歪着脑袋。哲朗指的是末永睦美。美月的眼睛忽然亮了。"QB，有件事要拜托你。"她说道，"让我见见那孩子吧。"

半夜两点多，理沙子才回来。因编辑单方面的失误造成了很大的麻烦，她心情极差。跟她提带美月一起去第一高中采访一事无异于火上浇油。

"在这种关键时刻，怎么能做这么张扬的事？"

"我会十分小心的。"

"抱歉打断一下，'十分'是什么意思？凭什么能做到'十分'？"

"你不也想过让日浦做助手吗？"

"这两种情况下，被人看到的可能性完全不同！"

"等等。说要去的人是我，我一定要见见那位半阴半阳的选手。"

美月的话似乎触到了理沙子的痛处。

"警察可能已经做好了'猫眼'前调酒师的模拟画像，分发到各地了。"

"这一点我会考虑的。"

理沙子无奈地叹了口气，开始东张西望，似乎在寻找剩下的烟。

"今天你们俩真合拍啊。"

"你胡说什么！"哲朗瞪了她一眼。

"如果非去不可，我可以提个要求吗？"

"我知道，是叫我扮成女人吧？"美月应道。

"不仅仅是穿裙子。"理沙子指着美月的脸，"要化妆，上粉底，涂口红，描眉。可以吗？"

美月瞬间露出困惑的神情，但马上答应了。"那也没办法呀。"

理沙子对美月如此爽快地答应感到有些吃惊，脸上又浮现出受了伤害的表情，猛地站起身来。"那随便吧。"她说完便离开了客厅。

哲朗和美月望着彼此。

"多半是她怎么劝，你也不肯穿的缘故。"

"也许吧。"美月浅笑道，"QB，能麻烦你一件事吗？"

"什么？"

"今晚你睡这边的房间好吗？我有点事想和理沙子聊聊。"

"哦，知道了。"

美月走后，哲朗喝了罐啤酒便钻进美月用的和室。被褥已经铺好，美月总拿来当睡衣穿的 T 恤随意地扔在被子上。被褥里充满哲朗不曾闻过的气味。刚才做仰卧起坐，美月的脸靠近时也散发出相同的气味。

2

手机铃声代替闹钟唤醒了哲朗。他也不知道自己睡着了没有，反正头脑昏沉，依稀记得做了个怪梦。

穿过客厅来到走廊，卧室里静悄悄的。哲朗走进工作室，马上给中原家拨电话，说希望今天能一起去。中原爽快地答应了。

出了房间，哲朗有些犹豫地敲了敲卧室的门。"嗯。"理沙子应道。

哲朗推开门，朝双人床望去，不禁吃了一惊。穿着 T 恤的美月半倚着床，身旁躺着理沙子。理沙子右手轻轻搭在美月的大腿边，两人的下半身都藏在被褥里。

哲朗瞬间联想到恋人。由于拉着遮光窗帘，室内有些昏暗，美月的脸在暗处显得更加轮廓分明，如同美少年一般。

"怎么？"理沙子慵懒地问。

"呃，我和昨天说的中原联系上了，上午就出发。日浦，之前要做一些准备。"

"知道了。"

"一会儿见。"哲朗说完便关上门，心中不由得滋长出一丝憋闷的情绪，却不清楚是为什么。他在附近的咖啡厅吃了份早点后回到家，理沙子和美月似乎随便弄了点吃的，饭桌上放着两套餐具。

哲朗换好衣服坐在客厅的沙发上，理沙子正好推门出来。"美月准备好了。"理沙子话音未落，美月便走了出来。哲朗不禁挺直了腰板。美月和昨天简直判若两人。

她并未化浓妆，只是少年般的五官被恰到好处地装饰到女性的脸庞上，耳钉和短发十分相称，头发也上了点颜色，深灰色的套装下是灰色的衬衫。

"怎样？"理沙子问，表情像在展示自己钟爱的人偶一般。

"吓了一跳，"哲朗坦承，"看上去不像日浦了。"

"好久没打扮成这样，我肩都酸了。"美月撇着嘴说，"现在就想脱掉。"

"在外边你还是忍一忍吧。"理沙子的语气仿佛母亲一般，"真的很适合你，一直能保持这样多好。"

"说好了，只在外面这样。"美月不自然地蹭着双脚，"原来丝袜这么痒！"

"你的声音不能再温柔点吗？"

"别提了，怎么可能。"

"没办法，只能说感冒了。"

"那样就不能接近重要选手，还是说唱卡拉 OK 唱坏了嗓子吧。"

"我可不唱卡拉 OK。"

"至于拿手歌，就说是森进一的。"

美月的外套和手袋也准备妥当。十二点整，两人出发，理沙子有些担心地送他们出门。

还没走几步，美月就开始抱怨穿高跟鞋走路很痛苦。

"你又不是没穿过。"

"几乎没怎么穿。这种鞋子，万一出什么事，跑都跑不了，况且，我也不爱穿裙子。"

"随你吧，但你的说话方式也太……"

"知道啦，到时候会注意的。别看我现在这样，好歹也做了三十几年女人了。"

"是呀……"哲朗耸耸肩。

"像我这样的，在电车上也碰见过色狼呢。"两人并排坐在地铁的椅子上时，美月说道。"是个看上去很普通的老头，大概四十岁，西装革履，戴着很斯文的眼镜。"

"哪里被摸了？"

"屁股。都摸到我身上来了，看来对女高中生的屁股还真是向往呢。我回头瞪了他一眼，他便怯怯地走了。"

"这色狼真是选错了目标。"

"可是那天回家之后，一个人待着又忽然懊悔起来，觉得那人实在太过分了，懊恼得最终还是哭了，妈妈也惊慌失措地跑来问我怎么了。"

"的确是很打击人。"

"换成普通女孩子肯定也是种打击，对我来说，被一个不认识的男人那样对待绝对是种耻辱。单单想到他对我怀有性欲，就让我无法忍受。我无法接受自己对男人来说是这样一种存在。于是我说从第二天起要穿裤子，上学仍穿制服，但不穿短裙了。"

"然后呢？"

"可惜妈妈说没必要那样，我只好放弃。作为补偿，出门时我带上了木匠用的钳子。"

"钳子？"

"如果色狼再次出现，我就用那个狠狠夹住他的手。真的，在电车上，我一直悄悄地用右手握着它。"

"色狼出现了吗？"

"消失了，等着他出现，反而不来了。"美月笑着说，那张笑脸映在对面的玻璃上，怎么看都是女人的脸庞。

"日浦。"

"嗯？"

"腿分太开了。"

"呃……"她慌忙收拢迷你裙下的双腿。

见面地点是东武东上线川越站附近的一家咖啡厅。

中原穿着毛衣，外罩一件粗呢短大衣，一身不加修饰的打扮，在咖啡厅等着他们。

"有这么美丽的助理真令人羡慕啊。"看到美月，他首先说道，似乎不仅仅是恭维。

美月向他问好。对于美月过分沙哑的嗓音，中原显然有些意外，但什么也没说。

"我在高中田径联盟有熟人，试着跟他提了末永睦美的事，他说知道。"乘出租车前往第一高中时，中原说道，"在田径界还挺有名呢，联盟的指示也没说不让她参加正式比赛，表面上是这么说的。"

"事实上情况复杂？"

"嗯。"中原点点头，"通过第一高中的有关人士，联盟转达了希望尽量避免让她出赛的意见。就算出赛，成绩能不能被正式承认也不太清楚。"

"作为女选手出赛的资格不被承认？"

"日本田径联盟正式发表关于两性人选手的处理办法之前，高中方面也只能采取顺从态度。如果末永在高中联赛破了纪录，肯定会引起轰动。"

"我倒认为有这么强的选手诞生是件好事呢。"

"反正问题不在末永身上。如果以后再有两性人选手出现，这就成了先例。有关当局遇上麻烦时肯定想尽可能拖延时间，况且外界压力也不小。"

"外界压力？"

"其他有实力的女选手所属的学校、企业等迟早会抗议，反对这类'体质不寻常'的选手和普通选手一起参加比赛。"

哲朗心想这也是理所当然，体育界其实比外界想象的要复杂得多。

第一高中就在入间川畔，周围都是田地，堪称建筑物的只有两三百米之外的工业区。

中原已事先办好登记手续，哲朗和美月随他向操场走去。

橄榄球队正在操场中央练习传球。周边画着线的跑道上，穿着运动服的选手们在跑步。倾尽全力奔跑的应该是短跑组，在他们外围跑着的估计是中长跑组。

"啊，"哲朗的视线停留在一位选手身上，"是那个吧？"

"对。"中原立即答道。

那人同其他女选手一样穿着浅蓝色运动服，男选手的衣服是深蓝色的。如果少了这个标志，就很难把她判定为女选手了。她个子不算很高，但隔着白色 T 恤也能看到她那结实的肌肉，动作的强度也令一般女孩子难以企及。

"不像女孩在跑步。"哲朗对美月说。

"真帅！"她小声回答。

中原向他们介绍了田径队的顾问荒卷。他大约四十岁，身材矮胖，但以前应该也是田径运动员。

"对于寻找八卦的采访，我们深感头疼……"荒卷皱眉道。

哲朗立即强调这次采访的目的很单纯。荒卷似乎没有完全认同，但还是勉强答应了。

"现在正在进行计时赛，结束后会休息一会儿，那时去采访就行。"

"给什么计时？"

"五千米。"

"她的最高纪录是多少？"

"嗯，那个……"荒卷支支吾吾，"我手边没资料，不太清楚。"

哲朗明知这是谎言，但也没有追问。荒卷一定是怕透露了破全国纪录的事情会惹麻烦。

末永睦美忽然加快了速度，似乎要冲刺了，速度简直堪比短跑选手。她把落后一圈的队友们一个个赶超，径直冲过终点，伸手擦擦汗，披上运动风衣向前走去。

哲朗慢慢靠近她。"你好。"

睦美有些惊讶地转向他。她五官突出，嘴唇有些厚。虽说是日晒的缘故，但她长得真有些像黑人。她留着一头短发，左耳戴着耳钉，光看脸庞和男人没什么区别。

"想和你聊聊，已经跟荒卷老师打了招呼。"

她没回答，只是叹了口气，没有停下脚步，似乎还加快了速度。哲朗想跟上她都有些吃力。

"我们不是什么杂志社的，也不会透露你的姓名，只想和你谈谈有关男女性别差异的问题。"

睦美微微皱眉，似乎有些诧异，也许是不太明白。

"请务必让我们听听你的想法。"哲朗坚持道。

她忽然停下来，低着头转向哲朗。"放过我吧。"

"我们绝对不是挖八卦的，而是认为这是个值得认真思考的问题，所以想听听你的意见。你一定因为田径联盟那些事受了不少委屈。"

"我没什么看法。"

"但——"

没等哲朗开口，睦美已转身大步走开，哲朗急忙追过去。

"真没别的企图，只是想听听你的想法。"

但她好像无意配合，径直走向田径队的房间，打开门。哲朗赶紧抓住门。

"请放手！"她厌烦地说。

"一会儿就行。"

"不方便。"

"拜托了！"

"QB。"背后传来美月的声音,她也跟了上来,"这样强迫可不好哦。"她又笑着对睦美说:"对不起啊,这样勉强你。"

睦美的脸色倏地发生明显的变化,像是见到了始料未及的一幕,不断地眨眼。

"怎么?"哲朗问道。

"这是你的同伴?"

"我的助理。"

"噢……"睦美似乎陷入沉思。

3

食堂里摆放着崭新的白餐桌,墙上的菜单中竟赫然列着意大利面套餐,哲朗不禁觉得和自己的高中时代真是天差地远。

食堂里没有别的学生,哲朗、美月和末永睦美在最靠角落的桌边相对而坐。睦美说愿意进行约十分钟的谈话。导致她忽然转变态度的原因,哲朗没有道破,但心下了然。

"你今天跑步的样子可真棒,时间也控制得很好。"

哲朗一说完,睦美望着桌面小声说道:"今天没有以往……"似乎要说平时跑得还要好些。

"喜欢跑步?"

睦美不答,只是微微点头赞同。

有所戒备也是情理之中。面对未曾谋面的陌生人,一般的高中生应该很难敞开心扉。

"想过参加正式比赛吗?"

"QB,"美月马上阻止哲朗,"那些事不提也罢。"

"可是……"

美月无视哲朗，双眼直视睦美。"睦美是个不错的名字呢，你自己怎么想的？喜欢吗？"

她尽量用女性口吻说话。

睦美略一思索，说："还行。"

美月点点头。"现在还去医院吗？"

"一个月去一次。"

"单纯的例行检查，还是哪里生病了？"

"只是检查。"

"哦，太好了。"美月吸了口气，像是安心不少，"在学校过得开心吗？"

睦美没有马上回答，面露迷惑。

"不太开心？"

"也有高兴的事，但学校里也不全是好人。"

"哦……也是。"美月舔舔嘴唇，"听说你并没有对别人隐瞒身体的事，这是你自己的意思？"

"是。"这次睦美答得很干脆。

"很有勇气啊。"

"是勇气吗？"

"我是这么想的，不是吗？"

"怎么说呢……"

睦美歪着脑袋，以手托腮。即便作为运动员，她双臂上紧绷的肌肉也与她的年龄不相称。

"已经厌倦遮遮掩掩的了，反正不管怎么掩饰最终都会暴露。"

哲朗发觉，睦美过于强壮的身体已足以让许多人觉得怪异，不只是肌肉的形状，手臂上浓密的汗毛也着实引人注目。

"问你个不太招人喜欢的问题，小时候觉得自己是个正常的女孩吗？"

"嗯，差不多吧。"

"现在呢？还这么想吗？"

睦美双手握拳，顶着太阳穴。

"我尽量不去想这件事，想了也没用。"

"但是，为了方便，还是以女孩的身份生活着。"

"只是顺其自然，周围的人也觉得如果不将身份确定在某一方，会很难办。"粗率的语气中包含了对周围之人的冷漠。

美月挺直背脊，吸了口气，继续注视睦美。"想过动手术吗？"

睦美终于抬起了头。这个问题似乎刺激到了她心底的某处。

"是指去除某一方的功能？"

"嗯。"

睦美抱着胳膊，望向天花板。哲朗确认她没有喉结。去除某一方的功能——确实如此。

"以前经常被告知，如果这样放任不管会得癌症，但我从没想过要动手术。"

"成人之前，癌变的可能性极小。"哲朗补充道。他对两性人的知识略有涉猎。"如果过早地摘除某一方的性腺，反而很可能会引起激素分泌失调、自律神经失调、骨质疏松等症状。"

哲朗的说明似乎是多余的，睦美不耐烦地摇摇头。"会不会癌变什么的无关紧要，就算因此死了也无所谓。"

"怎么能说这种话呢，你的父母该多难过啊。"美月说。

睦美似想反驳，但终未开口，把视线拉远了一些望着美月，过了一会儿才说道："对我来说，选择做男人或者女人，然后把某一方的机能摘除，是不可能的。"

"还在犹豫？"

"不是。我觉得如果那么做，就不再是现在的自己了。我这么说，可能只会被认为是在逞强。"睦美接着说，"我认为没必要非配合别人不可，我也是一个完整的人啊。虽然一想到将来，脑子就一片空白。”

睦美低下头，哲朗和美月沉默地望着她。

“有倾诉烦恼的对象吗？比如和你有相同烦恼的人组成的团体。”

“以前经常去，不仅仅是两性人的团体，同性恋和性别认同障碍者的团体也参加过。但我和他们不太一样。”

“哪里不一样？”

“那些人最终还是凭自己的喜好认为男人该怎样，女人又该怎样，然后与自己比较，因差异而痛苦。可事实上谁也不知道究竟什么是男人，什么是女人。”

“你知道？”

“算是吧。”

“好想知道啊。”

“对我来说，男人和女人就是，”睦美顿了顿，“我以外的人类。大家都被归为男人或女人。但也罢，分类也没意义。”她低下头，对美月说：“对不起，说了些自以为是的话。”

“那倒不会。”

听到她们的对话，哲朗确信睦美第一眼就看穿了美月的本质。

“喂，”睦美直视美月，“要看看我的吗？”

“什么？”

“我内衣里面的。”

美月惊得瞪大了双眼，哲朗也一时间不知所措。

“为什么？”美月问道。

“嗯……我想如果是你，看看也无妨。”睦美移开视线，哲朗觉察到她脸上有些许失落的神色。她接着说：“父母其实早就知道。”

“知道什么？”哲朗问。

“我身体特殊的事。我刚出生，医生就和他们说了，建议送我到专门医院去检查。父母没那么做，瞒着外人把我当女孩抚养。”

哲朗心想果然如此。"但这么做迟早会暴露，事实上也的确如此。"他试探道。

"是啊，问他们也没能得到满意的答复，也许是回答不了吧，他们也不知该怎么办，就那样拖下去了，肯定是这样。"

睦美露出浅笑。她多半曾深深地怨过父母。今天能够轻松地说出来，其间不知经历了多少痛苦，失去了多少宝贵的东西。

"可以问一个问题吗？"哲朗说。

睦美眨了眨眼睛表示许可。

"现在有喜欢的人吗？"

哲朗感到睦美瞬间屏住了呼吸，这对她来说的确是个难题。

"有……"

"是……"

"男生。"睦美立刻答道，她很快理解了这个问题的意图。

"哦，很好啊。"

"为什么？"

"喜欢上一个人不是件很美好的事吗？"

睦美盯了哲朗一会儿，然后把视线转向美月。

"我不能生育，既不能自己生，也不能让别的女人替我生，做爱估计也不太可能。所以对我来说，喜欢人是很可怕很痛苦的。大家都劝我别为了这些事畏惧不前，但事实绝不像嘴上说的那么简单。每次喜欢上一个人，我都难过得想死……"

哲朗发觉自己说话过于轻率，羞愧不已，但一时又不知如何补救。

睦美又转向哲朗。"别在意。虽然我有过很多次想死的念头，付诸实施只有一次，因为没把刀磨好，最后失败了。"

睦美说得平静，哲朗却觉得心情像不断累积的沙堆一般越来越沉重。睦美似乎觉得自己说得太多了，看了看墙上的钟。哲朗也看了一眼，约定的十分钟早已过了。

"刚才的话当真吗？"美月问睦美，"你说让我看看也行？"

睦美点点头。"当真，要看吗？"

"嗯，"美月站起来，"要看。"

"只能让你一个人看。"

睦美凝视美月的侧脸，似乎在拒绝眼前这个一无所知的男人。哲朗只好默默地朝美月点点头。

两人走出食堂后，哲朗并没有起身，睦美的话在他心中不停回响。哲朗想，对性别的理解，自己只怕不及这个拥有不寻常性别的女孩的一半。

过了几分钟，美月回来了，却不见睦美的身影。美月表情僵硬，脸色苍白，眼睛也有点充血。

"那孩子呢？"

"直接回去训练了。"

"哦。"哲朗透过食堂的窗户望向操场，田径队的队员正在集合。

"对不起，QB。我们本不该来这儿。"

"也许。"

队员们按性别分组开会，哲朗这才发现睦美不在任何一组里，独自在一边做柔软体操。

回家的电车上，美月几乎没开口。

两个人拖着沉重的步伐回到公寓。理沙子不在家，留了便条说是去工作了。

美月脱去外套和上衣，甩掉鞋子，脱下套裙。"啊，舒服多了。"她已半裸。哲朗急忙移开视线，自己也脱去上衣。

"我还是太天真了。"美月望着脱下的衣服，"我还有张假面，只要扮成女人就能融入周围的人群。"

"可我觉得，欺骗自我也不是什么好办法。"

美月摇摇头。"也许我是个懦夫。"

"没这回事……"哲朗话音未落，无绳电话的分机就响了。他调整呼吸，接起电话。

"喂，我是西胁。"

"啊，那个……西胁理沙子女士在吗？"是个男人，听上去四十来岁，语气有些生硬。

"出去办事了。不好意思，请问您是哪位？"

"我姓广川。"

"广川先生？"

"是的，广阔的广，山川的川。您是西胁哲朗先生吗？"

"对。"被说中了名字，哲朗赶紧调整姿势。但刹那间，他隐约感到身边有一种异样的震惊。美月就在他面前，瞪大双眼，一动不动地盯着他。

对方继续说道："我太太和您夫人关系很好。我想和您夫人聊聊我太太的事。"

"您夫人莫非毕业于帝都大学……"

"是的，曾做过美式橄榄球队的经理，旧姓日浦。"

4

哲朗瞬间感到全身发热，握着听筒的手心冒出汗来。

为什么美月的丈夫会打来电话？难道是察觉美月躲在这里？不，不可能。若干疑点和推论在哲朗的脑海里回旋。

"她出什么事了？"哲朗一边小心掩饰内心的波动，一边问道。

"不是，呃……还是直接和您夫人谈谈比较好。"

"您也许不了解，我妻子工作的时间很不规律。今晚也不知回不回家。"

"听说是摄影师？"

"对，我也不太清楚她明天的日程。"

哲朗想无论如何也要问清对方的意图。

"哦……"美月的丈夫犹豫不决，"您有没有听夫人谈起我太太呢？"

"您指的是……"

"就是，嗯，最近发生的事。她在哪里、在做什么之类的。"

"我不清楚……"哲朗回头瞥了眼美月。她正抱着胳膊靠在沙发上，似乎在专心聆听。

"我没听妻子说过和她有联系。前些天，球队不是还聚会了吗，她也没来。"

"哦……"对方的声音很沮丧。

"到底发生了什么事？"

"其实……也没什么，"他开始结巴，听筒里微微传来呼吸声，"其实，我太太失踪了……"

"日浦？忽然不见了？"

"嗯，忽然，不过好歹留了张纸条，所以，应该是离家出走了。"

"啊？"哲朗佯作吃惊。

"嗯……已经，反正家丑已经外扬，实在是……有点不像话啊。"

"什么时候的事？"

"嗯……大概一个多月了。"对方声音微弱。

这和美月的话不符。当然，无疑是她丈夫在说谎。美月称自己于去年年底离家。为什么此人事发一年后才开始寻找妻子呢？

"向警方提出寻人申请了吗？"

"没有。她留了纸条，明显是离家出走，听说这种情况下就算报警，警察也不会积极配合。"

"跟她娘家联系了吧？"

"联系过，但那边也不清楚，岳父也很担心……"

"还打听过别的地方吗？"

"当然，各种有可能的地方都问过，和她有往来的人也都问过。于是，我才想起高仓女士。哦，这么晚了真抱歉。我再问问别人吧。"美月的丈夫说完"再见"，没有留下任何插话的空隙，便挂断了电话。

哲朗靠在沙发上，考虑该如何开口。"你应该知道是谁打来的吧？"

"嗯，"美月表情呆滞，情绪低落，"都这时候了，他还想怎么样？"

"好像给不少地方打过电话。"

美月抓着头发，忽然发现自己还戴着耳钉，便暴躁地取下。"因为快到新年了。"

"啊？"

"过新年跟他回老家是惯例。妻子失踪了该多丢脸。"

美月丈夫的老家好像在新潟县的长冈，他哥哥经营着一家小型建筑公司。

"你离家出走的事，他恐怕还没告诉家人吧？"

"他是个死要面子的人。今年年初估计是编了什么理由厚着脸皮回去的。"

"想必明年回避不了了。"

"也许。"

就在这时，理沙子回来了。一听说美月的丈夫来了电话，她仿佛得知世界末日来临一般，愣在门口。"究竟是为了什么事？"

"日浦说是因为要回家过新年。"

"就为这个，事到如今才开始寻找离家出走的太太？"

"那个人很可能会这么做。他以为有房、有妻儿、收入稳定，才称得上是个自立的男人。"

哲朗心想，真是难为美月和这样的男人维持了这么多年的婚姻。

"让人心烦啊，他到底想怎样？"理沙子靠在墙上，仰头望着天花板。

"我去会会他。"

哲朗一说出口，理沙子和美月同时转向他，他望过去。"那是最直接的方法。"

"还是我去吧。美月的丈夫是要找我。"

"可直接向他询问情况的是我。"

"我是美月的好朋友，听说她离家出走，我立刻去她家也不会令人觉得不自然。你特意去一趟反倒可疑。"

"我也是日浦的朋友啊，当年还是统领美式橄榄球队全体成员的领袖呢。"

"那是以前的事了。"

"理沙子，"美月插嘴道，"我觉得让 QB 去比较妥当。"

理沙子惊讶地望着美月，想询问原因，又仿佛察觉到了什么，闭上了嘴。

哲朗心里说道，这才对嘛，理沙子，日浦可不想让你看到她的丈夫。

"我丈夫对女人很不在行。"美月受不了令人窒息的沉默，开玩笑似的说道，"像理沙子这样的美人去找他，他会紧张得逃跑。"她又啪地拍了一下手，"对嘛，所以才娶了我这样的老婆啊。"美月竭力缓和气氛，哲朗却笑不出来，理沙子也面无表情地离开了客厅。

"有一点要明确。"听到哲朗开口，美月抬起头来。哲朗把目光从她脸上移开，说："你丈夫还没有提交离婚申请。"

5

哲朗从西日暮里换乘千代田线，在松户站下车。地铁站前时尚的大厦和公寓林立。周六这样的日子，街上到处都是年轻人和举家出行的人群。百货商店门前摆着装饰华丽的巨大圣诞树。哲朗再次感到年末的气息。最近发生了太多事，时间感都有些麻痹了。

穿过两条宽阔的马路就到了住宅区。他从外套口袋掏出一张便笺，对照着门牌号边看边走，那是美月给他的。

据说，广川幸夫在当地的信用金库上班，四十三岁，职务是副分店长。

在向美月询问他的情况时，她不假思索地说："总之，是个认真工作的人，耿直又一板一眼。他应该正是因此才做到副分店长。客户对他的评价似乎都还不错。"接着又补充道："从家庭方面来看，就不能这么说了。每天他都很晚才回家，家只是个睡觉的地方，一周说不上几句话也是常事。但对我来说倒也挺好。我可受不了一天到晚黏黏糊糊的，幸好他对性也比较冷淡。"

儿子出生以后，他们基本上就没什么性生活了。美月本来就很讨厌做这种事，幸夫似乎也对她失去了兴趣。

"和我这样的人结婚，他真可怜。"美月有些痛心地说。

美月从前过着有名无实的夫妻生活的家是一栋两层西式楼房。庭院被矮树篱包围着，停车处停着一辆本田奥德赛。听美月说，这房子是由大建筑商建造的组合式房屋，占地五十坪。三年前买下的，她丈夫要用三十年还贷。

哲朗按下门铃下的对讲机按钮，等了一会儿却没有应答。他不禁咂了咂嘴。他认为不给对方留考虑余地更好，所以今天的来访就没有提前通知。保险起见，他又按了一次门铃，仍无回应。他站在门前，正想着改天再来，准备离开的时候，眼角余光捕捉到在门内侧有什么动了一下。他从门边探出身子，看到了右侧的庭院。铺植得密密的草坪干枯了，呈现一片浅茶色。

一个男孩站在草坪上，圆脸庞，尖下巴，眉目清秀，眉毛上端是整齐的刘海，一身米色连帽运动衫显得有点宽松。

这就是美月的儿子，哲朗确信。他微微上挑的眼角与美月如出一辙。

147

"你好。"哲朗试着搭讪。

男孩却像受惊了一样，身体一颤，打开玻璃门，逃进了像是客厅的房间。隐约可以看到他把月牙形扣锁带上了。大概是大人告诉他陌生人搭讪要躲开。总之，还是在这儿等着比较好，哲朗想。把这么小的孩子放在家里，大人应该过不了多久就会回来。

男孩透过玻璃门一脸疑惑地盯着哲朗。目光与哲朗刚一对上，他就立刻藏到窗帘后面。

哲朗不禁想起美月说过的话。结婚生子对她自身的变化多少还是有影响的。很难想象美月当初怀着怎样的心情扮演母亲的角色，即使那么做了，到头来也失去了意义。问题是该怎么抚养这个孩子呢？

对面走来一个男人，中等身材，穿着米色大衣，右手拿着手机，打着电话走了过来。哲朗稍稍离门远了一些。男子走近了，已能听到声音。

"不，我的意思不是让你都跑一遍。至少去问候一下客户那边怎么样？至于拜访哪些客户就靠你自己判断了。"他大声说着。哲朗确定这就是那天电话里的声音。

和预想的一样，男子在广川家门口停下脚步，边打电话边开门。

"广川先生吗？"哲朗追上去问道。

广川一脸诧异地转过头来。哲朗礼貌地鞠了一躬。"稍等。"广川对着电话说，又转向哲朗："哪位？"

"昨晚跟您通过电话的人。我姓西胁。"哲朗递上名片。

男子顿时面露狼狈，接过名片，说了声"我一会儿再给你打过去"，便挂断了电话，视线立刻转向哲朗，说道："您还特意来一趟啊。"

"正好在附近办事，而且有些问题想请教。"

"啊……"广川一脸狐疑，目光在金边眼镜后面游移不定。"那就请进吧，只是房子有点小。"

"打扰了。"哲朗跟着广川走过玄关，进入一个约十五叠大的客厅。

沙发、餐桌椅、碗柜都是全新的。看到粉红色的窗帘，哲朗心下诧异，难道那竟是美月选的？

那个男孩在电视机前摆了一排卡片，上面都是很受儿童欢迎的动漫人物。连哲朗都知道要集齐这些卡片颇费周折。

"昨天真是太唐突了。"广川鞠了一躬，头顶的头发有些稀疏。

"哪里，比起这个，美月离家出走的消息才让人吃惊。"

"真是服了她。"广川搔了搔干巴巴的头发。上班之前大概用摩丝和护发素把头顶涂了个遍吧。

"没有线索吗？"

"呃，还真是……"

"您说她留下了一张纸条？上面说了什么？"

"上面写的东西我还真没看明白。为了要活出自我而离家出走什么的……嗯，就这些。还说长久以来实在对不住。"

"是说对不住您？"

"嗯，就像做了什么很糟糕的事情一样，但到底做了什么，我完全不知道。如果只是因为离家出走而向我道歉，'长久以来对不住'很奇怪啊。"

"是啊。"

哲朗暗想，原来广川全未发觉妻子内心里是个男人。但没想到也在情理之中。

那男孩仍沉浸在排列卡片的乐趣中，嘴里还念着莫名其妙的词语，大概是动漫人物的名字。

"令郎叫什么？"

"悠里。悠久的悠，里面的里。"

"悠里，真是好名字。"

"美月起的。生他之前就想好了，不管是男孩还是女孩，都用这个名字。"

"哦……"哲朗一时陷入沉思。或许美月是担心自己的遭遇将来也会发生在孩子身上，才选了这个男女通用的名字。

"美月作为妻子来说怎么样，或者说作为母亲？"哲朗问。

"可以说是个模范母亲。"广川毫不犹豫地说，"家务事她全包了，平时尽心尽力，对悠里的事也一样，一直独力照顾他，而我光工作就够忙的了。"

"那现在怎么照顾孩子？"

"我姨妈住在龟有。悠里放学后就先去她家，我下班再去接回来。有时工作实在走不开，就让他在姨妈家过夜。虽然给人家添了不少麻烦，还真是帮了我大忙。"

哲朗心想这样美月也能安心了。

"呃，西胁先生。"广川有些踌躇地开口，"那么，您说想问一些关于美月的事……"

"啊，对了，"哲朗挺直脊背，"我想先向您打听一件事。"

"什么？"

"广川先生，您说谎了吧？"

哲朗来访之前就已决定要单刀直入。

广川像是被哲朗的气势震慑住了，身体不由得向后一缩。

"说谎？什么事啊？"

"日浦离家出走的时间。您说是一个月前，实际上已经很久了吧？"

隐瞒已久的事忽被揭穿，广川的脸马上涨得通红。

"那个，这种事情……"他的眼睛骨碌碌地转着。

"我太太说，每逢新年和中元节日浦都会寄来问候卡，今年却没有收到。还有，她几个月前往府上打了电话，一直没人接，留了言也没有回复。她以为发生了什么事还担心得很呢。"哲朗流利地道出准备好的说辞。广川好像有些口干，频繁地舔着嘴唇。哲朗紧紧盯着广川，追问缘由。

广川吁了一口气，搓搓手，露出银行职员试图说服客户时的表情。

"正如您所说，事实上我太太出走已经一年。对外说回娘家养病了。西胁先生，这件事请您务必保密。"

"当然，我也没有和别人说的必要。还有其他人知道吗？"

"我岳父和我父母知道，银行的同事们都不知道，还有，"广川擦了下嘴角，深吸一口气，说道，"我还告诉了警察。"

"警察？您不是没有提出寻人申请吗？"

"不是不是，"广川伸手在面前挥了挥，"是为了别的事情才跟警察说的。就是最近……上上周警察来过我家。"

"啊？哪里的？"这下轮到哲朗慌乱了。

"警视厅的，嗯，叫什么来着……"

"来做什么？"

"这个，事情很蹊跷，他拿来了一份破了的户籍誊本，是我太太的。像正在调查什么。"

"日浦的户籍誊本？"

"啊，严格地说，只是在警察那里看到了复印件。警察问我，认不认识户仓明雄这个人。似乎是那个人拿着户籍誊本。"

哲朗尽量不让广川察觉自己内心的慌张。

"您怎么回答？"

"没怎么回答。我既不知道户仓这个人，也不知道他为什么会有我太太的户籍誊本。"

"警察还问了什么？"

"嗯，问了些关于我太太出走的情况，比如出走的动机，有没有关于去向的线索等。"广川摇着头，"我回答如果知道去向，就不用这么大费周章了。"

"之后警察又来过几次？"

"没有了，就那一次。我也有些在意，但没办法。至少应该让我知道是什么案件，可到现在他们也没说。"

"啊，还真是让人担心。"

"于是我又想再去找找太太的下落。警察似乎也在找，但都没什么收获。"

"所以才给理沙子打了电话？"

"我不太清楚我太太的交友圈。后来翻出过去的贺年卡，想起美月过去常常提起高仓女士。"

哲朗心想，能想到她真是太好了。

"日浦现在还在您户籍下吗？"

"这一年里，离婚一事我也考虑过几回。我太太离家前把纸条和离婚协议书放在一起，而且已经在离婚协议书上签字盖章。"

"那您还……"

"嗯……该怎么说呢……"广川搔搔头，露出自嘲的笑容，"还是想再等等看。再说悠里还在这儿，我还是期待她没准什么时候就会回来。"

"您还爱着日浦？"

广川猛地向后仰身。"怎么说呢？也许就是这样。以前我要是对她说这种话，她总会表现得很厌烦。"

"怎么？"

"一开始是这样的，从结婚时开始，她就跟我说她不追求什么夫妻恩爱之类。作为交换条件，她会尽到做妻子的义务。我觉得很奇怪，但想到爱情是可以慢慢培养的，就答应了。我们是相亲结的婚，双方觉得条件合适，就决定在一起了。"

哲朗的心慢慢地纠结起来。美月说这番话时恐怕怀着相当悲凉的心情。她用结婚这种手段将内心封存起来，而这个过于老实的丈夫却一无所知。

"你们婚后生活怎样？"

"这个，"广川边笑边摇头，"美月的态度一直没变，我刚才也说过，不论是妻子还是母亲，她都做得尽职尽责，什么都处理得井井有条、无懈可击。而且她心胸宽广，对我从不抱怨。她平时的严厉也仅是为了让家里有条不紊而已，既不在衣服首饰上浪费钱，也不和朋友煲电话粥。同事都称赞我太太是个理想的妻子。"

　　这大概是对主妇最高的褒奖了，但美月若听到也不会高兴。

　　"但是，美月没什么女人味这一点……不能说好也不能说坏，"广川继续说，"她从不对我歇斯底里，但相对来说也表现得很冷漠。比如，一般女人收到丈夫的礼物都会非常高兴。可我太太却不会表现出高兴的样子，只是道声谢，反倒像是给她添了麻烦。大概是不善于表达，只会说声谢谢，除此再没别的。亲戚家的女人们凑在一起讨论免费成为美容院会员的话题时，她也是一头雾水。总之，给人的感觉就是她会做好母亲和妻子的本分，除此之外就别再烦她了。"

　　这种分析再正确不过了，美月正是抱着这种心态过着婚后生活。

　　"其实，事到如今，您还是需要这样的日浦吧？"

　　"大概吧……"广川似乎不太确定，歪着脑袋想着，"我这个人吧，对付女人很不在行。学生时期一直读男校，在女人面前脸红得不知该怎么办才好。说起来不怕您笑话，到现在我碰到女客户还会紧张。但美月给我的感觉完全不同。第一次见面时就很意外地没脸红。我之前也相过几回亲，但如美月这样能自如交流的还真没碰过。像和公司的同事在一起似的，可以畅所欲言。决定结婚也主要出于这个原因，就是和她在一起感觉轻松。"

　　哲朗想，这多么讽刺啊！美月这样的女子对于某种类型的男人来说竟如此理想。

　　悠里不知何时在电视机前睡着了。广川站起来，为他盖上小毛毯。

　　"您就一个孩子？不想再要一个？"

　　"没有，我太太好像不太喜欢那事儿。生下这小子后不久，她就很明确地跟我说不想再要第二个了。所以，那个……"

"不想有性生活？"

广川无奈地点头。

"她还说，如果我实在忍不住了，就在外面找人发泄一下，她不介意。"

这话的确像美月的风格。

"不好意思，根据您刚才的话，我觉得那时你们的夫妻关系就开始破裂了。"

"您这么想也理所当然，唉，也许实际上就是那样。但至少我认为和她相处得不错，可以说是朋友一般的夫妻，非常令人放松的关系。"广川想了想，看着哲朗接着说，"简直像是哥们儿。"

果然如此，哲朗点点头。

6

哲朗回到家，房间里没有亮灯，也不见理沙子的靴子和美月的运动鞋，似乎两人一起出门了。

他走进卧室，脱下外衣甩在一边，只穿着 T 恤和短裤躺在床上，反复回想广川幸夫所言。他似乎并非言不由衷地说了那番话，而是从心底认为美月是个贤妻良母，所以过了一年仍想寻找离家的妻子。

哲朗想起了悠里的脸。母亲离家出走应该令他受到不少打击，却仍被抚养得如此率真，几乎察觉不到母亲离开留下的伤痛。哲朗认为这应该归功于父亲没有在孩子面前说母亲的坏话。

如果把美月还给这样一个男人，这样一个耿直的男人，也未尝不可。

但是，那毫无意义。令广川心满意足的婚姻生活建立在令美月苦恼不堪的角色扮演之上，不能再次勉强她回到其中。

哲朗不知不觉地闭上了眼，这段时间基本与熟睡无缘。他闻到被褥散发出美月的气息，相同的气味充满这个房间。昨天美月也是在这里睡的。

哲朗一翻身，眼前是揉成一团的 T 恤，正是美月当睡衣穿的那件。哲朗凝视 T 恤许久，然后一把抓过，用力嗅着。那种气味很独特，既非香皂也非古龙水。

门口有动静，哲朗猛地抬头，美月站在敞开的门边。

"啊，你回来了。"

"出去买了点东西，刚回来。"

"没发觉。"哲朗刚才意识多少有些模糊。发觉自己还握着 T 恤，他慌忙松开手。"理沙子呢？"

"又被叫出去了，很晚才能回来。"

"哦。"哲朗起身，没有和美月对视。他明白自己闻 T 恤的样子肯定被美月看到了。

美月似乎是出去了买了晚饭的食材。望着美月在厨房忙碌的身影，哲朗有些意外。

"今晚让你尝尝我的手艺。一直受你关照，至少做顿饭回报一下。"

"没关系，你不用在意这些。"

"让我做吧，我对烹调还是有点自信的哟。"

"啊……据说的确如此。"

正在切菜的美月停下了手。"他告诉你的？"

哲朗说"差不多"，美月漠然地点点头。

趁美月做饭的空当，哲朗开始写稿，但总不能集中精神，写得不太顺利。时间过得飞快，美月敲响了门。"久等了。"

主菜是牛肉炖菜。美月说想试着用高压锅做菜。理沙子有一口性能不错的高压锅，但哲朗从没尝过用那口锅做的菜肴。

"味道不错。"哲朗尝了一口，说道，似乎并非恭维。美月满足地竖起了大拇指。

直到喝光第一瓶红酒，他们都在聊着有关大学时代的回忆。美式橄榄球比赛时以为赢定了，大家准备往教练头上浇果汁，结果最后十秒情势逆转，让人脸色铁青之类的往事。

"QB 毕业之后没有继续玩橄榄球，让大家都很意外呢。"

"是吗？"

"安西还说你怎么会那样呢，估计是真的生气了。"

"哦。"哲朗对此只是沉默。

"QB，你和理沙子是怎么回事？"美月问道。

"什么怎么回事？"

"我看你们俩的关系不太好啊。"

"是吗？"哲朗佯装平静，目视前方。

"详情我就不多问了。一起生活久了，难免会有矛盾，这是个大麻烦。"

哲朗默不作声，美月说起他和理沙子的事，让他觉得有些奇怪。有些事他并不想提。

"真是造物弄人。得知理沙子和 QB 开始交往的时候，大家不知有多羡慕，可结了婚还是免不了陷入各种矛盾。"

"大家？真有那么羡慕吗？"

"那当然，理沙子是偶像级人物呢。早田对她有意，你知道吧？"

"可能吧。"哲朗早已察觉早田的心意。早田看理沙子的眼神里闪烁着一种不寻常的光芒。

早田终未向理沙子表白，他还特意来参加了哲朗的婚礼，带了"皇家哥本哈根"的茶具作为贺礼。那套茶具至今还摆在客厅的橱柜上，理沙子曾经开玩笑说要留着给上流社会的客人用。

开了第二瓶红酒，哲朗终于提及那件难以启齿的事，即广川幸夫的情况。他首先通报了刑警去找过广川幸夫的消息。

"就算是巧合，也未免太凑巧了。"

"户仓为什么会有你的户籍誊本？你对此有什么线索？"

"完全没有。可能是因为我经常送香里回家，那人调查她的同时顺便也查了我。"

"但他怎么会揪出你的真身？"

"我也不清楚。"

"据说那誊本被扔在垃圾箱里，如果真打算调查，不是该把资料销毁吗？"

"莫非后来没兴趣查了？"

"也许。"哲朗望着美月。某个跟踪狂调查跟踪对象身边的男人时，发现那人其实是个女的，于是顿时没了兴趣。

美月像是满腹心事，喝着闷酒。

"他是个好人。"哲朗试图调节气氛。

"看上去还精神吧？"

"倒不像个病人，但也不是容光焕发。他夸你了。"

"夸我？不会吧？"

"真的。"哲朗详细叙述了和广川之间的对话，美月渐渐没了食欲，双手托着脸庞。

"和他一起生活的时候，我愧疚得不得了，总觉得毁了他的人生，所以想尽量让他感受美满的婚姻生活。"

"性生活也是？"

"嗯，那方面也想满足他。"美月浅笑，"可有些事还是无法接受。所以我决心即使不能做个女人，也要做个完美的拍档、完美的母亲。"

哲朗摇晃着杯子。"还见到悠里了，看上去很健康。"

美月眨眨眼，有些尴尬，羞涩中带着几分喜悦。"不像我吧？"

"不会，没那回事。"

"有多高了？"

"身高？不记得啊，这么高吧。"哲朗用右手随意比画一下。

"大概是长大了。"美月似乎在望着远方，那眼神哲朗从未见过，充满了母性。

她拿起酒杯起身走向阳台，拉开窗帘，眺望夜景。

"圣诞节快到了，街道看上去都美了许多。"她抿了一口酒，接着说，"去年圣诞我也没为那孩子做点什么。"

"匿名送份礼物怎么样？"

"不好吧？"美月苦笑，随即又严肃起来，"我是不是在为一些无聊的事而烦恼啊？"

"嗯？"

"对性别想得太多了，还有人超越性别生活着呢。"

哲朗想她应该是指末永睦美，可那并非能随便敷衍着附和的话题，于是他保持沉默。

"今晚有点酒兴，能陪我吗？"

"OK。"哲朗举杯。

储存的红酒还有两瓶，另有半打罐装啤酒和一瓶野火鸡威士忌，两人几乎把这些都喝完了。中途美月还做了腌泡汁色拉，切了乳酪，哲朗去了三趟厕所。

"很久没喝这么多了。"哲朗像木偶般呆坐在沙发上，呼出的气息带着酒臭。

"嗯，我也是。"美月躺在双人沙发上。

"在'猫眼'不喝吗？"

"调酒师喝醉了，谁干活呀？"美月缓缓起身，伸手去拿桌上的烟，"从那天起，这是第一次下决心大喝一场。"

"哪天？"

"去你住处那次。"

"啊……"哲朗揉揉脸颊，"那时也喝了。"

"之后再没有想喝醉的冲动了。"美月叹息似的吐着烟。

"给我一支。"

哲朗说完，美月顿时圆瞪双眼。"你行吗？"

"兴致上来了，讨厌香烟的早田不也抽上了吗？"

"岁月流逝啊。"美月把烟盒和打火机一同扔过去，哲朗两样都没接着。

"反应迟钝了，老化现象。"哲朗皱着脸抽出一根烟。

"不是老化吧？"美月说道，眼神认真。

哲朗没回应，衔住烟点上火，战战兢兢地吸着。烟涌进肺腔，胸口一阵辛辣的刺痛，脑子瞬间麻痹，差点呛到，但还是强忍下来。

"有部叫《猎杀红色十月号》的电影，主人公混入苏联核潜艇，为了掩饰紧张假装抽烟，你现在就跟那时的主人公一个表情。"美月又冷笑道。

"我有那么帅吗？"

"嗯，是啊，不小心就要喜欢上你了。"美月使使眼色。

两人沉默了一阵，只是抽着烟，天花板附近的空气变得白茫茫的。

"QB。"

"嗯？"

"我……"美月目光低垂，但不一会儿又直视哲朗，"我和理沙子接吻了。"

哲朗虽然因为酒精的作用头脑发晕，这句话却听得清清楚楚。他夹着烟，一时未反应过来，没有说话，也忘了移动身体。

"呵，"哲朗终于出了一声，"这样啊。"烟灰有些长了，他把手伸向烟灰缸。

"你不吃惊？"

"怎么会？大吃一惊，甚至不知该说什么了。"

"可你没生气吧？对别人的老婆下手……"

应该要发怒的。美月可能是想激怒哲朗，哲朗心中却没涌起这样的情绪。他想是不是该假装生气，但终究做不到。

"什么时候的事？"

"昨晚。"美月直率地回答。

哲朗点点头，早晨看到理沙子的时候，从她脸上完全没有察觉出什么。可能因为不论是美月还是理沙子，一个成年人不会因那种程度的事而明显表现出异样。

"问你个无趣的问题，就是说，你不是为开玩笑才那么做的？"

"是我跟她提的，可不可以吻她，至少我不是开玩笑。"

"她就同意了。"

"嗯。"

"哦。"哲朗试图把烟头捻灭，但因不熟练，直到捻碎才完全熄灭。

"你不生气吗？"美月纠缠不休。

"怎么说呢……感觉挺奇怪，再问你一件事好吗？"

"你想问我为什么那么做？"

"差不多吧。"

"嗨……我自己也不清楚，只能说是想做就做了。"美月忽然站起身，俯视哲朗，"站起来！QB，站起来，揍我啊！是男人就应该把动了自己女人的浑蛋狠狠揍一顿，动手啊！"美月醉了，嗓音有些亢奋。

"去睡吧，日浦，冷静一下。以后我们再好好聊。"

"开什么玩笑！为什么不揍我？挥起你的拳头打我啊！"美月抓住哲朗的手。哲朗挣脱开，两手反握住她的手腕，把她拖进和室。

"放开我，走开！"她喊道。

"冷静点！"哲朗把她推倒在被褥上。

美月狠狠地瞪着他，没有试图起身，接着把脸转向一旁。

哲朗躺在卧室的床上，闭目思索。美月失去理智的原因显而易见——她发现哲朗没有把她当成男人来看待，想被当成男人一样让哲朗揍一顿。不过，哲朗着实在意她和理沙子接吻的事。他试着揣摩理沙子的想法，可惜想不出究竟。

　　哲朗在不知不觉中睡去。隐隐的声响让他睁开了眼。美月开门进来。

　　"醒着？"

　　"嗯。"

　　"刚才对不起。"

　　"冷静下来了？"

　　"嗯。"

　　"那就好，早点睡吧。"

　　美月没应声，沉默在黑暗中蔓延。

　　"QB，我可以在你旁边躺一会儿吗？"美月犹犹豫豫地说。

　　"嗯……可以。"哲朗往边上挪了挪。

　　美月躺了下来。她只穿着 T 恤，下身的短裤也脱了。

　　"给你添了这么多麻烦，真不好意思。"

　　"这种话就别说了，我们是朋友。"

　　"是啊。"

　　哲朗望着美月，那是一张久违的可爱的笑脸。她靠近哲朗，哲朗感到身体开始僵硬。

　　"喂，"她说，"要不要像那天一样做？"

　　哲朗惊讶地盯着美月，她也转过头来。

　　"你胡说什么！"

　　"我没醉，酒已经醒了。"

　　"你醉了，不然怎么会说这种话？"

　　"醉了不也挺好。那种事，那种事怎样都无所谓啊。"

　　"日浦……"

　　美月把脸贴近，哲朗觉得全身无法动弹，就这样接受了昨天刚吻过理沙子的嘴唇。他闻到了被褥散发的那种香气。

美月跨坐到哲朗身上,哲朗兴奋起来,美月也发觉了。

"理沙子会回来的。"哲朗说。

"没关系,她要到早晨才回来呢。"

美月骑在他身上,哲朗这才发觉她没有穿内裤。她脱去T恤,黑暗中隐约可见诱人的曲线。虽说有肌肉,但也是女人味十足的胴体。

美月稍稍后倾,脱下哲朗的短裤。她抬高腰,然后慢慢放下腰身。哲朗感到那里碰到了什么。她继续放低身子,脸上露出痛苦的表情,大口呼吸着。

"没事吧?"

"别说话。"

哲朗想起有女人说过如果很久不做会很痛,况且美月还没有兴奋,这点哲朗也清楚。

美月换了个角度,又用唾液润湿,想尽办法让他进去,看上去有些逞强。哲朗听到她急促的呼吸声。

"算了,停下吧。"

"不。"

"为什么一定要那么逞强呢?"

"因为我想做。"美月说完,又开始尝试。

哲朗感到血液瞬间冷却。美月手中握着的部分无力地软了下来。"啊!"她不禁惊呼。

美月坐在哲朗的大腿上,望着他那里,叹了口气。

"QB不想做就没办法了。"

"这样毕竟不太好。"

美月什么也没说,下了床,捡起脱下的T恤。

"对不起。"她说完便走出卧室。

哲朗被摇醒了,睁开眼便看见一脸严肃的理沙子。

"啊，干什么？"

"美月呢？"

"呃……"哲朗一瞬间不懂理沙子想问什么，"那家伙怎么了？"

"她不见了。"

哲朗稍愣了一会儿才明白过来，立刻跳下床。和室里的行李都消失了，包括美月刚来时带的那个行李包。摆在玄关里的那双旧运动鞋也不见了。

哲朗返回卧室，飞快地穿好衣服，理沙子似乎说了些什么，他充耳不闻，冲出家门。

哲朗心里只有一条线索，就是那个公园。美月第二次要离开时，哲朗就是在那个公园说服她的。可这次不同，他跑遍了公园也没发现美月的踪影。

他喃喃道："失球了……"好不容易到手的球又丢了，成了控球选手的囊中之物，如果被敌人捡到了，立刻攻守易位。

回公寓的路上，哲朗碰见了理沙子，她追问情况，哲朗默然摇头。

"我不在的时候到底发生了什么？"见哲朗继续沉默，理沙子又问道，"接下来打算怎么做？"

哲朗环视四周，说道："当然要找到她了。"

"怎么找？"

"总会有办法，我再试试。"哲朗想，我好歹也曾是四分卫呢。

第五章

1

贴着白瓷砖的墙壁熠熠生辉。这座西式小楼很新,凸窗尤其多,很像年轻人居住的样式。用凝重的毛笔字迹刻着"高城"两个字的门牌,透露出这个家庭并未背负沉重的贷款。这里是日本屈指可数的几个富人聚居地之一。

门牌下安装着对讲机,白色的机身没有丝毫发黑的迹象,似乎昭示着主人正要开始崭新的生活。

哲朗按下门铃。"来了。"立即有人回应,是中尾的声音。哲朗本以为肯定是他妻子应门。

"是我。"

"啊,这就出来。"中尾声音镇定。哲朗来之前两小时曾通知他。

门对面左侧有台阶,之后是玄关。中尾打开门。他随意地穿着开衫和运动裤。"上来吧。"

哲朗单手推门走了进去。台阶两旁堆着几个空花盆,每一个都用过。台阶上摆满花一定很美,为什么把花盆都收拾到一边呢?哲朗想。

"休息日来打扰你,真是过意不去。"哲朗说。

"不，没关系。况且要谈的也不是你的事。"

"嗯。"哲朗很难直视他，因为没有告诉他全部真相。

中尾点点头，招呼哲朗进屋。

玄关的大厅宽敞得近乎奢侈，但给人一种冷清的感觉，似乎少了些什么。高大的鞋柜上摆着花瓶，但没有插花，墙上也没有挂画。

"夫人呢？"

"不在。"

"买东西去了？"

"呃……倒不是。"中尾摆好拖鞋，"先进来吧。"

哲朗穿过装有宽屏电视的客厅，皮沙发围绕着大理石茶几呈"ユ"字形排列着。客厅的橱柜上摆着些哲朗从未见过的洋酒，旁边摆放着一张照片，上面是一座白色的小洋房，还有带卷拉门的车库。

"这里是……"哲朗问。

"别墅。岳父喜欢钓鱼。我不是很想买，还是买下了。"

"在哪儿？"

"三浦海岸。"

"了不起！"哲朗发觉橱柜也有些异常，有几处空得突兀，让人不禁觉得不久之前应该还摆着什么。

中尾走出厨房，用托盘拿来两个马克杯。

"随便坐吧，我也没法为你准备什么，至少咖啡让你喝个够。"

"麻烦你了。"哲朗坐进沙发，伸手去拿马克杯，立刻闻到一股和平时家里泡的咖啡不一样的香味，他喝了一口，"听说你有两个孩子，男孩？"

"不，两个女儿。所以不能让孩子们继续练美式橄榄球了。"

"又不是没有女子球队。她们今天不在？和夫人一块出门了？"

"嗯，也可以这么说。"中尾盘起腿，挠着太阳穴，"实际上，老婆带着孩子回娘家了。"

哲朗正把咖啡送到嘴边，又停了下来。

"回去了？什么意思？"

"我一直没说，但似乎是要分开了。"中尾淡淡地说。

哲朗把杯子放回桌上，仔细端详朋友的脸色。"当真？"

"你觉得我是开玩笑吗？"

"不，不是那样……只是有点吃惊。"

"也难怪。但我也不是有意忽然讲这些吓人的话。这是我长期考虑的结果。"

"原因是什么？"

哲朗说完，中尾浅笑道："想知道？也是啊。"

"如果你不想说，我就不问了。"

"到时自然会告诉你，反正也不是什么令人愉快的事。"

"什么时候分居的？"

"十天前吧。这房子是她父亲建的。本来该我出去才对，但对老婆来说，回娘家更方便。不用做家务，小孩也由父母照看。正式离婚后，我无论如何也会搬出去。"中尾语气果决，像在谈论别人的事情一样。

"孩子们跟……"

"她养，已经说好了。"

"哦……"哲朗本想问他这样会不会很难过，但又觉得没有孩子的人没资格这样问。沉默之间，哲朗迅速喝完咖啡。

"在这么辛苦的时期，还给你带来更麻烦的事，真对不起。"

中尾摇晃着身子，笑了笑。"你不用在意，离婚是我自己决定的。况且近来离婚也不算什么大事。"他放下盘着的腿，探出身子，"不说这些了，你不是有事要说？美月怎么了？"

哲朗呼了口气。虽说离婚也是件麻烦事，但现在有更重要的事。而且，不对他说清楚，问题很难解决。

"失踪了，我丢了球。"

"丢球？"

"我真蠢。"哲朗摇摇头，开始叙述事情经过。

中尾听完，皱眉沉思良久。哲朗喝着已冷的咖啡等他开口。

"要不要试着找找她可能去的地方？"中尾终于开口了。

"我就是因为想不出来才头疼。今天早上试着打给广川先生了。我想她或许会回去。"

"她不可能回去。"

"倒也是。"

"你那么问，她丈夫没有起疑吗？"

"我问得很小心，应该没有。"

"那就好。"中尾抱起双臂，"但轻举妄动很危险啊，恐怕会惊动警方。"

"这我知道，可我们非设法找到她不可。"

"美月消失会不会是有什么打算？起码我认为她不是为了自首。"

"如果是这样就好。"

"等一下。"中尾似乎想起了什么，起身离开客厅。

哲朗将空杯子拿在手中把玩，看到中尾杯中的咖啡还是满的。

过了一会儿，中尾回来了，手中拿着一张纸条。

"这是美月娘家的电话号码。"说完，他把纸条放到哲朗面前。

"你是说，美月回娘家了？"

"不。我只是认为如果她想自首，一定会用某种方式和父亲联系。"

"哦。"哲朗心下信服，将纸条收入怀中。

"我也会试着去找她可能去的地方。但这种情况下，能让她推心置腹的人，我也只想得到你们夫妻。她离开了你家，再想找她只怕比登天还难。"

哲朗看着中尾，说："你真冷静，不担心吗？"

"担心，但我自认比你了解美月，她不是会草率行事的人。"

哲朗点点头。看来还是不告诉中尾,昨晚美月离开前做出了何种举动为好。

"如果日浦和你联系,无论如何都要问出她在哪里。我希望你说服她,不要独自承担难题。"

"好。如果她和我联系的话。"

"事情就是这样,拜托了。咖啡很好喝。"说完,哲朗站起身,伸出右手。

中尾握住。"下次来再请你喝。"

哲朗回握,然后望着他。"这双手竟然是当年的跑卫的,感觉软得像是要被我捏断一样。"

"最近基本上没有拿过比笔更重的东西。"中尾缩回手。

"你好好吃饭了吗?一个人过多不习惯,一定吃了不少苦头吧?"

"我的事你就别操心了。"

中尾微笑着,声音却透着几分不满。的确,有点多事了,哲朗没再多说。

出了玄关,向大门走去时,哲朗注意到门边的一辆红色小三轮车。他仿佛看到了中尾关切地守护女儿骑车的场景。客厅橱柜上空出来的位置也许曾经摆着全家福照片。

哲朗从成城学园出发,在涩谷换乘地铁去都营新宿线的住吉站。这段路程相当遥远,哲朗随着电车摇晃,陷入沉思。

美月离开的理由,哲朗并不清楚,但可以确定,广川幸夫的话里肯定有促使美月下决心离开的原因。

被撕破的户籍誊本究竟意味着什么?又为什么会在户仓手里?美月肯定明白其中缘由,所以才觉察出某种危险。

哲朗回忆起昨晚的情景。美月已决定要离开,却钻进了他的被窝。她肯定是想传达某种讯息,于是又决心要和哲朗做爱。十年前的那晚,在哲朗脏乱的宿舍里,美月张开双腿的瞬间,肯定也已做好心理准备。

哲朗想起美月皱着眉，忍痛硬要把他的阴茎塞进自己体内的样子，心里泛起一阵痛楚，懊悔当时没有读懂美月竭力想传达的信息。

电车快到住吉站了，他从外套口袋里掏出旧笔记本。美月看似悄无声息地消失，实则不然。她在哲朗的公寓留下了些东西，就是向哲朗等人坦白杀人事实时留下的户仓明雄的记事本和驾照。理沙子把它们塞进了衣橱的暗格。

美月对他们隐瞒了一些事，显然就是关于那件案子的情况。若果真如此，重新回到原点开始调查，理应有所收获。第一步就是要询问香里，她手里很可能握有哲朗等人不知道的线索。

哲朗在摇晃的车厢里打开记事本，里面详细记录了香里的行踪，也有她的住址：江东区猿江园畔住吉三〇八室。

只要去"猫眼"应该就能见到香里，但在店里向她刨根问底会很危险，那个姓望月的刑警或许正躲在角落监视。但哲朗此刻迫切地想见到香里。

出了住吉站，哲朗又掏出准备好的地图，边看边走。这段路尘土飞扬，公交车堵在路上，似乎是由于地铁施工。过了第二个红绿灯向右转，又走了大约二百米之后，哲朗来到一个小公园，对面就是茶色墙壁的"园畔住吉"。

周边全是居民楼，找不到商店。哲朗想，深夜走在这条路上肯定很不安全。他绕着公寓边走边想象着户仓把车停在某个角落，暗暗监视香里的房间。美月说"不知道扔在哪儿"的车子，为什么至今仍未被发现，这也是个谜，或许警方故意隐瞒了消息。

他围着公寓楼转了一圈，心中越发觉得可疑。美月说过，她送香里回家时，户仓明雄正好打电话来让香里别放美月进门。

那么，户仓潜伏的地点必定可以看见玄关。可公寓前的路是不通的，如果要停车，只能停在和大门近在咫尺的地方。那么在玄关就能看清司机的长相。

如美月所言，户仓应该是把车停在离公寓不远的地方。

当然，"不远的地方"这种说法本来就很主观。虽说是跟踪狂，只怕也不至于那样近距离地监视目标，而且还给近在眼前的目标打电话。否则一不小心，就有可能被香里身边的男人——美月当场擒获。跟踪狂至少应该在对方已不见身影之后才拨打电话。

哲朗纳闷地走进公寓。也许是老建筑的缘故，没有安装自动锁。他进了电梯，按下三层的按钮。

三〇八室在走廊尽头，没有挂门牌。哲朗刚想伸手按门铃，忽然注意到邮箱里已塞满报纸，从厚度上看应该是今天的周末版早报。

哲朗按下门铃，无人回应。他又按了一下，依然如故。他有种不祥的预感，抬头看看电表，完全处于停止状态。

2

第二天晚上，哲朗独自去了银座的"猫眼"。这有些冒险，但他一时想不到别的方法。

户仓的记事本里写着香里家的电话号码。哲朗昨天打了很多次都没有接通。

去银座之前，他又去了香里的公寓。门上的邮箱里又多了今天那份。和昨天一样，按了多少次门铃也无人应答。

哲朗自然是希望香里只是碰巧不在家，否则，美月周六失踪，香里周日也失踪，事情未免过于凑巧，很容易让人怀疑两者之间有某种联系。若是这样，美月和香里之间的关系将迥异于哲朗原本的设想，整个案件的线索也会大大改变。

美月对我们说谎了吗？她带着那么真切的目光说的话都是编造的吗？

哲朗打开刻有猫浮雕的大门，走进店里。刚过八点，里面只有一组客人，也没看见刑警望月的身影。

一个有些面熟的女招待走了过来，引他来到座位。她似乎也记得哲朗，脸上的笑容似乎在说"您能来真令人高兴"。

"那位不在啊？"哲朗用毛巾擦着手，环视店内。

"哪位？"

"香里。"

"啊……"这名叫宏美的女招待点点头，"很遗憾，香里今天休息呢。"

"她周日休息？"

"不是的。"宏美开始调酒，"她白天的工作有些忙不过来，说要暂时休息一阵子。来，我们先干一杯！"

哲朗和她碰杯，一饮而尽。酒很淡。

"白天的工作是什么？"

"我吗？我什么也不做。"

"我是说香里。"

"讨厌，总是问香里的事。"

"当然，我是来找她的。"

"那对不起啊，您想找的人不在。"宏美做戏般嘟着嘴，但她没有当真嫉妒的理由。"我不太了解具体情况，但听说是一般的事务性工作。"

"哦。"

不可能是这样，从昨天到今天，香里一直没有回家。哲朗注视着女招待看似诚恳的脸，心想，就算香里有什么不可告人的秘密，她的同事也不可能告诉客人。

"香里，是她本名吗？"

"是啊，我的也是哦。如今用真名工作的姑娘比较多呢。"刚才还在别的客席上的老板娘也过来向哲朗问好，深绿色的素雅和服和她十分相称。哲朗记得她叫野末真希子。

"我是来见香里的。"他试着对老板娘说明来意。

"啊，香里从今天开始要休息一阵子。"她做出由衷地感到遗憾的表情。

"好像是。可以联系上她吗？"

"也不是没办法，但现在就不一定了，她说要回老家一段时间。"

"不是因为白天的工作忙不过来，才请假吗？"哲朗以为抓住了漏洞，但老板娘连眉毛都没动一下。

"嗯，白天的工作就是老家的人介绍的。"

"她老家在哪里？"

"好像是石川县。您有什么急事？"

"也不是什么急事，只是无论如何想尽快联系上她。"

"那我有机会一定转告她。您是西胁先生吧？"她果然记得哲朗。

"嗯，我给过您名片。"

"是的。我会让香里给您打电话。"老板娘缓缓地点头。真不知该相信她多少。女招待若说"暂时休息"，就意味着不在这家店干了。哲朗想，老板娘应该不会主动去联系一个已辞职的女招待。

待了一个多小时之后，哲朗起身准备离开，这时客人也开始增多。宏美和老板娘要送他出门，但只有老板娘跟着他一起上了电梯，宏美在电梯外弓身送客。

"多谢光临。"老板娘按下一层的按钮。

"啊，多谢款待。"哲朗接着说，"香里的事就拜托了。"他心想肯定只会听到形式上的回答，不料老板娘盯着楼层显示屏说道："逝者莫强求。大家都各有苦衷，深究的话对您恐怕也未必是好事。"

"老板娘……"

电梯到了一层，老板娘按下开门键，对哲朗说："请。"

"什么意思？"他在大楼出口问道。

野末真希子望着他，眼神温柔地示意"无可奉告"。

"您是写文章的，对吧？祝您工作顺利，累了的时候再来光临我们'猫眼'。"她优雅地弯下腰，头发挽得很精致，令人感觉态度十分庄重。

哲朗感觉那扇隐蔽的门又被关上了。第二天，第三天，哲朗又试着去了香里的公寓，但她似乎没有回来过的迹象。门口的报纸堆积如山，看来她没有和送报方联系过。

他试着询问邻居，一个三十多岁的家庭主妇开了门。哲朗一说想打听隔壁的佐伯香里，主妇立刻摇头，说完全没有来往，不知住着什么样的人，也没听说要搬家，即使搬家也不会去道别。估计她发觉香里从事特殊行业，所以不想扯上关系。

邮件从门上的邮筒里溢出来。哲朗明知是侵犯他人隐私，还是带走了邮件。可惜全是直邮广告，丝毫没有关于香里下落的线索。

"心里发毛，有种不祥的预感。"听了哲朗的通报，理沙子感叹道。哲朗有同感。

"拜托你一件事。"哲朗对理沙子说，"希望你明天能去一趟江东区区政府。"

"让我去调查香里？"

"是啊。"

"我倒无所谓，但她肯定没有提交迁出申请。"

"只要拿到居民卡就行。这样就能知道她以前住过的地方，或许那里还有她的熟人，还能联系上她。"其实哲朗没抱什么希望，但未说出口。

"原籍呢？"

"当然要记录。原籍估计没有写她的老家。如果情况需要，也去她老家碰碰运气。"

"'猫眼'的老板娘说香里可能回老家了。虽没什么可信度，但就算有一丁点儿可能性，我也要确认。"

野末真希子临别时的话至今仍在哲朗耳边回响。她说"莫强求"，仅仅是劝告留恋离职女招待的客人，还是另有所指呢？只可惜无法确认她的真实意图。若别有深意，她就更不会说实话了。

"你打算怎么办？"理沙子问。

"我打算去这里看看，虽然很可能什么也找不到。"他说着递过一张纸条，是从中尾那里拿来的美月娘家的地址。

3

学生时代的美月经常这样抱怨："总觉得我不是地道东京人。真想生在东京某个区啊，差一点就是练马区了呢。"

朋友之中，从父辈开始就居住在东京的只有少数，美月就是其中之一。大家都很羡慕她，她却还对自己不在二十三个区之内感到不满。

"原本是在浅草附近，但那里是租的房子。父亲无论如何也想要一幢独户的房子，于是借了最大额度的贷款，在现在的地址盖了房子。他似乎喜欢得不得了，但对我来说，趁早卖了最好。这种机会不会有第二次，错过了就再也卖不掉，肯定。"美月说的机会是指地价飞涨的年代，泡沫经济最繁荣的时期。

她父亲错失转手时机的房子在保谷市，是一幢门很小的两层木建筑。出了西武池袋线保谷站，步行几分钟就到，离商业区很近，前面不远还有一家健身俱乐部。美月说价钱涨得最高的时候差不多值一亿日元。

哲朗事先打了电话告知今天要去拜访。听说要打听女儿的事，美月的父亲并未多问，只说了句"恭候光临"，似乎已做好思想准备。他沉稳的语气让哲朗想起了广川幸夫。

约定的时间一到，哲朗便按下门铃。扩音器里没有回答，门却忽然开了。一个一头白发、梳着大背头、身材瘦小的男人冲着哲朗轻轻点头示意："西胁先生？"

"是的。"哲朗点点头。

"让你久等了，请进。"老人把门敞开，细长的眼睛与美月的一模一样。

老房子散发着一股类似干鲣鱼的味道。哲朗被领进一间和室。说是和室，却摆着桌椅，当成西式房间使用。透过玻璃窗看到的庭院也许是主人的得意之作，摆着几个花盆。

房间被电暖炉烤得暖洋洋的。哲朗想，美月的父亲也许已等了许久。

老人大约六十岁，听说以前是教师，现受雇于编写教材和参考书的公司。

"我女儿经常提起你。说正因为有你，帝都大学的美式橄榄球队才能打进大学联赛。"美月的父亲笑着说。

"应该是正好相反吧。都说是因为我这样的四分卫，才导致没有在大学联赛中夺冠。"

"不，不是那样。"老人挥着手，"美月的评论向来都很辛辣。比赛当天也狠狠批评了犯错误的选手，可我记得她没说过你的不是。"

"是吗？"哲朗心想即使曾被美月狠狠责怪过，今天也是难以启齿。他喝了口茶，说："实际上，我今天是来打听美月的消息。"

哲朗开门见山，老人的态度却没有丝毫改变，点了点头。"听说你也去了松户那边？"

"您已经听说了？"

"前几天，女婿来了电话，说是和你聊了许多事情。"

"我也明白这是多管闲事，但怎么也不能放着失踪的朋友不管。"

"这可不是管闲事。谢谢你这么担心美月，那孩子真是有个好朋友啊。"他像是对这种说法很满意，不住地点头。

"广川先生既没有向警方提交寻人申请，也没有积极寻找美月。伯父您呢？四处打听过吗？"

"嗯……"美月父亲不慌不忙地把茶碗移向自己，"差不多吧，能想到的地方都联系了。但美月留了纸条，还签了离婚协议书……"

"所以没怎么找？"

"她是个成年人，年过三十的人如果要抛弃家庭出走，应该是下了相当大的决心。所以我想，不如等她想清楚了再说，时候到了总会联系我们。"

哲朗想，不愧是当过老师的人，说起话来头头是道，但离为人父母的真心话则相差很远。父母不可能对失去联系的子女放任不管。

哲朗此行的目的之一，就是打听和美月去向有关的线索。其实他早已料到会白跑一趟，但有件事无论如何要确认。

"伯父，我就不客气地问了。"哲朗收拢双腿，挺直脊背，"对于美月离家出走的原因，您应该心里有数，对吧？哦，不对，应该是预感这一天早晚会来，所以事情真的发生后也能如此镇定，不是吗？"

老人的眼神闪过一丝狼狈。"此话怎讲？"

"我无法相信伯父伯母会认为让美月结婚，就能使她拥有普通女人的幸福生活，也不相信您和伯母完全没有察觉美月的本质。"

老人把手中的茶碗放回桌面，哲朗发觉他的手在微微颤抖。

"美月的本质是指……"

哲朗注视着老人的双眼，摇摇头。"别这样，我可不是什么都不知道就说这种话的。您难道不觉得继续这样糊弄下去，对美月是一种折磨吗？"

老人移开视线，凝望庭院良久，又转向哲朗，脸上露出几分辛酸的笑容。"美月是否说过什么？"

"以前……很久以前，她向我坦白过。"其实是最近的事，但哲朗无法这样说。

"哦。无论多么亲近的人都没见过她最真实的样子，我女儿是这么说的吗？"

"女儿？不是吧？"

老人的脸色顿时变得有些阴沉。"请你别这么说，我们是怀着怎样的心情一路走来的，你又怎么能明白？"他的语气强硬起来。

"我觉得我能够在一定程度上理解她的痛苦。"哲朗答道。

不知从哪里传来圣诞节的歌声，大概是装着扩音器的售货车刚经过。哲朗不由得想，美月今天会在哪里过圣诞？

美月的父亲又伸手拿起茶碗，但只是看了看，便放回桌面。

"西胁先生，你有孩子吗？"

"没有。"

"哦。"

"您是想说，没有孩子的人不会理解这种心情，是吧？"

"不，那种话我不会说。"他的牙齿有些泛黄。"我觉得，不管有没有孩子都可以理解那种心情，只不过有孩子的话更容易想象。"

"为子女着想的父母心吗？"

"不，是作为父母的自我意识。"他干脆地说道。

"您认为那是自我意识？"

"好像不妥，但我想不出更恰当的词。"他又望向庭院，"你看见那堵围墙了吗？"

"嗯。"哲朗也望向那里。

"美月以前可爱爬墙了，经常被她母亲训斥。而我就扮演调停的角色，说在以后的社会里，女孩子像这样活泼一点也是好事。真是无忧无虑啊！"

"听她说过母亲很严厉。"

"可能是心里有些着急吧。她比我更早察觉到美月不是普通的女孩子。那时候的我，满脑子都是学校里的孩子，而不是美月。"他自嘲般笑着。

"不好意思，伯父您是从什么时候开始……"

"什么时候发觉的？这个嘛，没有明确的时间点。我记得我太太第一次跟我商量这件事，是美月上小学的时候。"

"说了什么？"

"我记不清她是否说了'美月有点不对劲'之类的话，反正大致是这个意思。一般女孩子喜欢的东西她却不喜欢，不像其他女孩子那样玩耍，也不愿穿裙子，诸如此类。"

"您怎么说？"

"和刚才一样，我说这样的孩子也挺好的，并没有想太多。在学校里教过的孩子都个性迥异，为这样的事情大惊小怪，反而不太正常。之后我太太又为了同样的事找我谈过很多次，但我都没认真听。说实话，对于那时候的我来说，家只是个睡觉的地方。年轻的时候野心勃勃，除了在学校教书，还参加了许多研究会、学习会的活动。那些日子都没好好看过女儿的脸。那个时代，即使因工作繁忙而不顾家庭，也不会遭到太多指责。"

他说的是日本人过度工作的年代，男人们被视为工作狂时不但不会自省，反而有些许自豪感。

"现在想想真是愧疚至极。连家里发生了什么事都不清楚，哪里还配做教育工作者？"他叹了口气，盯着茶碗，"喝啤酒吗？我有点渴了。"

哲朗刚想说"不用了"，话到嘴边却又吞了回去，暗忖老人若喝了酒，话或许会多起来。"请来一点。"他答道。

老人走出房间，哲朗起身望向庭院。美月曾经爬过的围墙，如今黑沉沉的。

哲朗下意识地环视室内，目光停在墙边的小书架上。吸引他的不是架上的书，而是相框。他走过去拿起来。

这应该是美月成人礼的照片，像是和两个女性朋友一起照的，从服装看应该是成人礼。

美月穿着振袖和服，挽着发髻，冲镜头微笑。那表情不像出自被强迫穿上和服的人，而是因内心喜悦散发出的光彩，看上去比其他女孩子更美，更有女人味。哲朗回想起和美月共度的那一夜。这张照片给人的感觉和那时他从美月身上感受到的一样。

脚步声响起，哲朗把相框放回原处，坐回椅子。

老人将啤酒倒进玻璃杯，拿过一小碟柿种米果。

"那我就不客气了。"哲朗说完便喝了口啤酒。不是很凉。

"美月在家的时候，冰箱里总是放着啤酒。最近都不怎么喝了。"老人似乎也发觉了，这样解释道，"那家伙很能喝吧？"

"是啊。"哲朗附和着，想起前几天两人一起喝醉时的情景。

父亲喝完半杯酒，吁了口气。"我发现问题的严重性，是在美月上六年级的时候。"他忽然又回到刚才的话题，"其实那时她已经开始穿裙子，也和女生一起玩耍，几乎没什么可担心的。可是，某一天她忽然不愿意去学校了。"

"某天？"

"生理期，她月经初潮的时候。"

"啊……"

"那件事本身并不特别。我们男人是不能理解，对女性来说多少还是有些打击。但大多数女孩只要和母亲、姐姐聊聊，很快就能重新振作起来。"

"她不是那样？"

"不是，她谁也不肯见，也不好好吃饭。不知为什么，我越来越烦躁，妻子对我说：'美月果然不是正常的女孩。虽然在我们面前总是表现得正常，但实际上没有女孩的内心，所以来了月经就独自烦恼。'"

哲朗想起美月曾说过的话。她说懂事了以后，连小孩子也会顾虑很多，担心母亲是不是在为自己哭泣，如果是，就不应该再这样下去，所以开始演戏，母亲就以为她已经矫正过来了。

哲朗不禁想，事情肯定不是这样，她母亲心里一定明白。

"如果是现在，处理的方法也许会有所不同。"美月的父亲说，"性别认同障碍这个词为大家所知了，当初我们连有这种病都不知道，觉得明明是女人却没有女人的内心，肯定是精神上的缺陷。"

"那你们用了什么办法？"

"没办法啊，总之不去学校可不行，训了一顿，硬是让她去上学了。之后，仅仅是盯着她而已。"

"盯着？"

"注意她的言行举止，让妻子监视她有没有好好当个女孩子，如果没有就向我报告。我心里总埋怨妻子。认为女儿变成这样，是做母亲的没有教好。"老人苦笑着，把啤酒喝干，又倒上一些，问，"约翰·曼尼，您知道吗？"

"约翰·曼尼？不知道。"

"他说，关于性别的自我意识，是受出生之后的环境影响而改变的。男孩如果出生后被当成女孩抚养，也会逐渐认同自己是女孩。他还在学术会议上发表了这一观点，作为例证提出的是美国农村的一对双胞胎男孩。行割礼时，不知是哥哥还是弟弟的生殖器不小心被烧坏了。那时孩子好像才出生七个月，双亲就去找性学家约翰·曼尼咨询。曼尼提议，把那个孩子当成女孩子来养，摘除睾丸，定期注射雌性激素。那对夫妇照做了。"

就算原来是教师，也不可能将这种知识列为常识，肯定是因女儿的事情而烦恼，自己钻研了一番。

"实验最终成功了吗？重要的是，那孩子真的被当成女孩平安养大了吗？"

哲朗提问时，老人不住地摇头。

"他说成功了，但事实并非如此。接受了手术的孩子一直为身心的不协调而苦恼，长大后又通过手术变回了男人。"

"可见勉强改变性意识是行不通的。"

"我和太太对美月做的事和那个性学家是一样的。我们刻意无视那孩子的本质。"

"那也是情有可原，毕竟她在生理上是个女人，这和那个约翰·曼尼的行为可不一样。"

"想操控性意识这一点是一致的。我现在想想都有些后怕啊，对我教过的孩子，是不是也做了同样的事。唉，现在说这些也无济于事了。"他抓了点柿种米果，放进嘴里。

哲朗喝了口微凉的啤酒。"日浦和我们在一起时完全是个女孩子。"

"是吗？那孩子一直继续着角色扮演，我们虽有所察觉，但什么都没说。演戏也好，只要像个女孩该有的样子就谢天谢地了。这是我们那时最大的心愿。还打着假戏成真之类的如意算盘，虽然心里的某个角落也想过，也许那一天永远不会到来。"

"明知是演戏，还是让她结婚了？"

"我真该挨骂啊！"

"不，怎么能骂……"哲朗低着头。

"相亲的事找上门的时候是有点犹豫。让她和正常的女孩一样建立家庭是我们的心愿，可又不知那样是否能让美月幸福。另一方面又想，正因为她不一般，才要让她结婚，不是吗？"

"所以就……"

"最终，还是让美月自己决定。她说要见一见。相亲那天我太太胆怯的表情，我现在还记得呢。"

"她呢？"

"美月啊，"老人说着，抬头望向远处，"该怎么说呢？夸张点说就像人偶一样，面无表情。她也许真的打算做个完完全全的人偶。"

"广川却看中了这个人偶？"

"那人也有些怪。"他为哲朗斟满酒杯，"'如果对方满意的话就结婚'，美月是这么说的。我太太问了她很多遍，我也很不安，但最终还是把她嫁了过去。当时只想尽快了结此事。"

哲朗问过美月在结婚时怀着怎样的心情。但听了他父亲的诉说，众人的烦恼从不同角度浮现在他的脑海中。

"我意识到犯了大错，是在婚礼那天。穿着婚纱的美月脸上没有丝毫幸福的神色，像是放弃了一切。我那时真该飞奔过去，跪在地上请求终止仪式。后来，太太也说了同样的话。"

"所以说，对这次发生的事也……"

"是啊。"他深深地低下头，"正如你所想的，我们早料到会有这么一天。"

"所以没去找？"

"我想让那孩子遵从自己的心意生活下去，不用考虑性别问题。"他眯着眼继续说，"因为我过去犯了错啊。"

喝完一瓶啤酒，哲朗站起身。

"我送你出去。"老人也跟着出了玄关。他披着夹克，脖子上系着条灰底黄花的围巾。

哲朗称赞那条围巾，他却不好意思了。

"这是十年前美月给我织的。一直用得很小心，还是旧了好多。"

"她还会织毛线？"

"强迫自己学会的吧。但是，"他说着又闻了闻围巾，"送给我这条围巾的时候，美月亲自给我系上，那时的她怎么看都是个女人。我不觉得那是在演戏。所以，这么说可能会让你见笑，我至今都坚信那孩子是女人。"

哲朗默然点头，想说自己也这么认为。那张成人礼的照片又浮现在他眼前。

4

回到家，理沙子正在换衣服，看来也是刚到。

"香里还是不在，邮箱里的东西都溢出来了。"

"有什么可疑的邮件吗？"

"有一封。"理沙子把一个信封放在厨房的柜台上。是个女性化的信封。寄信人是"向井宏美"，还没拆封。拿在手里轻飘飘的。

哲朗犹豫着打开了信封。理沙子无言地盯着他的手。

里面装着一枚相片和一小张便条。便条上面写着一行字："前些天拍的照片，有空再一起玩哦！"

照片像是在"猫眼"里拍的。香里和前几天陪哲朗喝酒的宏美并排坐着。哲朗立刻意识到向井宏美就是那名女招待，她的确说过用本名工作。

哲朗提到这件事，理沙子好像兴趣索然。

"香里是个美人呢。"说完她便把照片放回去，"我明白她为什么被跟踪狂盯上了。"

"是啊。别的邮件呢？"

"我不是说过只有一封吗？其余的都是直邮广告，今天的报纸没送来。"

"哦……估计是积得太多，送报人有些犹豫了。"

"我也这么想，就确认了一下，得知是香里联系了他们，说不用送了。"

"什么时候？"

"昨天，她说暂时不在家，所以不用送了。"

"是她本人吗？"

理沙子摊开双手，耸耸肩膀。"你觉得送报人能确认此事吗？"

"这倒也是。"

如果是本人，就可以确定是她有意要躲起来；如果是别人，即可推测香里是被什么人带走了。不管怎样，香里遭遇事故的可能性可以排除了。她究竟在哪里？为什么要隐瞒去向？这和美月的失踪又有何联系？

"刚才须贝来电话了。"

"须贝？"哲朗有些心慌，这是防守最弱的部分，"说什么？"

"问了关于美月的事，他似乎也在担心。"

"你怎么回答？"

"就直说了。"

"说她离家出走？"

"嗯……不可以吗？"

"没……那家伙听后什么反应？"

"似乎很害怕。"理沙子嘴角上扬，"怕卷入麻烦吧。我就对他说，绝对不会透露他的名字，让他放心。"

哲朗可以想象理沙子说那番话时肯定用了相当重的讽刺语气。他走进厨房，打开柜子，杯装泡面只剩下一盒。他把水倒进水壶，点燃煤气灶。

"这个，我弄到手了。"理沙子拿出一张纸。那是佐伯香里的居民卡，大约一年前从早稻田迁过来的，原籍是静冈县，从出生年月看现在是二十七岁。

哲朗掏出手机，拨打一〇四询问。最近很多人都不登记自己的电话号码，但以前住的房子应该能够查到。

他的想法是对的。报上原籍地址和佐伯这个姓氏之后，马上查到了号码。

哲朗拿着记有号码的便笺，望着理沙子说："帮个忙。"

她叹了口气，无奈地双手叉腰。"你不会是想叫我往那里打电话吧？"

"女人比较容易让对方放松警惕。"

理沙子咬着下唇想了一会儿，哲朗拿起刚放下的电话子机。

"该说什么好呢？"

"首先确认香里在不在。如果不在，就问她的联系方式，对方总该知道手机号码吧。"

"我该说自己是谁呢？"

"随便说吧。以前的同学什么的，光听声音应该不会暴露年龄。"

理沙子闷闷不乐，"我可不知道佐伯香里毕业的学校，对方问起来怎么办？"

"嗯……那就说是同事，说有事找她，家里没人就打到那里去了，这么说就行。"

"如果对方问是什么事……"

"说借钱给她了，再不还的话有些麻烦，要演得逼真些。"

"你这个人啊，一让别人帮忙，还真容易得意忘形。"理沙子斜眼望向哲朗，拨下号码，撩起头发，让听筒贴着耳朵。呼叫音响起。"如果香里在呢？"

"那就换我说。"哲朗用大拇指指指自己。

理沙子表情变了，电话好像接通了。

"喂，是佐伯家吗？我姓须贝，请问佐伯香里小姐回去了吗？"她的声音比平时尖。

忽然听到须贝这个姓氏，哲朗不由得强忍笑意。

"我是她的同事，香里最近休假了，但我有急事务必要联系上她。"

果然，香里并没有回老家。

"啊，这样啊……那您知道她的手机号码吗？或者，您有没有和她关系亲密的人的联系方式？"理沙子追问着。哲朗把便笺和笔递给她。

"呃，喂，请等等！"她喊完这句话，握着听筒呆住了。

"怎么了？"哲朗问。

"挂断了。"她叹着气，把电话放回去。

"谁接的？"

"大概是她父亲。"

"说了什么？"

"他说关于香里的事一概不知，如果什么都问他们，会令他们很头疼，还说那孩子已经和家里没有任何关系了。然后就啪的一声……"理沙子做出挂电话的动作。

"离家出走了吧。"

"也许。"理沙子坐在沙发上，"水开了。"

"哦。"哲朗回到厨房，关掉煤气。他揭开杯面的包装，把水倒进去。

"明天我想去看看香里以前住过的地方。"

"好。那边的娘家怎么样了？美月的。"

"没有什么实质性的收获。"哲朗扼要说明和美月父亲的谈话。听到关于婚礼的部分，理沙子有些伤心地皱起眉头。

"她父亲也挺可怜啊。"她喃喃道。

"他到现在都坚信美月是个女人。"哲朗又说了关于围巾的事。

理沙子沉思良久，然后抬起头。"以前和美月聊天的时候，她说过这样一件事。刚上小学时，规定男孩用黑色书包，女孩用红色书包。她却不知该选哪种颜色才好。"

"她选了红色的吧？"

"她没要书包。"

"哦？"

哲朗掀开盖子，面条已完全泡开。

深夜，须贝打来电话。"听高仓说，日浦那家伙擅自离开了？"

"差不多吧。"

"你每天都为了找她在市内来回折腾？"

理沙子似乎是这么形容哲朗这些天的行动。

"我会小心不给你添麻烦的。"哲朗话音未落，听筒那边传来咂嘴的声音。

"你们夫妇俩联合起来挖苦我。我也不是不管日浦死活的人啊。"

"我懂我懂，你这样才是正常人的举动，我们是异常的。"哲朗差点脱口说出"证据就是，只有你一个人的家里还平安无事"。

"算了，你怎么想都行。如果要找日浦，我认识一个有意思的人。是在新宿开酒吧的，但和我们没多大关系，是以女人为对象。"

哲朗忽然反应过来。"拉拉的店？"

"嗯，说白了就是这个意思。"

"那里的老板会帮忙吗？"

"不是很清楚。但她经常为那些想变成男人的年轻姑娘分忧解难，或许也知道一些日浦的事，所以想介绍你认识。"

"哦。"

"怎么样？"

"也许是个好主意，那就拜托你了。"

"我什么时候都行。"

"明白了。"

那家伙也在以自己的方式担心着美月啊。放下电话，哲朗不禁想。他从没想过要向这种从事特殊行业的人探听美月的消息。

5

从地铁江户川桥站出来，哲朗沿新目白路前行，在早稻田鹤卷的十字路口左拐。

他事先看过地图，对大致位置都有印象，但途中还是拿出记着居民卡和地址的便笺对照了好几次。

根据香里的居民卡，她之前好像住在某栋公寓，但没写公寓名，只写了房间号。

尽管如此，哲朗转了几圈，还是找到了。那是一幢一层有便利店的小高层公寓楼，阳台很小，窗子出奇地多，怎么看都像是单身公寓。三〇一室好像就是香里以前住过的房间。

公寓楼没有装自动锁，也没有管理员。哲朗走了进去，首先检查了邮箱，三〇一室的邮箱没有贴名牌。

哲朗沿着楼梯上了三层。四扇门围绕着狭窄的走廊，是三〇一室到三〇四室。

哲朗试着按下三〇二室的门铃，回应的是一个粗粗的声音。门开了，一个头发往后梳的年轻人探出脑袋。白天还在家里，估计是学生。这人身材高瘦，脸色苍白，留着邋遢的胡子，看上去很虚弱。

"什么事？"年轻人一脸诧异。

"我是侦探事务所的，有点事想麻烦您。"

"侦探事务所？"年轻人皱着眉，全神戒备，门缝变窄了几厘米。

"是关于您隔壁的三〇一室。"

"隔壁不是空好久了吗？"年轻人抓着头发。房间里传来音乐声。把这个人放进摇滚乐队倒是挺合适的。

"这一年才空出来的吧？"

"不清楚……"

"您在这里住几年了？"

"嗯，三年吧。"

"其实我正在调查一年前住在隔壁的人，和您熟吗？"

"不，完全不熟。"年轻人摇摇头，"没说过话，脸也只是偶然瞥过一眼，记不清了。"

"是您先住在这里的？"

"是啊，应该是比我晚一年搬来的。"

"搬进来时没打招呼吗？"

"没有。"

如今举家搬迁也不见得会和邻居打招呼，如果双方都是单身年轻人就更不稀奇了。

"一开始没有对要搬来的人产生什么兴趣吗？"

"会有什么兴趣啊，对邻居？"年轻人嗤之以鼻。

"那您也不知道她在什么地方工作，和什么样的人来往？"

"嗯，不知道。大概是干那行的。"

"怎么说？"

"白天房间里倒是有动静，傍晚出门，要天亮才回来。这房子墙壁很薄，很容易听到隔壁的声音。"年轻人说着敲了敲墙壁。

看来，伴在这里时，香里就已经开始在"猫眼"工作了。

"够了没？我可没空。"

"啊，谢谢，可以了。"

哲朗说完，年轻人正要关门，又停下来说："啊，我想起来了，那家伙的父亲来过。"

"父亲？隔壁的？"

"应该是，一个又胖又土的老头子。他从屋子里出来的时候，我透过猫眼看到的。"

"你不是说对邻居没兴趣吗？"

"吵架的声音那么大，以为出了什么事，所以有点在意。"年轻人露出洁白的牙齿。

"吵架了？"

"大概吧。没听清楚吵什么，但双方都很激动。"

"那样的情况时常发生吗？"

"不，不是。"

哲朗心想，看来得不到更多的消息了，便低头致谢。随后，他又按了三〇三室和三〇四室的门铃，两家都没人。大白天在家的情形反而比较稀罕。

哲朗走出公寓，向车站走去。

今天还要和编辑开会。年初不得不去采访英式橄榄球和足球比赛，美式橄榄球也有一场争夺全国冠军的米饭碗（Rice Bowl）大赛，但没人邀请他采访。只能解释成不够关注吧。

他反复回味刚才年轻人说的话，越来越想不通，总觉得有前后矛盾之处。

正要走下地铁站的台阶，哲朗想起了某句话，随即转身返回。

他回到那幢公寓，跑上台阶，再次按下三〇二室的门铃。

"怎么啦？"年轻人果然板着脸。

"我忘了确认一件重要的事。"哲朗一边调整呼吸，一边说道，"隔壁那位姓什么？"

"佐伯。"年轻人干脆地回答。

"啊……"失望感顿时在哲朗心中扩散。难道认为发现了什么重大线索只是错觉？

"邮件不知多少次错投到我这里，所以我记得。佐伯，后面的名字好像是薰。"

"不对，应该是香里，佐伯香里。"①

听到哲朗这么说，年轻人用力挥手。

"不对，是佐伯薰，不是什么香里，那是个男人啊。"

6

两天后的下午，哲朗驾车上了东名高速。他许久没开车了，开得

---

① "薰"在日文中可做男子名，发"kaoru"音。"香里"发"kaori"音。

比限速稍快一点。看见前方有大型拖车，他打开转向灯，驶入超车道，超车后又驶回原道。他一直保持着开车不追求速度的观念，收音机里播着玛莉亚·凯丽演唱的圣诞歌曲。

哲朗手握方向盘，看着前方，嘴角露出微笑。副驾驶座上的理沙子觉出那笑容并不是给她看的。

"笑什么呢？"

"没什么。真没想到平安夜能这样开车兜风。"

"特别是和我一起。"

"别这么说，你也没想到会这样吧。"

"是啊。"

两人正前往静冈县。出发前还担心年末路上会很堵，实际上却空得多。这样当天来回应该也不成问题。他们都没有在静冈过夜的打算。

"下个出口是吉田吧？"

"是啊，过了匝道就是T字路，右转。"理沙子看着交通图说。她开车的机会比哲朗多，的确很适合充当导航仪。

佐伯的老家在静冈县。哲朗期待着能在那里找出她的真身。

佐伯香里住在早稻田公寓的时候似乎用了"薰"这个名字。按她隔壁的年轻人所言，怎么看都是个男人。

"身材瘦小了点，可看上去不像女人。但我也只是从发型、整体感觉和偶尔听到的说话声这么判断，没有仔细看过脸。"说完，他又补充道，"穿的也是男装。"

这番话是可信的。哲朗初次询问他时，他用了"隔壁那家伙"这样的词，这可不是一般对女性使用的词，哲朗才有了再回去问问的想法。

那天，回到家后，哲朗向理沙子说明了事情经过。她面露诧异，然后提出了两种可能性。

"一种是佐伯香里和佐伯薰完全是两个不同的人，但因故需要作为同一个人行动。"

哲朗立刻否定了这个可能。这种情况他一开始也考虑过。

"佐伯香里的居民卡上记载她是从早稻田鹤卷迁入的，证明她的确曾在那里住过。"

"也许香里只是做了居民登记，实际上住在那里的是叫薰的男人。"

"为什么要这么做？"

"那就不得而知了。"

另外一个可能，就是假定香里和薰是同一个人。

"香里住在那里时因故扮成男人生活，这也有可能。香里这个名字会暴露性别，于是用了薰。"

这也是哲朗考虑过的假设。

"别怪我啰唆，你觉得她为什么要这么做？"

理沙子也只是毫无头绪地摇头。最后决定去佐伯香里的老家探访，正是因为推断遇到了瓶颈。

他们清晨就上路了，到吉田时已是下午。看到路边有餐厅，哲朗提议先吃午餐，但理沙子坚持要先找到香里的家。

这并没有花很多时间。他们事先在地图上确认过地址，这里的街道也不像东京那样复杂交错。两人沿滨海公路行驶，驶入一条商店林立的道路。佐伯香里的老家就在其间，写着"佐伯刀具店"的招牌很醒目。

招牌虽大，但店面的宽度仅约四米。哲朗打开铝制玻璃拉门，走了进去。正面摆着两个陈列柜，排列着泛着微光的菜刀。角落里还有一个小型工作台。

店里没人，但推开玻璃门的时候门铃也跟着响了。很快就有人从里面出来，是一位年约五十、身材娇小的女子，系着围裙。

她望着哲朗，满脸疑惑，连句"欢迎光临"都没说，也许来这种店的都是熟客。即便不是那样，哲朗和理沙子看起来也不像顾客。

"嗯……有什么事？"她一脸不解。

"您是佐伯香里小姐的母亲吗？"哲朗问道。

对方脸色骤变，一个劲地眨眼，表情僵硬。"你们是……"

"从东京来的，我姓须贝。"两人来之前就商量好借用他的姓氏。

"须贝先生……"她不安地望着他们。之前理沙子打电话时用了这个姓氏，不知她是否还有印象。

"其实，我们已经寻找您女儿一段时间了，但怎么也找不到，很担心。您知道她在哪里吗？"

"你们和我女儿什么关系？"

"朋友，在同一个地方工作。"

香里的母亲眼神中显出些许警惕。哲朗想，她可能知道香里是干那一行的。

"我有事务必要找到香里，您能告诉我她在哪里吗？"理沙子在一旁说。

"虽然你这么要求，但我们无能为力，因为我们也不知道。"

"没有联系吗？"哲朗问。

"别提了，这两年都没音讯。"

"真的？"

"真的，我可不撒谎。"香里的母亲摇摇头。

里面传来声响，一个穿着白色短衣、脚踩凉鞋的男人穿过布帘走了出来。他大约已过六十五岁，身材魁梧，头发花白，留着平头。

"吵什么呢？"他低声说着，走向工作台，手里还拿着菜刀。

"您是香里的父亲吧？"哲朗问。

老人没作声，继续在工作台上准备工具。

哲朗朝着他的侧脸继续说："您去过早稻田的公寓吧？我见过您一次。"

老人一时停下手里的活儿，但马上又摆弄起来。"我不认识叫香里的人，这里没有这个人。"

"不认识自己的女儿，这也太奇怪了吧？"

老人又停了下来，侧着脸说道："女儿？这个家里没有女儿，从一开始就没有！"

"您什么意思？"

"真麻烦，别管闲事！别在这里啰唆了，快回去吧！请你们马上离开！"

哲朗看看香里的母亲。她在一旁关注着事态发展，和哲朗目光相接后不禁低下了头。

"香里小姐有可能卷入了某起案件，"哲朗对老人说，"不赶紧找到她，恐怕事情会更麻烦。"

"烦死了！我不是说这里没有香里吗？根本不存在的人会卷进什么麻烦，我怎么知道？你们很碍事，快出去！"他挥着手里的菜刀，刀刃在荧光灯下反射着光芒。

"那么，您这里有位薫先生，是吗？"

"你说什么？"老人瞪大了眼睛，脸忽地涨红了。

"我说，您应该认识佐伯薫先生吧？您在早稻田的公寓见过他，哦不，应该说是和他吵过架。"

"你胡说什么！"老人搁下菜刀，走了过来。哲朗心想这下至少要被揍一顿了，但如果能让对方敞开心扉，也算不了什么。但是，香里的父亲并没有出手打他，只是嚷着"回去回去"，把哲朗和理沙子推向门外。他的力气意外地大，哲朗一时不备，被推出了店门。

老人也走了出来，回头说"把门锁上"，然后拉上玻璃门。

"伯父，至少先听我们把话讲完吧。"

"别过来，走开！"他像赶苍蝇似的，快步离开。哲朗一时不知该不该追上去，最后还是作罢，现在的情况下，问什么估计对方都不会回答。

"重新制订作战计划吧，还有一点时间。"

"是啊。"

回到停车的地方，哲朗掏出钥匙准备开门。"等等，"理沙子说，"顺便吃午饭吧？那里有家店。"她扬起下巴示意旁边的拉面店。招牌上沾满了灰尘。

"刚才那条路上有很多店可以选择，干吗非要在这里吃拉面？"

"不是，你看看后面。"

哲朗回头一看，香里的母亲正孤零零地站在佐伯刀具店前面，望着他们。

拉面店里没有其他客人。哲朗和理沙子选了离厨房最远的桌子坐下，盯着入口的玻璃门。店员过来招呼，他们要了两碗味噌拉面。

不久，香里的母亲来到玻璃门外，似乎边叹气边拉开玻璃门，冲厨房打了声招呼，便向他们走来。

"我们正等您呢。"理沙子说着坐到哲朗身边，香里的母亲在他们对面坐下。店员立刻走来，她说"不用了"。

"店里不要紧吧？"哲朗问。

"嗯，我锁门了。"

"不，我是说，如果被伯父知道您和我们见面，会挨骂吧？"

"嗯，"她的表情终于有些缓和，"肯定会抱怨几句，但是没什么大不了的，他自己肯定也很在意。"

"香里在东京失踪一事，您知道吧？"

"知道。"

"听谁说的？"

"这个……"她弯下身子，看了眼厨房，小声说，"警察来过。"

哲朗和理沙子对视一眼。

"是警视厅……东京的警察？"哲朗回忆着望月刑警的脸，问道。

"不，来我家的是本地的警察，询问香里的下落，那时他们说香里不在东京的住处。"

"说了为什么要找香里吗？"

"说是东京那边为查案子询问这边……他们也不了解详细情况。"

哲朗想，那警官也许没有撒谎，他们接受警视厅的委托，来佐伯刀具店询问些必要事项的可能性很大。不管怎样，可以确定，警察也在找香里。

拉面端上来了，哲朗伸手拿过一次性筷子尝了一口，比想象中美味。

"找香里的人，除了我们只有警察吗？"

"来过这里的只有这些人，但是，几天前还有电话……"

"啊，那个电话，"理沙子微笑着说，"是不是我打的那个？"

"不，是个男人。嗯，好像是报社的记者。"

正吸着面条的哲朗放下筷子，再次看看理沙子。她也望过来，眼神在说：肯定是早田。

"那人为什么找香里？"

"说是要做什么采访。我觉得有些奇怪，很快挂断了电话。"

早田也注意到了香里的失踪。正如他自己所说，他正根据别的线索调查此案。

"伯父为什么对香里生那么大的气呢？"理沙子问道。她好像吃完了，虽然还剩了大半碗面条。

"这个啊，有点难以启齿。"香里母亲一筹莫展地歪着脑袋，似乎不知该怎么解释，好像担心轻易说出不妥。但沉默之后，她望着理沙子说："你说和香里在同一个地方工作，是吧？"

理沙子回答"是的"。

"那是个什么样的地方啊，那个，比如说——"

"喝酒的地方，酒吧。"哲朗插了进来，"她们是女招待。"

"女招待……"她好像吓了一跳。

"啊，不是什么不正经的地方，只是陪客人聊聊天而已。"

她好像没在听哲朗说话，又转向理沙子。

"女招待……大家都是女人吧？"

"是啊。"

香里母亲伸手捂着嘴，眼神像走投无路一般徘徊不定，神色明显不太正常。

"总觉得不太对劲，"她嘀咕着，"不管是警察，还是打电话来的人，总觉得不像是在说香里，完全是在说另一个人，但是你们刚才提到那孩子的名字了，薰。所以我想，如果问问你们，或许能知道些什么。"

"薰是本名？"哲朗问。

"不，本名是香里，但，她自己用薰……"

哲朗伸手去翻放在一旁的大衣口袋，取出一张照片，前几天宏美寄来的那张。"这个人是香里吧？"

她看了照片，瞪大双眼摇头不已。"不是，这可不是香里。完全不认识。"

"可是……"

"香里大概……"母亲又开始吞吞吐吐，"那孩子恐怕已经不像个女人了。"

7

出了拉面店，他们请香里的母亲上了车。

哲朗想起国道边上的餐厅，决定先开到那里。香里的母亲在车上一直保持沉默。等红灯时，哲朗透过后视镜窥了一眼她的表情，好像她没有后悔跟他们一起出来。

三人在餐厅最深处坐下，一起点了咖啡。

哲朗首先谈了他们在寻找的香里，在银座酒吧工作，被叫户仓的跟踪狂盯上等，也说到了那人被杀，所以警察调查了香里。

"那一定不是香里，不是我家的孩子。"

"似乎是的。为什么事情会变成这样呢？"

"我、我什么都不知道……"她摇摇头。

"伯母，"理沙子插嘴道，"您刚才说香里估计已经不是女人的样子了，那是怎么回事啊？"

"那是……"她刚开口又沉默了，右手捏着擦手巾。

"外表看是女人，但内心是男人，也就是所谓的性别认同障碍，对吗？"

哲朗话音未落，香里的母亲脸颊微微抽动了一下。哲朗连忙低下头恳求她道出实情。

虽然面露窘色，香里的母亲还是开始一一诉说女儿异于常人的事实。这些话恐怕她也跟亲近的人聊过，内容很复杂，还隐含些微妙的问题，但明显已经整理过。

据她所说，香里直到中学为止都没有表现出任何异常，至少在她看来没有。也不记得曾表现出对裙子和红色书包的厌恶。但她又说，那可能是受周围环境的影响。附近没有同龄的男孩子，香里从小都是和女孩子一起玩。可能她的性格不是很暴躁，不记得她排斥过和大家一样的打扮，玩布娃娃什么的似乎也很开心。

"唉，但是，这只是我们看到的，她是怎么想的，我们并不知道。"她两手捧着咖啡杯说道。

事情发生在香里读高中的时候。她有个很要好的朋友，形影不离，穿一样的衣服，戴一样的小饰品。那孩子也去过香里家好多次。她俩的亲密程度，如果发生在男女之间，父母肯定要起疑心了。但因为是两个女孩子，双方的父母都觉得不用担心，开心地看着她们俩成长。香里的母亲这样说。

"别家的女儿都不知道交了几个男朋友了，所以家里人都开玩笑说'我家的孩子还没长大啊'。"

两个人的关系逐渐变得引人注目，同时奇怪的流言也开始散播，说她们是同性恋，还有人说看见她们接吻。

香里的母亲终于担心起来，装作若无其事地问女儿，香里立刻矢口否认。

母亲松了口气，但始终没有完全安心。女儿的脸上浮现出犹豫的神情，她当时就有种不祥的预感。

预感果然是正确的。两周之后，香里和好友被发现倒在附近小教堂的院子里。两人都服了大量安眠药，状态十分危险，如果再慢一步也许就没救了。

两个人恢复知觉后，双方的父母都开始询问，听了女儿的坦白后都吓了一跳。两个孩子都说"我爱她"。

"但说是'两个人'，其实有些不准确。"香里的母亲说。

"为什么？"哲朗追问。

"怎么说呢，爱上对方的是……"她不知该如何表达。

理沙子接着说："好朋友那边本来是打算单纯做朋友的，但香里不是，对吗？"

"是啊，是啊。"香里母亲像是得到了很大的帮助，不断点头，"就是这么回事，于是我们又被吓了一跳，真的眼前一片黑暗啊！"

听说"相爱"这句话时，香里的父母也怀疑女儿是同性恋。但是香里一边哭，一边又说出了更令人意外的事实。她说自己想变成男人，想拥有男人的身体，以男人的身份生活，然后和女人结婚……

一开始，父母都没能正确理解女儿话里的意思，以为是女人不能爱上女人，所以女儿才要变成男人。但经过女儿多次告白，他们终于认识到事实并非如此。

"我们逐渐觉得那孩子有一颗男人的心。如果不这么想，好多地方说不通。"

香里对女装潮流毫无兴趣。而且，在她那个年龄，应该会很讨厌被父亲看到裸体，但她完全没有防备。更奇特的是，她的兴趣竟然是用父亲的工作台做船、车、枪的模型，父母都觉得女孩子这样太奇怪了。

"那么，你们是怎么做的？"哲朗试着问。

"说实话，困惑得很，心里一直很不安，觉得街上的人都用异样的目光看我们。如果香里再穿件男装，不知道会被说成什么样呢。"

哲朗再度意识到，在东京这样的都市里，谁也不会关心别人打扮成什么样子或用什么姿态走路。

"于是那孩子说要去东京。"

"去东京？"

"她以前就提过要去学设计，说要成为汽车什么的外型设计师。"

原来如此，哲朗理解了，那的确是很多男人的梦想。

"你们赞成了？"

"也不是赞成，但留在这里总不行吧？香里高中一毕业就去了东京，进了专科学校。"

"她在东京怎样生活？我是说，是作为女人生活，还是相反？"

"我不太清楚，几乎没去看过她。她回来的时候也没说这方面的事。"

"她回来的时候，穿着之类的情况怎样？"

"该怎么说呢？既像女人，也像男人，打扮得两边都不靠。她父亲要求她回来的时候不许打扮得古怪，那孩子想必也花了点功夫。"

"化妆了吗？"理沙子问。

"我觉得没化，啊，不过，眉毛修过。"

看来她不知道如今的年轻男子都会修眉。

"容貌和身材怎么样？没变化吗？"哲朗继续问。

"经常回来的那段日子倒是没有，她父亲严格规定过。"

"规定？什么事？"

"她在东京怎样生活是她的自由，但不许给别人添麻烦，也不许没病却在身上动刀子。"

"不能做手术……"哲朗心想，这果然是一辈子做刀具的手艺人会说的话。

"香里至今都没有做手术吧？"理沙子试着问。

香里的母亲痛苦地皱起眉。"那件事啊……"她喝了口咖啡，接着说下去。

香里去东京之后，每年也会回家一两次。但三年后，若无要紧事，她就不回家了，偶尔回家也是当天就逃回东京。母亲觉得可疑就打电话追问，不料香里说她已经从设计学校退学，开始在酒吧工作。

"她说像自己这样的人，不论多努力、成绩多么好，都进不了一般的公司，所以就放弃了。"

哲朗想这也很有可能。不管"性别认同障碍"这个词变得多普及，偏见也不会随之消失，从根本上来说，"障碍"这个词本身就很荒谬。

"跟她父亲说了，他也只是说'别管她'之类的，说如果因为这种事就一蹶不振，以后什么事也做不成。实际上我知道他肯定很担心。"

后来，香里几乎就不回家了。顽固的父亲从不主动提起女儿，还对母亲说"别叫香里回来"这样伤感情的话。父母唯一得知香里消息的途径就是贺年卡。通过卡片，母亲才知道她搬到了早稻田鹤卷的公寓。

一年半之前，香里打电话回来，说想听听母亲的声音。母亲听到电话那头的声音之后简直快急疯了。那不是女儿熟悉的声音，完全成了男声，令人乍一听都不知是谁。

母亲追问究竟，香里没说清楚就匆忙挂断电话。母亲想拨回去，可贺年卡上没写电话号码。

担忧良久，香里的母亲还是和丈夫商量了，他仍旧只说了句"那家伙的事，随她去"。

但他并非毫不关心，之后的行动就证明了这一点。一天，他没有跟妻子打招呼，独自去了东京。

在早稻田鹤卷的公寓，他发现女儿已完全变成男人，声音低沉，还长出了胡子。

"为什么要做这种蠢事？你觉得可以随便做这种无法挽回的事吗？会遭报应的！"他狠狠骂了香里一通，但香里说自己只是回到本来该有的样子，毫无过错。两人大吵一架，父亲就回老家了。

住在香里隔壁的年轻人听到的，估计就是当时的吵架声。

"这件事是伯父告诉您的吗？"哲朗问。

"他后来也坦承了，但那之前香里来过电话。"

"电话？说了什么？"

"她说今天爸爸来了，发现了做手术的事，然后他们大吵了一架。她让我替她道歉，我说你自己道歉就是了，但她说估计又会吵架，还是算了，最后她说……"香里的母亲低下头，紧咬嘴唇。

"说什么？"哲朗催促道。

"说不知什么时候才能再见面，让我们俩保重身体好好生活，然后就挂了电话。那孩子，"她又垂下头，继续说，"她的声音，那是我最后一次听到……"

"之后再没通过电话，也没见过面？"

她如梦方醒般点了点头。

"也没有信？"

她抬起头，似乎在迟疑。

"寄过信？"哲朗又问了一遍。

"对警察说没有，我们不喜欢他们对香里的事刨根问底。"

"但实际上有，是吧？"

"只有一封，今年夏天寄来的。"

"可以让我们看看吗？"

她好像吃了什么极酸的东西似的，歪着脑袋。哲朗可以想象她心中有许多顾虑，拒绝也很自然，毕竟她对哲朗他们的情况一无所知。

"但是，"她说道，"你们要找的人不是我家香里吧？"

"关于这个，我们也感到很震惊，所以想进一步调查原因。"

"那么，可以拜托你们一件事吗？"

"什么事？"

"香里的事……那个，不是你们要找的香里，是我们家的香里。如果有关于她的消息，可以告诉我吗？"

"明白了，查明她的住所后，我们会想办法让您见到她。"

"不，不是。"她笑着挥手，"那孩子应该不想见到我们。我只想知道她在做什么，身体好不好，这样就足够了。"

哲朗暗自感慨这真是母亲才会说的话，于是语气坚定地向她保证。

出了餐厅，他们开车返回佐伯刀具店。哲朗把车停在二十米开外。香里的母亲独自下了车，走进店里。

"很意外的进展啊。"理沙子说。

"是啊。"

"出现了和美月怀有相同烦恼的人了，你怎么想？"

"我觉得不是偶然，还有个更大的谜团。真正的香里现在已经不是女人的样子了，那我们在'猫眼'见到的女招待到底是谁呢？"

"住在江东区公寓的是哪一个呢？是真正的香里，还是……"

"那个人肯定是假的香里。你看过户仓明雄的记事本，那家伙缠着不放的是女人模样的佐伯香里。"

"真正的佐伯香里搬出早稻田鹤卷的公寓之后，就隐藏踪迹了？"

理沙子刚说完，香里的母亲就从店里走出，向他们小跑过来。她看了看周围，然后迅速钻进车后座。

"伯父回来了？"哲朗问。

"嗯，在里屋看电视。"

"您拿信出来，要是被发现就糟了。"

"没事，没让他发现。"

她拿出一个信封。哲朗看了一眼背面，只写了佐伯香里的名字，没写地址。

里面有张便笺，写着如下内容：

前略。

身体还好吗？

我找到了新工作，正在努力奋斗呢。

让您们这么担心真是过意不去。

您们好不容易把我抚养成人，我却做出背叛您们的事，真的很对不起！可是，我无论如何都想按照自己的意愿生活下去。我知道这样很自私、很任性，但希望您们能够谅解。我现在很幸福，每天都过得很充实，也有了许多同伴。

我有个心愿：无论发生什么事，都不要来找我，也不要和警察提起任何关于我的事。相应地，总有一天，我会回去看您和父亲。

请务必保重！

不孝子敬上

8

和香里的母亲道别后，两人去了曾发生殉情未遂事件的小教堂。听说就在回去的路上，仅几分钟车程。

教堂在离居民区稍远的小山坡上。看上去只是极为平常的西式建筑，只不过屋顶上立着小小的十字架。

建筑周围环绕着白色围墙，巨大的麻栎树穿过围墙伸向天空。可能正因如此，虽然太阳还在高空，围墙内却有些阴暗。

他们把车停在门前的路上，走进大门。院子里铺着草坪，已变成淡茶色，但显然精心打理过。

"可能就是在这片草坪上寻死的吧。"理沙子嘀咕道。

"也许。"

如果是合适的季节，躺在这片绿色绒毯一般的草坪上应该很舒服。他似乎能够理解香里她们选择这里的原因了。

玄关的门开了，一个戴着眼镜、约五十岁的女人走了出来。她系着围裙，头发扎在脑后。

"有什么事？"她问道。也许她一直在房间里盯着他们的举动。

"对不起，擅自闯了进来。"哲朗道歉。

"那倒没什么，我们的院子怎么了？"

哲朗看看理沙子，犹豫着该不该说出进来的真正目的。理沙子的脸上分明写着"你决定吧"。

"听说这里发生过女高中生殉情未遂事件？"哲朗一狠心就说了。

女人的脸色变了。眼镜后投射出戒备的目光。

"你们是……"

"佐伯香里的朋友，在东京的同事。"

女人的表情有些缓和。"香里，她还好吗？"

"联系不上她。我们刚从她老家那边回来，和她母亲聊了聊。"

"哦。"女人困惑地点点头，似乎明白了他们并非单纯受好奇心驱使而来到这个教堂。

"冒昧问一下，您住在这里吗？"哲朗问。

"是的，算是管理员。"说完，她眯起眼睛。

"一直在这里？"

"嗯，差不多。"

"那，她们自杀的时候也……"

女人看看哲朗又看看理沙子，然后说："是我发现她俩的。"

哲朗和理沙子对视一眼，说："请务必告诉我们当时的详细情况。"

女人摇摇头。"我不想说。"她仍面带微笑，语气却十分坚定。哲朗瞬间被这股气势压倒。

"我们绝不是来挖八卦的，而是真心想知道佐伯香里的事，理解她的想法。"

"我也知道你们不是坏人。但关于那件事，我不会轻易说的。我和那两个孩子有过约定。"

"约定？"

"我向她们保证绝对不会对任何人说起那件事，也希望她们不要再犯同样的错误。"

"但是——"

"喂，"理沙子打断了他，"够了，就这样吧。"

哲朗回头看看她，她朝他点点头。

"好，"哲朗点头，转向管理员，"请原谅我的冒犯。"

"没事。"她微笑着说，"你们专程从东京赶来？"

"是啊，无论如何都想找到她。"

"联系不上是挺让人担心。"她望着草坪若有所思。

"香里在那次事件之后，来过这里吗？"理沙子问。

"经常来，帮了我不少忙。那孩子很会做木匠活。"说着，她像是记起了什么。但开口前，她又仔细观察了哲朗他们一番，沉默了片刻，好像还是很疑惑。

"怎么了？"哲朗问。

她说"请稍等"，然后走进房子。几分钟后，她拿来了一张照片。

"这也是香里做的，用工地上废弃的铁丝。"

理沙子接过照片，哲朗在一旁望去。很难想象照片上那棵巨大的银色圣诞树是用废品做的，但比起圣诞树，哲朗更在意站在树边的人。一个穿着牛仔裤和对襟开衫的女子腼腆地微笑着，完全没有化妆，头发理得很短，身材纤瘦，脸颊却显得有点鼓。

哲朗险些就问这是不是佐伯香里，但马上想起自己都说是香里的朋友了，怎么可能不知道她的模样。

"这是什么时候？"

"就在事情发生后不久，应该是十八岁吧。她似乎也对这件作品特别满意，很稀罕地让我给她拍照，还这么开心地摆了造型。"

果然，这就是佐伯香里，和"猫眼"的佐伯香里看不出任何相像之处。

"这张照片能给我们吗？"

哲朗说完，管理员的笑容消失了，眼神变得严肃，沉默下来。

"不能给你，"她说，"但可以暂时先放在你那里。如果遇见了香里，替我转交给她。我想她应该没有这张照片。"

"谢谢，一定。"哲朗说。

管理员的视线转向门口，露出令哲朗很意外的笑容。

回头一看，两个小女孩走了进来。看上去是小学低年级学生。

"来得很早啊，其他小朋友呢？"她问道。

"待会儿就来哦。"一个女孩答道。

"嗯，外面冷，进去等吧。"

看着女孩们进屋后，管理员对他们说："今天有个小型聚会。"

"啊……"哲朗想起今天是平安夜，于是点点头，"这棵银色圣诞树会摆出来吗？"

"不能。铁丝很尖锐，如果刺伤孩子们的眼睛可不得了……"

这倒也是，哲朗又看了看照片上的圣诞树。

出了教堂，哲朗直接驾车驶入东名高速。两人一时都没有开口。不觉间太阳已西沉，哲朗不得不打开车灯。

"怎么回事？"哲朗望着前方说道。去东京方向的车道有些拥挤。

"你是指香里另有其人，还是指她和美月一样有一颗男人的心？"

"都是。"

"是啊……"理沙子调低座椅，"好像有个我们不知道的世界隐藏在这次的事件背后。"

哲朗有同感。他叹了口气，那个世界的入口究竟在哪里？

刚才去过的教堂再度浮现在脑海，但草坪已变得青翠，上面躺着两个女高中生。两人牵着手，香里手握安眠药的瓶子——老套的场景。

她们为什么要寻死呢？应该是因为找不到别的出路吧。究竟什么事让她们感到如此绝望？

一个是以女人的心态爱着另一个女人，另一个则是以男人的心态爱着一个女人，自己却是女性，为此痛苦不堪。虽然最后的结果都是自杀，但两人走到这一步的过程却截然不同。可以确定，逼迫她们的就是所谓的世俗伦理。然而，被称为伦理的东西也未必真能指引人们走上正确的道路。大多数情况下，那只是社会上的一般想法，没什么深刻的道理。

"反面的反面就是正面吗？"他喃喃道。

"你说什么？"

"没什么，试着想想挺奇妙的。假设香里是同性恋，内心是男人，所以应该喜欢男人，但在别人看来，只是一个女人爱上一个男人，从世俗的角度看不会有任何问题。正因为想殉情的两人烦恼各不相同，后果才如此严重。如果一个人同时背负了两边的烦恼，就没有必要烦恼了。所以，反面的反面是正面。"

"你是想说女人是男人的反面？"

"哪边都一样，也可以说男人是女人的反面。"

"不是指这个。你认为男人和女人的关系就像硬币的两面，是吧？"

"不是吗？"

"我觉得不对。应该说是有人告诉过我，这其中不正确的地方。"

"告诉你？谁啊？"

"美月。"

"哦？"哲朗踩着油门的右脚不由自主地用力，眼看着速度直线上扬，又慌忙放慢，"日浦说了什么？"

"她说，男人和女人的关系就像南北极。"

"这话可有些夸张，但意思一样，南极在北极的反面，这么说不对吗？也可以说是反方向。"

"我觉得不一样。"

"为什么？"

理沙子不答，调低座椅，身子转向窗边。哲朗无意催她，转而问起别的事。"你和日浦经常聊这样的话题吗？"

"也不是经常。"

"在床上？"哲朗开口说。

他感到理沙子转向他，把座椅调回原来的高度，望了过来。

"你想说什么？"

他刚想开口说没什么，但明白这样无法敷衍过去，况且他也想加以确认。也许是被女高中生殉情未遂事件触动了吧。

"你们接吻了？"哲朗问，握着方向盘的手心开始冒汗。他一直盯着前方，不清楚理沙子的表情，但感觉不到她有丝毫狼狈，依然能觉出她在注视自己。

"你问美月了？"

"嗯。"

"是吗？"她终于把视线从哲朗脸上移开，"然后呢？"

"我想知道你们为什么那么做。"

"因为没有不能做的理由。我想如果是和美月，那就未尝不可。"

"你什么意思？我知道你喜欢美月，但不至于爱上她吧？"哲朗试探道。

"为什么你会这么想？"理沙子反问道。

"什么为什么……我觉得那样很奇怪。因为你，"他又放慢车速，要集中精神驾车似乎有些困难，"你不是同性恋吧？"

"我没往那方面想过。"

"那你是忽然醒悟了？"

"什么？那是什么意思？"她的语气略带轻蔑，"你跟美月说了什么？她的心理很复杂的。"

"我知道，日浦有颗男人的心，所以喜欢上身为女人的你不足为奇，但你的心是女人吧？那么喜欢上同样身为女人的日浦不就……"

"美月是男人，至少在我面前是。"理沙子坚决地说。

哲朗无言以对，只能继续开车。脑子里回响着什么时候听过的类似的话。不久便想起那是中尾，他说"和我在一起时的美月肯定是个女人"，还有美月父亲的话："这么说可能会让你见笑，我至今都坚信那孩子是女人……"

哲朗意识到还有一个人虽未说出口，但也持同样的想法。那人不是别人，正是他自己。

"告诉我美月喜欢我的人，还是你呢。"

"是啊。"

"刚听你说起时，我很困惑，不知该如何和美月相处下去。但在一起生活的日子里，我逐渐觉得她外表看上去怎样都无所谓，因为我一点一滴地感受到她对我的感情，感到能接受她的爱情并继续生活下去是很幸福的。也许你认为，如果一个人内心是女人，并且不是同性恋，就只会喜欢拥有男性身体的人，但其实心灵之间是能相互感应的，我的女人心就感受到了美月的男人心。最重要的是敞开心扉，和外表没有多大关系。"

说到这里，她忽地像演戏般窃笑起来。

"真怪，我似乎是在坦白有外遇，你却面无表情，像在听广播里的交通信息。"

"不，不是冷静。"

"哦？"

"是不知该怎么回应。"

车已接近东京，前方是海老名服务区，理沙子说要在那里停一下。

停车场已爆满，真不知大家在平安夜都有什么急事。哲朗费尽周折才找到一个车位。

他去了卫生间，然后顺便在自动售货机买了罐咖啡，喝完回到车上，却不见理沙子的身影。她也有钥匙，回来了就应该在车里等着才对。

哲朗坐进驾驶座，发动引擎。打开广播的时候发现方向盘另一侧有张纸条。

我一个人从这儿回去，小心驾驶，圣诞快乐。

的确是理沙子的字迹。

哲朗坐在座位上向四周张望，但似乎不太可能找到她，即使找到了，也不知能做什么。

听着广播里约翰·列侬和小野洋子的《圣诞快乐》，哲朗缓缓发动汽车。

第六章

1

哲朗和须贝约在新宿三丁目站附近的咖啡厅。两人见面后，很快出了咖啡厅，向东走去。哲朗原以为要去歌舞伎町，所以稍感意外。

"不是那种夸张的地方，比较低调，怎么说呢？就是时髦又不失格调的店。"须贝满意地解释道。

"时髦又高雅……你怎么会知道那种地方？"

"也是辗转得知，我有个熟人在那里很出名。"

"熟人，男的？"

"对。"

"他有这种喜好？"

"他如果听到你这番话准会生气的。"须贝边走边冷笑，"是工作上的来往，他代理了一家寿险公司的业务，那家店的老板是他的客户。"

"保险？"

"差不多。说是客户可能还不够准确，应该说是互相帮助的关系。"

"什么意思？"

须贝立刻环顾四周，用手捂着嘴对哲朗耳语："说明白点，定期注射激素的人很难投保，因为人们认为那类人很容易得癌症，但科学上还没有确切的结论。"

"哈……"哲朗也听说过此事，逐渐明白须贝的意思。

"但这类人对自己的身体尤其不放心，为防万一很想投保。代理公司的工作就是尽量满足他们的心愿，算是一种帮助。当然，经济不景气，没有人投保也是残酷的现实。"

哲朗忍住没说"后面那句只怕才是真心话"。"所以，可以酌情处理？"

"简单来说就是视而不见。有没有注射激素是一目了然的事，但问题在于是否已经出现副作用。这很麻烦，唉，看情况了，好像有许多对应的方法。"

原来如此，果然是互相帮助。保险公司花这么大力气，一定能从中捞到不少利润。

时间是下午六点左右，再过几天就是新年。今晚，街上也有许多以年末为借口寻欢作乐的人在四处徘徊。

须贝在一幢茶色建筑物前停住脚。下了台阶后是店门，有个写着"BLOO"的小招牌，须贝小声说那个词念"buru"。

他们推门进去，里面有个 L 形的大吧台。架子上排列着各种洋酒，前面有个年轻人正在洗东西。"他"有些意外地看着他们。

"还没开始营业呢……"

那声音有些沙哑低沉，令人觉得不太自然。听惯了美月声音的哲朗马上意识到这是同一种类型的声音。

"嗯，知道。我们和相川老板约好了。"须贝递上名片。白衬衫、黑领带打扮的"他"接过名片，确认须贝的身份。

"他"的头发梳得很整齐，看名片的目光比男人更加犀利。

"请稍等。""他"说完就向吧台里面走去。

哲朗环顾四周。店内很宽敞,放了好几张大桌子。店内一角,两个年轻人正在打牌。一个穿着黑色西装,头发剃得极短,另一个穿着皮夹克,长发染成了金黄色。只能看见侧脸,但两个人都长得十分俊俏,将扑克牌扔在桌上的动作也很像男人的做派。哲朗想,大多数女人都会迷上他们。

那个人回来了。"请在休息室稍等。"

"休息室……"

"这边请。"

他们被领到一个仅四叠半大的小房间。墙边放着挂着男装的衣架,鞋子随意扔在下面的纸箱里。

房间正中央摆放着桌子和折叠椅,可能是面试的地方。两人并排坐下,须贝移过桌上的烟灰缸,从上衣口袋中掏出烟盒。

"怎么看都像个男人。"须贝小声说道,应该是在说"他"。

"是啊。"

"那种类型应该很受女孩欢迎吧。"须贝吐着烟,"但那方面不知怎么样。听说这家店里彻底做了手术的人很少。哎,反正做了手术也不能像正常男人一样。"

他指的是性功能。

"相川做了变性手术?"哲朗问。这家酒吧的经营者叫相川冬纪,哲朗来之前就听说了。不用说,这应该不是真名。

"没有,听说她什么也没有做。"

"什么意思?"

"就是什么都没有啊,连激素也没注射。"

"啊?"那样不就完全是女人的模样了?哲朗想。

须贝把第二个烟头扔进烟灰缸时,门忽然开了,走进一个穿着黑色双排扣西服的人。

"让您久等了，我是相川。"她看了看哲朗和须贝。她声音沙哑，但仍旧是女声，似乎隐藏了一种一般男人都没有的凶狠。哲朗也向她打招呼。

"山本先生还好吗？"相川说着便向这边鞠躬。须贝和哲朗慌忙坐正。山本似乎就是须贝说的熟人。

"还是老样子，忙得很，痔疮也好多了。"

相川的表情稍有缓和，看着哲朗。

她的头发有些长，向后面梳着，眼睛细长，鼻子和下巴的线条像雕塑般流畅。哲朗觉得最意外的是她化了妆。不是女性的妆容，而是在眉眼处强调了男性的刚毅，令人瞬间联想到宝塚舞台上的男角。

哲朗自我介绍之后，道出此行的目的是想找一个女人。

"叫佐伯香里。既然找到您这儿来了，自然不是一般的女人。"他补充道。

"内心不一般？"

"对。"

哲朗把照片放在相川面前——几天前在静冈的教堂得到的那张。相川伸手拿起，她手指很长，但留着指甲，有种女人的纤细感。看来没做过什么体力活儿。

"光看照片，她没动过手术啊。"相川说。

"现在应该是男人的样子，很可惜没有她现在的照片。"

"确定她在新宿工作？"

"那倒不确定。以前住在早稻田附近，我想或许有可能，就找他商量。"哲朗看向须贝。

相川一手拿着照片，一手托着脸颊，过了一会儿，她摇摇头。

"我没见过。如果是在新宿工作的人，我大概都有印象。"

"和这张照片相比，外貌应该有很大变化。"

"不，就算变了也逃不过我的眼睛。这个人现在变成什么样子，我大致可以想象，大概……"也许视力不太好，相川稍稍眯起眼睛，又看了看照片，"像'近畿小子'① 的堂本刚那种类型吧。"

听说她和几十个有类似烦恼的年轻人谈过心，有时还为他们找手术的门路。她的话有一定的说服力。

相川说，抱歉不能帮忙，交还了照片。

"要找这样的人，还有什么地方能打听吗？"哲朗试着改变问题。

"首先再去找找类似的酒吧，也许会在什么地方找到线索，然后再去医院找。"

"医院？"

"做了手术，免不了术后治疗。激素注射也是必要的。那个人肯定也在某个地方做着这些。"

"那么，对此类医院进行地毯式搜索……"

哲朗说完，相川冷笑道："医院应该不会毫无防备地透露患者的信息，而且当事人用本名就诊也有点不合常理，反正也是不在保险范围内的医疗行为。所以只有让人在所有可能的医院守候，等她出现。"

又不是警察，哪里有这本事！哲朗叹着气收回照片。他又拿出一张照片放在相川面前。

"这个人呢？"

看了照片，相川表情微变，因为照片上是女人的裸体。那是理沙子最近为美月拍的照片。

"好身材啊。"相川说道，语气并不下流。

"她是个超性别者，但没做手术。"

"看上去是没有，你也要找这个人吗？"

"是。她以前在银座当过调酒师。"

"很适合她。"相川微笑着，再次注视照片。哲朗看见她的眼睛里

---

① KinKi Kids，日本演艺界双人组合，成员为堂本光一和堂本刚。

射出某种认真的目光，不由得有些在意。

"在哪里见过吗？"

"没有，很遗憾。这个人我也不认识。"

"但你看上去对这照片很感兴趣。"

"不是，我在想这照片意义不一般。是你拍的？"

"不，是个女摄影师拍的。"哲朗不知为何说不出口，摄影师就是自己的妻子。

"女摄影师？果然。"相川似乎明白了什么，点点头。

"怎么了？"哲朗问道。

相川想了想，沉默了一会儿，慢慢开口。"一般的超性别者不愿意被拍到裸露的胸部，大而圆润的胸部是女性的象征。但这个人毫无抗拒地暴露胸部，看上去甚至还有些自豪的神色，像是很开心。"

哲朗点点头。他清楚地记得拍这张照片的场景。那时的美月正如相川所言。

"能这样敞开心扉，说明她对摄影师相当信赖。不对，光是信赖还不够，可能几乎是爱情了。所以听你说是女摄影师，我就想通了。这个人怀有对女性的爱情。"

哲朗对相川的洞察力惊叹不已。"她内心果然是男人吗？"

"可以说有男人的内心，但同时又是个女人。她脸上怡然自得的表情就说明了这一点。"

"是男人，同时又是女人？"

"推测而已，但我相信自己猜得没错。"

"什么意思？她很明确地说过自己的内心是个男人。"

"呃，说是那么说，但人们不了解自己的情况比比皆是，尤其是像我们这样的人。"相川两手交叉，盯着哲朗，"你刚才用了'一般的女人'这个词。我想请教，那是指什么样的女人呢？"

"我指的是在生理上和心理上都是女人。"

"我懂了，那么生理上是女人指什么情况呢？也许可以用性染色体是XX来定义，虽然实际上还是有例外，这个我们姑且不论。接下来，心理是女人指什么呢？从小就想穿裙子？喜欢玩过家家的游戏，比起机器人更喜欢洋娃娃，比起棒球帽更喜欢蝴蝶结？"

"我知道这些都只是环境和习俗的产物，但的确存在女性独有的性格，这也是事实吧？"

哲朗这么一说，相川深深地点头。"我承认，人的性格里存在偏男性和偏女性的部分。那让我再问你一个问题，你所说的女性是指内心百分之百被女性部分占据的人吗？内心有一小部分是男性的人就不合格了？"

"不，不能那么说。一般是指从整体上看女性部分所占比重较大的人。"

"多或者少，这也太随性、太主观了。标准到底由谁决定呢？"

哲朗闭上嘴，想不出反击的话语。

相川继续逼视哲朗。"听说你是自由撰稿人。你采访过易性癖或超性别的人吗？"

"没有。"

"那么，如果要采访该怎么办？"

哲朗不知她为何会问这样莫名其妙的问题。

"那样，还是先来这种店……"

相川又点点头。"是啊，这么做很容易就能找到采访对象。我们这类人一般彼此都有联系，这样就能和一连串有相同烦恼的人取得联系。但这个方法从根本上犯了一个错，你不觉得吗？"

哲朗考虑了相川话里的意思，但找不到她想要的答案。

于是她继续说："以这种方式采访到的对象，都是已经跨越了一定程度的壁垒的人群。我们这里经常会有新人来。她们首先要有自己是男性的心理准备。这就意味着越过了第一道难关。接着，她们要决心以男人的身份生活下去，这又是一道难关。进店、接待客人，也需要克服一定的障碍。再进一步，"相川竖起食指，"接受你的采访，还要战胜自己心里的种种不安。你最后能听到的话无非是出自那些已经跨越了几重障碍的人。最近出了几部关于这方面的纪实文学作品，不论哪部都在描绘坚强的主人公，超性别和易性癖的人群里简直都是些意志力强大的家伙。但事实并非如此，相比之下，连第一道关卡都无法跨越的人要多得多。"

相川看看身边，捡起地上的纸。像是什么广告传单。她用细长的手指小心地撕着，不一会儿她手里便只剩下宽约一厘米、长约二十厘米的纸条。

"知道麦比乌斯环吗？"她问哲朗。

他有些迟疑地点头。

相川把手上的纸条递给他，像是要他做一个。

哲朗拿着纸条的两端，把一端扭转之后，让两端重叠在一起。相川点点头，这似乎是正确答案。

"男人和女人就像麦比乌斯环的正面和反面的关系。"

"你的意思是……"

"如果是一张普通的纸，那么反面永远是反面，正面永远是正面，两者没有交会的机会。但若换成麦比乌斯环，正面却会在不知不觉间成了反面。正反面紧密相连。这个世界上所有的人都在这麦比乌斯环上，不存在完全的女人，也不存在完全的男人。而且每个人拥有的麦比乌斯环都不止一条。某一部分是男性，但别的部分又是女性，这是一般人的情况。甚至你的身体里也存在女性的部分。说是超性别，但也不能一概而论，易性癖也有很多类型。这个世界上不存在完全相同的人。这张照片上的人也不能简单地说成是'身体是女人，内心是男人'，我也是那样。"

相川淡淡地说完，开始观察哲朗的反应。那双眼睛里没有任何动摇，仿佛传达着迄今她所跨越的痛苦和受过的屈辱有多么深重。

哲朗抽回美月的照片。"这张照片里的女人说过，男人和女人的关系就像地球的两极，但我反驳说是硬币的正反面。"

"哦，北极和南极，这么说也行。"相川的嘴角放松了，"和麦比乌斯环一样，但若是硬币，从背面永远无法到达正面。从北极却可以走到南极，因为是相连的，虽然离得很远。"

"大概是那个意思。"哲朗现在也有些理解理沙子的话了。

"我不做手术也没注射激素，你不觉得奇怪吗？"

"实际上，我正想问这件事……"

"因为我并不觉得自己是异常的。我相信正是身体和这样的内心构成了真正的自我，没有改变的必要。"

"但在这家店工作的人却……"

"不能剥夺她们想解放自我的权利。可悲的是当今的社会满是关于男人该如何女人又该如何的规矩。外貌上也是，从小在那种环境中长大的人难免会认为自己不是本来该有的样子，讨厌大而圆润的乳房也情有可原。我认为不存在性别认同障碍这样的疾病。该治疗的是想消灭少数派的社会。"

"你是说如果社会能接受，激素注射和手术都没必要了？"

"我是这么想的。但是，也许不太可能。"相川摇摇头，叹了口气，"人类总是惧怕未知事物，因为恐惧，就要想办法消灭它。所以无论性别认同障碍这个词被关注到什么程度，也无法改变什么。估计今后仍无法传达我们想被社会接受的心情，一厢情愿的状态还是要继续。"

相川的话很沉重，一直沉入哲朗的内心深处。他再度看向相川，现在已辨不出那是男性的还是女性的脸庞，似乎并不属于任何一边，又似乎两边都是。

哲朗觉得以前在哪里见过和她有着相同目光的人，但一时想不起来。

相川撕碎了那张纸条。"北极和南极的比喻也不坏，但我觉得还是麦比乌斯环更确切。男人和女人的联系在某个地方必定会扭曲。"说完，她莞尔一笑。

回到店面，玩牌的两个人已移到吧台。另外还添了两个人，都是"美男子"。

"不好意思，打扰了。"须贝向他们打招呼。美少年们无言地点头致意。须贝推开门，准备走出，背后传来哲朗的喊声："等等。"

哲朗走近吧台，取出香里的照片。

"见过这个人吗？现在估计不是女人的样子了。"

面前的两个人先看了看照片，面面相觑。"没见过。"

"我也是。"

另外两个人似乎也感兴趣，哲朗又把照片拿到他们面前。

"怎样？"他问那两个人。

"我也没见过。如果在附近工作，大概都会有印象的。"穿黑西装的年轻人说。声音低沉，完全是男人的声音。

"也许不是在新宿。"

"您这么说，我们也还是不认识啊。"

"是啊，那你呢？也不认识？"哲朗询问那个金发年轻人，他有种音乐人的气质。

"我也没见过……"他盯着照片似乎在思考什么。

"怎么了？"

"嗯，我不太确信。"

"什么？什么都行，能告诉我吗？"

"嗯……错了就不好意思了。我见过一棵类似的圣诞树。"

"在哪儿？"

"好像是……"金发年轻人搔着头发说，"金童的舞台上。"

"金童？是什么？"哲朗问道。金发青年却沉默了，别人也不开口。

哲朗继续追问。

"是剧团。"背后传来一个声音，是相川冬纪，"金童，有个叫金童的剧团。阿健，果真在那里的舞台上见过？"

阿健像是金发青年的名字。

"我不敢肯定。舞台上好像有和这照片上相似的圣诞树。"

"金童剧团，是什么样的剧团？"

"普通人聚在一起弄的。"相川回答，"不过，对你们来说可能有别的意思，比如男扮女或者女扮男之类的。"

凭这一点，哲朗已大致明白了剧团的性质。他点点头，看着阿健。

阿健对着哲朗，但开口前又看了眼相川的脸色。

"你就说吧。"

听到这句话，阿健像是松了口气，望着哲朗说："我记得是去年夏天，朋友约我去看金童剧团的演出。好像是叫《圣诞老人阿姨》，舞台上摆了银色圣诞树，和这张照片上的很相似。"

"哦，《圣诞老人阿姨》。你常去看那里的演出？"

"也不是经常。那阵子去了两次，金童也不是经常有演出的。"

"那些演员里有那个女人吗？"哲朗指着吧台上的照片。

"演员的脸我可不记得了。妆化得很浓，又很久了。但对圣诞树的印象很深刻，所以还记得。"

也许是这样吧。哲朗道了谢，收回照片。

"金童剧团的经纪公司在哪里？"他问相川。

她苦笑着回答："哪有什么经纪公司啊，都是些有工作的人，因为兴趣聚在一起演演戏而已。"

"那联系地址呢？"

相川从哲朗身上移开目光，沉默了许久。她低垂的睫毛很长。"可以告诉你，但我不保证他会回答你。"

"这……"

"负责人很怪，媒体采访一律谢绝，也基本不做宣传。所以你的自由撰稿人身份一旦暴露，也许就得吃闭门羹了。"

负责人有处理许多问题的责任，谨慎行事也可以理解。

"反正我会先去试探试探。"

"明白了。"

相川去了趟休息室，两三分钟后拿着一张名片返回。

"背后写了我的名字，请跟他说是我介绍的。"

"谢谢。"

名片上写着"金童剧团团长嵯峨正道"，像是把自己家兼做办公室用，地址在世田谷区赤堤。

"这个姓嵯峨的人是我的老朋友。以前我们俩一起干过坏事呢。"相川说完便眯起眼睛。

"是男人吗？"话一出口，哲朗便想这下糟了。

相川却没有露出不快的神色。"从生物学角度来说，性染色体是XX。"

"我明白了。"门外喧闹起来，吧台边的美少年们纷纷调整姿势。哲朗最后想再说声谢谢，望向相川。那一刻，他想起了和相川有着同样眼神的人——末永睦美。

2

哲朗不知打了多少电话，仍未找到嵯峨正道，应答的总是电话答录机。哲朗留了言，报上了相川冬纪的名字，表达了自己真心有事求教恳请见面的愿望，还留了自己的联系方式以防万一，但嵯峨始终没有回电。

三十一号的傍晚，哲朗开车向赤堤方向驶去，一边看着地图，一边寻找名片上的住址。接近目的地时，他把车停在路边，走进深邃狭长的小路。双手抱着白色购物袋的主妇匆匆走过，那也许是本年度最后的采购。哲朗想自己家的年夜饭不知会怎样。从静冈回来后，他从未和理沙子好好交谈，在"BLOO"得到的信息也没有告诉她，连今天来这里，理沙子也不知道。

名片上的地址是一栋建龄已近二十年的小型公寓。哲朗穿过洞穴一般的门，立刻看见露着混凝土的台阶。墙上的日光灯坏了，显得十分昏暗。哲朗一边小心不让大衣的衣角蹭到台阶，一边向上走去。嵯峨的房间在三层。

狭窄的台阶尽头是三〇五室，写着"嵯峨"的纸牌贴在门中央，但没有金童剧团的标志。

哲朗按下门铃，里面没有动静。又按了一次，依然如故。看来真是出门了。也许是趁新年假期去旅行了。

哲朗轻轻叹气，回到走廊，正准备下楼，背后忽然传来开锁的声音。他扭回头的瞬间，门打开了。

一个理着平头的肥胖男人一脸狐疑地看着哲朗。此人大约四十岁，穿着汗衫和对襟开衫。

哲朗赶紧走回来问道："您是嵯峨吗？"

"你是哪位？"那人的声音低沉而略带沙哑。

"我姓西胁。'BLOO'的相川介绍我来的。"他把两张名片都递给对方。一张是他自己的，另一张是从相川那里拿来的嵯峨的名片。

嵯峨保持着从门内窥视的姿势，接过两张名片。她对西胁的名片似乎毫无兴趣，只是把自己的名片翻过来看了看。

"纠缠不休地留言的人就是你啊。"

"对不起。我想无论如何也要尽早见到您。您好像一直不在家，是去旅行了？"

"在家呢。"

"但电话……"

"我调静音了。熟人会打我手机。"语气很粗鲁。哲朗感觉她已经开始进入拒绝的状态。

"哦。我不知道您的手机号码……那么，正如电话里所说，我有些事想请教您。"

"关于戏剧的还是关于我的？"她像在品评优劣般打量着哲朗全身。不论是装束还是举止，她都像是个普通中年男人。

"都不是。要说的是关于舞台上的道具。"

"道具？"

"您今年是不是推出了一部叫《圣诞老人阿姨》的戏？关于那时用过的圣诞树，我有事想问您。"

嵯峨歪着嘴角，搔着脑袋。

"不是《圣诞老人阿姨》，是《圣诞阿姨》。"

"啊，不好意思。我是听别人说的。"

嵯峨咂了咂嘴。"'BLOO'那些笨蛋男公关告诉你的吧？那里的人根本没有正经看过戏。"

"但有人记得这棵树。"哲朗从大衣口袋中掏出那张佐伯香里的照片，"我听说，这棵树被用在了舞台上。"

嵯峨接过照片，看看上面的东西又看看哲朗，疑惑的神色丝毫没有消退。

嵯峨还是敞开了门，说："进来吧。"

这本是套两居室，但餐厅兼厨房和旁边的西式房间的隔板被拆掉了，也没有什么烹调或用餐的地方，取而代之的是会议桌、文件柜、书架等。大量装不下的书籍、文件占据了地板和墙边的一部分空间。

嵯峨在房间一角的办公桌前坐下，开始操作电脑。屏幕上显示的好像是文档，但看不清内容。

"你在那里我静不下心，你能不能找个地方坐下？那边有椅子。"

嵯峨背对着哲朗说道。

"啊，谢谢。"

哲朗坐在会议桌边的椅子上。那会议桌上也堆积了很多文件和资料。

电话响了。嵯峨用和肥胖的身躯极不相称的速度拿起听筒。

"喂……啊，是你啊……哈？你这家伙，究竟要让我等到什么时候？都已经三十一号了不是吗？我这边也有很多开销……啊？蠢货，你说什么？那是我该说的话吧……哼，我知道了。那你一定要给我赶上啊，下次再拖欠，把你的小弟弟剁了！"嵯峨情绪激动地说完，又对着电话哈哈笑起来。"我也没办法啊，你身上最值钱的就是小弟弟了。哈哈哈，那么明年见了啊。"

嵯峨胡乱地扔下电话，感觉电话都快被摔坏了，然后又继续敲着电脑键盘。哲朗觉得有些尴尬，无奈之下，他伸手去拿会议桌上的文件。

"再随便乱碰，我就把你轰出去。"嵯峨的声音忽然响起。

哲朗缩回手。嵯峨仍旧对着电脑，但停下了手。

"啊，我不是那个意思……"

"你等等啊。你也许是有空才找到这里来，我可是有很多事不得不干完。你不愿等就回去吧。"

"不，我等。对不起。"

哲朗说完，嵯峨又开始工作，但马上又停了下来，把脸稍稍转向后边。

"那个橱柜上边有个纸箱，看见了吧？你打开看看。"

哲朗照做了。里边满是 B5 的小册子，大概超过一百册。

"你看看那个就了解我们的情况了。"

"那我拿了。"

小册子的封面是蓝色的，用黑体字写着"金童日月"。原来如此，名字是取自一周的"金土日月"①，哲朗明白了。

"我不知道你出于什么目的来这里，但关于剧团的事，我除了册子上面写的东西，不会再多说什么，也不想公开。如果被公开了，不管对方是谁，我都不会放过他。"

"我听说您很讨厌媒体。"

"那些人不能相信。不论我们说什么，他们都只是想把我们控制在他们能理解的世界里。所以我们为自己说话，不靠任何人。"

"我懂了。"哲朗说。

嵯峨似乎微微点了点头。

哲朗开始翻阅小册子。第一页写的是团长嵯峨的话，题目是"我们该背什么颜色的书包"。

> 许多人相信血型影响性格的说法。按照那些人的说法，人类可以分为 A、B、O、AB 四种类型。相信这个说法的人在日常生活中基本不会因为血型去歧视他人。我认为即使血型不一样，但同样属于人类的事实不会改变。同时我也知道，若当真要分类，也不能粗粗地仅分为四个类型。
>
> 但是，为什么很多人会被性染色体的类型束缚呢？为什么不能想到不论是 XX 还是 XY，抑或除此之外的类型，同样都属于人类呢？
>
> 金童剧团就是在这个疑问的基础上诞生的……

哲朗感觉这段话里有和相川冬纪的话一致的地方。他们面临的困境比自己所想的要严峻得多。

第二页写的是剧团的成长经历。剧团成立于十年前，但初期没有

①日文中星期五、六、日、一分别称为金曜日、土曜日、日曜日、月曜日，"金土日月"与"金童日月"在日语中发音相似。

积极展开公演。活动开始变得频繁是差不多两年前的事，册子上没有说明是以什么为契机。

下一页上记载了迄今演出过的剧目的内容简介。一共有四出戏，《圣诞阿姨》被放在第二个。

故事从圣诞老人的集会开始。据说圣诞老人集团人数众多，依据国别由不同的人来担当。他们在每年圣诞将至时都要举行例会，那一年有新加入的成员。那个人就是这出戏的主人公，但竟然是女子。因为这件事，例会变得一团糟。大家讨论是否承认女圣诞老人，甚至开始争论如果承认，服装怎么办之类的事情。最后问题从为什么圣诞老人必须是男人，延伸到关于父性、母性的问题。

哲朗不禁被故事吸引。册子上并没有写明结局，却令人兴致勃勃。

"读得很认真嘛。"

哲朗闻声抬起头。嵯峨不知何时已把椅子转向哲朗。

"啊，不好意思。"他合上小册子。

"你在看什么？"

"圣诞……"

"噢，"嵯峨搔着后脑勺。"我自己对那部作品倒没什么信心，但是因为浅显易懂，成了最受欢迎的一部戏。"

"结尾是什么？"

"想知道就来看戏吧。"

"一定，下次公演是什么时候？"哲朗从上衣口袋中掏出纸笔。

"不知道。我们终究是个贫穷的剧团啊。"

哲朗把笔记本放回口袋。

"那个，你要问什么？你刚才拿了张照片，对吧？"嵯峨问道。

"我说的是这棵树。"哲朗再度把那张照片递给嵯峨，"你们演出用的树是这张照片上的吗？"

嵯峨盯着照片看了一会儿，回答："很像，确实挺像。"

"旁边那个女孩您有印象吗？"

"没有。"嵯峨把照片放在会议桌上，"完全没见过的脸。"

"您再仔细看看。现在她应该不是这个样子了。听说做了手术，变成了男人的样子。"

"那么给我看看她变成男人之后的照片。"

"那倒是没有，按相川的话来说，应该是类似偶像歌手堂本刚那样的类型。"

嵯峨笑了。"让那个家伙来形容，只要脸有些圆的全都是堂本刚。她肯定是堂本刚的粉丝。"

"总之，您再看看照片可以吗？"

"我看得足够了。"嵯峨恢复严肃的表情，把照片还给哲朗，"没见过，至少我不认识。"

"那您能帮我问问别人吗？"

"为什么我要帮你做这件事？我什么时候成你的手下了？"她瞪着哲朗。性别虽为女，但她丝毫没有女人味。

"我知道了，那我自己去查，您能给我介绍些剧团成员吗？"

"不行。"嵯峨随即摇头，"不公开有关团员的信息是我的一大原则。你看看刚才的小册子，里面也没有写关于演员和工作人员的任何消息。我不是说了吗？除了册子上的东西，别的我一概不回答。"

"为什么要保密？"

"这个问题很难回答。但我可以这么说，在如今这样的世界里，我们只能如此。现在还不行……"嵯峨粗壮的手臂交抱在胸前。

哲朗盯着对方的眼睛，嵯峨也毫无顾忌地盯着他，哲朗最终还是转移了视线。

"圣诞树是哪里弄来的？"

"这个嘛，是怎么回事来着……"嵯峨摇晃着脑袋，关节咔吧作响。"刚才我也说了，我们是穷剧团，不论大小道具都是大家四处拼凑起来的。应该是某个人拿来的吧，具体是谁我没注意。"

"您不是剧团的负责人吗？"

"我只是负责统筹。"

"那么，这棵树现在在哪里呢？就算只有这个线索，也请您告诉我。"

嵯峨仍然摇头。"拿来的人多半又把它放回原处了。我可不知道。"

骗人，哲朗下意识地觉得嵯峨在说谎。他低下头说："拜托了，请您告诉我吧。无论如何，我都要找到照片上这个女人。这关系到某个人的一生。"

嵯峨在他头部上方咂嘴。

"像你这样身材高大的男人，这么轻易就向别人低头怎么行？别这样，看着不舒服。"

哲朗咬咬嘴唇，抬起头。嵯峨皱着眉，噘起嘴。"我不知道你出了什么事，但从我的角度来说，我也有义务保护同伴的私生活，所以不能告诉你工作人员的名字。"

"无论如何都不行吗？"

"你还是放弃吧。"说完，嵯峨看看身旁的时钟，"抱歉，我接下来还有工作。"

"剧团的？"

"不，是我自己的。"嵯峨摆出握方向盘的姿势，"年末最后一件活儿了。要把货运到名古屋。"

看来她的本职是长途货车驾驶。

再纠缠下去也没用，今天还是先回去吧，哲朗这么想着，站起身来。

在玄关穿鞋时，嵯峨也站起来。

"我说的也许是废话，但世界上有不少人不愿被找到，否则反而会很麻烦。比如我这样的。"

哲朗回头望着嵯峨，"您的家人呢？"

"嗨，不知道过得怎么样。"嵯峨两手插在运动衫的口袋里，耸耸肩膀笑着说。

哲朗吐了口气。"打扰了。"他打开门，踏出一步，又回过头，"圣诞阿姨把礼物送到孩子们手里了吗？"

嵯峨脸上露出一丝疑虑，摇摇头说："没有。"

"为什么？"

"她平安夜来了月经。"

"呃……"哲朗不禁失声轻呼。

嵯峨拍拍哲朗后背。"再见。"

"我还会再来。"

"饶了我吧。"

门关上了，哲朗听见上锁的声音。

回到家，理沙子正在客厅吸烟。

"瞧你那张脸，今年最后的调查看来也没有收获。"

哲朗也坐在沙发上，深深叹了口气，好久没和她说话了。他向理沙子报告了在"BLOO"听到的话和去金童的事。她似乎对找到铁丝做的圣诞树的消息也很感兴趣。

"要想办法从那个叫嵯峨的人嘴里套出圣诞树的出处啊。"

"我也这么想，但好像相当困难。也不能把详细情况告诉她。"

哲朗也觉得还是不要采取太惹人注意的行动比较保险。要是自己也被警察盯上就完了。

两人陷入沉默。不知哪里传来焰火的声响，大概有人在提前庆祝新年。

理沙子拿起金童剧团的宣传手册，翻开第一页。

为什么很多人会被性染色体的类型束缚呢？为什么不能想到不论是 XX 还是 XY，抑或除此之外的类型，同样都属于人类呢……

读到这里，她抬起头。"我也有同感，是这样的。"

"我也觉得大家都有那样的想法就太好了。"

理沙子眨了眨眼睛，嘴角露出意图不明的微笑。

"对你来说是不可能的，估计。"

"为什么？"哲朗生气地问。

"因为你觉得男人和女人是不同的，应该说，是男人和女人的世界是不同的。"

"没那回事，我可没有男女偏见。"

"你是觉得不能有偏见吧？但这种想法就证明你认为男人和女人是不同的。如果你认为两者是一样的，像'偏见'这样的词根本就不会出现在头脑中。"

"就算你那么说，在现实中就是有差别，不是吗？针对这些差别采取行动有那么可恶吗？"

"我可没说那样不好。我是说，你不可能具备那样的想法。"理沙子合上小册子，站起身，"嗨，那种事，随便啦。我该走了。"

"去哪里啊，现在这时候？"

"我有个拍新年日出的工作。然后，还要到处转转……"她撩起刘海，"回来的时候应该是三号晚上了。"

不管是工作还是要离开几天的事，哲朗事先都毫不知情，但他什么都没说。他感觉这时哪怕抱怨一句，就会被指责"果然还是不能理解女性的工作"云云。

还有两个小时就是新的一年，理沙子提起大大的行李包出门了。她今年对哲朗说的最后一句话，是如果有关于美月的消息马上联系她。

哲朗走进工作室，不去想跨年一事，准备开始写稿子。但是，美月的事和理沙子的话在心头挥之不去，写得很不顺利。他感到有些饿了，便去厨房热了冷冻的比萨，然后从冰箱中取出啤酒。

比萨吃到一半时，电视里的时钟指向了午夜零点。

3

元旦和一月二号花在了对足球和英式橄榄球比赛的采访上。除了在体育场看到穿着和服的年轻女孩的时候，哲朗完全忘了正值新年。

三号去往东京体育场，那里有一场社会人士和学生的美式橄榄球冠军赛。这次不是去采访。

出了水道桥站，哲朗的手机响了。他有种不祥的预感。

是须贝打来的，依例说了些新年问候。他的声音有些不对劲。

"怎么了？"哲朗问。

"没什么，实际上是有关中尾的事。"

"中尾？"哲朗想起那张憔悴而消瘦的脸庞，"那家伙出什么事了？"

"我也不清楚。那个，他换电话号码了吗？"

"啊？怎么回事？"

"刚才我给他打电话，可是打不通，还播着奇怪的录音，说这个号码现在无人使用……"

"不会吧，你搞错号码了吧？"

"不可能。我把他的号码设成了快捷键，一直都能接通。后来我又打了他手机，还是接不通。他怎么了啊？有些担心。"

如果那是真的，自然会担心了，哲朗也开始沉不住气。

"知道了，我查查。"

挂断电话，哲朗直接拨了中尾家的号码。正如须贝所说，只有提示空号的录音，也没有提示新号码。

他又试着拨了中尾的手机，这下传来的是"请留言"。他姑且留了句希望中尾和自己联系的信息。

奇怪……

哲朗想起去中尾家那天。中尾那时说自己早晚要搬出去。是事情提早发生了？即便如此，为什么他没有和自己联系呢？

比赛快开始了。哲朗穿过人群向东京体育场走去。街上大多是情侣和年轻人，看上去都沉浸在新年的气氛中。

哲朗在门口取出票，准备入场。正要把票交给工作人员的刹那，前方的一家人吸引了他的视线。看上去像是父母的两个人分别拉着一个女孩，两个孩子应该都还没上小学。

两个女儿，所以不能让她们练橄榄球了——中尾的话浮现在哲朗脑海里。

他转身向车站走去。

发光的白色砖墙和上次来时相比没什么变化，但是，窗帘全拉上了，玄关的门上也没有挂注连绳①，不像喜迎新年的一家人住的地方。

哲朗按下对讲机，没人回应。他又拨了一遍电话，还是相同的录音。房子里的电话似乎也没有响。看来中尾已经把家中的电话注销或办了呼叫转移。

他呆立在门口，这时隔壁的玄关走出一个女人，看上去五十岁左右，穿着马海毛对襟开衫。她似乎是出来取邮件的。哲朗想起今天是配送贺年卡的日子。

哲朗赶紧走到那家门前。"对不起，请等等。"正要进门的女人惊讶地转过头。

"我是来找隔壁高城家的，好像不在。您知道怎么回事吗？"

"高城……啊，"她用手捂着嘴，慢慢回到门口，"可能不在吧。"

她压着声音，莫非有不能光明正大地说的事？

"去旅行了吗？"

---

① 日本人新年时挂在门前用于趋吉辟邪的稻草绳。

"不，与其说是旅行……"她好像瞬间想到了什么，接着答道，"也许在夫人的娘家吧。这不是过年嘛。"

哲朗感觉她在装糊涂。就算关系不是很亲密，也不可能对邻居的异状毫不知情。

"夫人和孩子也许是那样，但高城先生前些天还在这里。我上个月来拜访过。"

主妇似乎有些动摇，涂了艳丽口红的嘴唇有点扭曲。

"嗨……别人的事情，我什么都不知道。"她挥着手说完，匆匆消失在门内。

哲朗叹着气，回到中尾家门前，迅速瞄了瞄周围，确认没有人看见，就打开门走进去。

他没走上通向玄关的台阶，而是在院子里转悠。铺得很漂亮的草坪变成了淡茶色，有些地方还长出了杂草。房子的墙边长满了三叶草，看上去有一段时间没有清理了。

上次哲朗去过的客厅的窗帘也放了下来，但还留有一些缝隙。哲朗把脸贴在缝上。

他想确认屋子里的情况，但能看到的范围实在有限。只能看到正面的宽屏电视，没有找到什么能暗示中尾现状的东西。

可仔细观察之后，哲朗注意到宽屏电视下面有个录像机，显示屏的文字消失了，所以一眼看去没注意。这意味着电源被切断了，一般人们长期不在家时才会这么做。

哲朗想看得更清楚些，于是把脸完全贴在玻璃上。正在此时，忽然传来一个声音："你是什么人？"

哲朗倒吸一口冷气，循声望去。一个留着短发、身材娇小的女人站在一旁。她手里握着链条，链条彼端系着一条比柴犬大一圈的狗。那狗死死地盯着哲朗，浑身传递着一种似乎随时都可能扑过来的信号。

哲朗依稀记得她的脸，那是在中尾的婚宴上。当然，哲朗没有奢望对方还记得自己。出席婚宴的客人不下两百，美式橄榄球队在其中也并非多么耀眼的群体。

"好久不见，您是中尾的夫人吧？"哲朗上前一步。

女子随即退了一步，眼神比身边那条狗还要警惕。"你是谁？我可警告你，这条狗是经过训练的。只要我放开链条，它就会向你扑过去。"

哲朗不清楚她的话是真是假，但那条狗缓缓弓起背的姿势确实有种非比寻常的意味。

哲朗做出举手投降的姿势。

"等等。我姓西胁。西胁，是中尾大学时代的朋友。"

"西胁先生……"她重复了一遍，面露惊讶，"帝都大学的？"

"是的。您的婚宴我也去了。"

她的脸上露出回想起什么的表情，握着链条的手放了下来，那条狗也随即蹲下。

"真是条厉害的狗啊。"

"北海道犬。"

"北海道犬？"哲朗没听说过这个名称，含糊地点点头。

"那么，您有什么事？"中尾的妻子问道。盘问的语气表明她因为哲朗擅自闯入庭院而不快。

"擅自闯入，真是抱歉。"哲朗低下头，首先道歉，"我担心中尾，于是不知不觉……"

"您指的是……"

"一个帝都大学的伙伴，姓须贝的，给中尾打了很多次电话，但都没接通，他就打给我了。我也打不通中尾的手机，担心他出事，就赶来了。"

哲朗说这番话时，她目光低垂，应该是知道事情经过。

她胸部起伏，似乎是在调整呼吸，然后抬起头。"那个人已经不住在这里了。"

果然，哲朗想。"他离开这个家了？"

"是的。"

"那么，"哲朗搜肠刮肚，但找不到更委婉的表达，"离婚协议通过了？"

她睁大眼睛，似乎没料到哲朗竟知道此事。

"上个月我来拜访过。那时他就对我说，也许会变成现在这样。"

"这样啊。那么，我也没必要再说明什么了。"

她再次放低视线，似在暗示哲朗应知趣地尽快离开。

"但是，详细情况我一概没问。他说有机会再告诉我。"

"那么，就请您等有机会再去问那个人吧。我没什么……"她摇摇头。

"中尾是什么时候离开的？"

"上周吧。我也不知道准确日期。我告诉他不用通知我。"

看样子中尾是无人相送，一个人孤零零地离开的。他也许觉得那样会更轻松。

"能告诉我他去什么地方了吗？"

她表情僵硬地摇摇头说："不知道。"

"啊？但是，总能联系上吧？"

"我没问联系地址，我们也没什么事要联系他。"

"那样也……"哲朗没说出"太傻了"这几个字，"万一有事一定要联系他怎么办？比如有关孩子的事。"

"我不是说了吗？没那种必要。高城家和那个人已经没有关系了。这事已成定局。嗯，要是没别的事了，可以请您回去吗？我还有很多非做不可的事情要忙呢。"

"啊，不好意思。那最后再问一件事，他什么时候去公司上班？"

她似被触到痛处，紧紧咬着嘴唇，然后深呼吸，低着头说："那个人把工作也辞了。"

"啊……"哲朗半张着嘴，"什么时候？"

"其实我也不知道。手续上显示是做到去年年底。"

"是因为离婚吗？"哲朗明知问得太多，但还是不得不问。

"和您没关系吧？"她用毫无起伏的语调继续说，"请您回去。"

再纠缠下去，估计那条狗又要准备扑过来了。哲朗说声"抱歉打扰了"，从她身旁绕过，出了门。

房前停着一辆乳白色的菲亚特，可能是高城家的另一辆车。那辆沃尔沃也许是中尾开的。

经过车旁，哲朗不经意地朝里面看了看。后座上有手工制作的彩色抱枕，造型是美式橄榄球。

4

回到家，哲朗迅速地瞄了一眼收到的贺年卡，给几个朋友打了电话。今年的新年问候主要是为了打听中尾的消息。可惜，竟无一人知道他的近况。为不让其他人担心，哲朗隐瞒了中尾离婚和辞职的消息。

他蓦地想起什么，走进工作室，打开抽屉。以前的贺年卡胡乱地塞在里面。他取出逐张翻阅，终于找到了那张贺年卡。"高城功辅"的旁边写着"律子"，这样就知道中尾妻子的名字了。

那张明信片上印着抱着婴儿的中尾和依偎在他身边微笑的律子，照片里洋溢着幸福感。那时的律子长发披肩，与现在相比显得更加丰满柔和。中尾更是比前不久相见时高大许多，脸色也好很多。

不知他们缘何离婚，也许只是因为中尾有外遇这等事。娶了家族企业董事的千金，又因不忠而离婚，在公司里也就很难再做下去。

高城家和那个人已经没有任何关系了！律子决绝的话语在哲朗耳边回响。最终还是她先给丈夫下了休书啊。

但是，哲朗觉得她隐瞒了什么。理由是车里放着的那些抱枕。如果觉得丈夫背叛了自己，象征那个男人的美式橄榄球抱枕不应该最先被处理掉吗？

还有一件事令他很在意。中尾离家是否和美月有关？

哲朗猜想过中尾是否为了寻找曾经的恋人而抛弃家庭，但他并非那种轻率的人。况且上次去他家时，他已决定要离婚，那时他并不知道美月失踪一事。

在这个节骨眼儿上，中尾又失踪了，很难说是偶然。哲朗把旧贺年卡放回抽屉，正准备回客厅，桌上的电话响了。一瞬间，他不禁想，会是中尾吗？

可惜是理沙子。

"我现在在新宿，你能出来一下吗？"

"新宿？干什么呢？"

"你来了就知道了。我和某人在一起呢。"

"谁？"

"就是叫你来确认一下嘛。那个人好像有话要对你说。"

"是……同日浦有关的事？"

她稍稍顿了顿，答道："是啊。"

"告诉我地方。"哲朗拿过圆珠笔和便笺。

正值新年，但到了三号，新宿已与往常没有什么区别，只是醉汉更多了，人们看上去似乎更放松一些。

地址是面朝新宿大街的鸡尾酒吧，在大楼的地下。

哲朗推开门，昏暗的灯光下烟雾弥漫。右边是吧台，左侧摆着桌子。店里差不多坐满了人，占据了大桌的年轻人们肆无忌惮地大声吵嚷。

理沙子坐在最里面的一张小桌旁，刚完成摄影的她一身登山客打扮。桌子上摆着 Gin & Bitters 鸡尾酒。

哲朗走过去，想坐在她对面，忽然背后有人敲他肩膀。"你俩并排坐嘛，不是夫妻吗？"

早田幸弘手持酒杯，站在一旁。他的出现令哲朗很意外，一时说不出话来。

"坐啊。"他又说了一遍。于是哲朗依言坐在理沙子旁边。早田在他们对面坐下。

"怕你发现我在就会回去，所以藏了一会儿。你可别想歪了啊。"

"那倒不会，只是有些意外。"

服务生走了过来。哲朗要了吉尼斯啤酒，早田又要了杯野火鸡威士忌。

"到底怎么回事？"哲朗问理沙子。

"碰巧遇见的。"

"在哪里？"

"在我们公司。"早田回答，"她是为我们公司拍新年日出的，收工后顺便去了趟公司，碰巧遇见了。"

"好久不见了，来喝一杯，是吧？"哲朗佯装笑容，"两个人一起。"

"好久没和高仓单独喝酒了。是吧？"早田对理沙子说道。她微微一笑。

"那没必要把我叫来啊。"

"当然，如果能不叫，最好不过。"早田平静地说。

服务生端来饮料。早田举起杯子。"先干杯吧。过年了。"

理沙子先举起鸡尾酒杯和他碰杯，哲朗随即举起啤酒杯。

"把你叫过来的理由就一个，就是那件事。这么说，你明白了吧？"

哲朗沉默地看着他。有必要确认自己来之前，他和理沙子说了什么。

早田似乎看穿了他的心思。"高仓什么也没说。我想尽办法希望套出点消息，可她口风相当紧，坚称什么都不知道。"

哲朗点点头，心想这很符合她的行事风格。

"但是，"早田喝了一口波本威士忌，"并非一定要发出声音才算说话。"

哲朗不明白他话里的意思，疑惑地歪着脑袋。

"西胁，你知道吗？高仓有个习惯。"

"习惯？"

"嗯，她呀，说谎的时候，嘴唇右端会微微上扬。十多年过去了还改不了，真是怪了。"

哲朗不由得看看身旁的妻子。他并不知道她有这样的习惯，而她一脸被人抓住了要害的表情，低头看着桌面。

"隔了这么久又看见那个动作，我就确信了。"早田放下杯子，直视哲朗，"确信你们俩处境危险，所以把你叫来了。"

"你想说什么？我不太明白。"哲朗故意露出笑容，喝干酒。

早田靠着椅背，抬起下巴仰视哲朗。"找到日浦了吗？"

哲朗瞬间屏住了呼吸。理沙子把酒杯送到嘴边，可能是想掩饰内心的狼狈，手的动作明显不太自然。

"从日浦丈夫那里得知那户籍誊本里有一本是她的，对吗？我想你也明白，我正是因为这一点，才开始对户仓被杀事件感兴趣的。"早田像是在等待哲朗的回答，一直盯着他。

哲朗叹了口气。此时的心境和我方攻线崩溃，被对方的线卫突袭时一样。

"你去了日浦家？"哲朗问道。

"夫家和娘家都去了。"早田点头说，"和你一样。"

"然后呢？"

早田喝干波本威士忌，把只剩冰块的杯子放回桌面。

"西胁，我以前也说了，我想公平地进行调查，所以不逼问你和高仓，也不把你们的事情出卖给警方。但我要再次宣布：我会紧追不放。就算最后的结果可能会伤到以前的伙伴，我也没有办法。"

他的眼神里没有丝毫姑息，冷静而透彻。哲朗觉得他选择"宣布"这个词，并非单纯地作为一种表达方式。

"按你喜欢的去做就是了。不用担心我们。"

"我自然不担心你们。但话说在前头。"早田双肘抵着桌面，探过身子，"你们快点从案件中收手。那是为了你们自己好，现在还来得及。"

"此话怎讲？"理沙子问。

"趁还没着火，赶紧收拾家里的财物去避难。"

"会发生火灾？"

"对。"早田点了点头，"我会把火点上，快了。"

"说话真够狠的，看来你掌握了事件的主动权？"

"我觉得主动权的确在我手里。"早田说完，右手紧紧握拳。

"你找到了什么？"

哲朗一问，早出开始冷笑。"我都说了不会问你们什么，你们却反过来问我，这可不公平。"他看看周围，探身靠近哲朗他们，然后竖起食指，小声说道，"看在友情的分上，告诉你们一件事。这样下去，警察不可能破案，关键的线索在我手里呢。"

听起来不像虚张声势，哲朗也知道早田不是那种玩弄低劣伎俩的人。

"那，我就……"早田站起来，手伸进口袋，掏出一张皱巴巴的万元钞票放在桌子上，"那么，今天就这样吧。"

"太多了。"

哲朗想把钱还回去，早田伸手压住他的手。

"是我叫你出来的，没关系。比起这个……"他弯下腰，看看哲朗又看看理沙子，"这可是最后的警告了。不要再碰那件案子，不然一定会后悔。"

哲朗想回一句，未及开口，早田已大步走出，出店门时也没有回头。

5

四天后是周日，哲朗来到大阪，目的是采访大阪的新春半程马拉松赛。他根本无心工作，但与杂志社的约定不能反悔。

赛道从中之岛公园开始，到长居运动场结束，全程二十一点零九七五千米，大约相当于大阪国际女子马拉松的回程距离。

哲朗一大早就去采访主要选手，没看起跑，径直去了长居运动场。这场比赛的结果基本没什么意义，所有选手都将其视为全程马拉松的前战或热身赛。

运动场里有一个被草坪包围的公园，外围约有三千米，可以想象平日应该有许多喜欢来慢跑或者散步的人。事实上，今天也有一场补充赛事，十公里的家庭马拉松，因参赛人数过多，跑步都有些艰难。

哲朗坐在运动场内的媒体专用休息室里，一边通过监视器看比赛，一边回忆四天前早田说的话。他给了哲朗几个冲击，其中之一即他比预想的更加逼近哲朗他们周围，也许他从不认为美月和案件无关。

另外，早田断言解开案件的钥匙在他手里。那钥匙究竟是什么，哲朗他们无从知晓。根据早田所言，没有他手上的线索，警方就不可能查明真相。

早田到底知道些什么……

哲朗沉浸在思绪中，忽然有人从背后拍了拍他的肩膀。回头一看，泰明工业的队医中原正眯着眼站在身后。

"连这么小型的比赛都得采访，你也不容易啊。"

"中原先生您也是陪同吗？"

"监护呢。有坂教练对运动员的健康管理可严格了，但还是丢不了以前那种想法，到现在仍不理解休息的重要性。"中原反对主力队员参加这场比赛。"对了，想让你见一个人。"说完，他朝身后点头示意。哲朗从监视器中看见有个人自屏幕前的人群中挤出，不禁微微张开嘴。是末永睦美。穿着牛仔裤和风衣的她跑到西胁面前，急忙点头问好。

"下次她要协助我们大学的研究。"中原说道。

"什么研究？"

"总之，"中原瞥了一眼睦美，像在搜寻词汇般舔舔嘴唇，"针对她和一般人不同的地方进行全面的检验。不仅是医学部分，还想弄清优异运动能力的秘密。目前正和医学院合作制订研究计划。"

"呵，这可是……"哲朗看着睦美。她低头沉默着。

一个年轻男子走过来叫中原。中原说声"去去就回"就跟了出去。

哲朗和睦美在尴尬的氛围里面面相觑。

"要喝点什么吗？"哲朗试着开口，睦美用力点头。

他们走出媒体休息室，看了一眼大赛主办方的休息室，那里放着会议桌，空无一人。在自动售货机买了饮料后，他们走了进去。

"你下了很大决心啊。"哲朗一边开罐装咖啡一边说道。

"让别人了解我也很重要。"睦美把一罐运动饮料放在手掌上滚动着，"而且我也有许多事想知道。"

"也是。"哲朗喝了一口咖啡。

他想不到该说什么。他明白自己可能连睦美承受的痛苦的十分之一都无法想象。

"那个人没有来吗？"睦美开口说。

"谁？"

"上次来学校的那个女人。"

"啊，"哲朗明白了，她是在说美月。"她有很多事要忙，这次是我一个人来的。"

"哦。"睦美打开运动饮料。看她的侧脸似乎有些失望。

"她怎么了？"

"没什么。"她闭上嘴，喝了口运动饮料，又有些踌躇地说道，"她也很辛苦吧？"

哲朗把咖啡送到嘴边又停住手。"什么意思？"

"她……不是一般的女人。"

哲朗把咖啡放到桌上。"你看出来了。"

睦美微笑，露出虎牙。"不知为什么，会有种直觉，啊，这个人不一样之类的。正因为有这样的想法，我那时才会答应让你们采访。"

这一点，哲朗也隐约察觉了。

"让她看你的身体也是因为这个？"

"后来想想还真是傻，有点后悔呢。我这么做不是想证明哪种人都比我好。"

"她看了之后，应该也觉得有更多问题要思考。"

"哦。"睦美小声说道，喝起了运动饮料，但脸上的微笑消失了。

"我后来又见了许多人，想法也改变了不少。稍微能理解你那时说的话了。"

"我，说了什么？"

"大家最终都是随意地把男人归为某一类，女人归为某一类，然后为了自己和规定之间的差别而痛苦。但其实谁都没有关于男人是什么、女人是什么的准确答案——好像是这么说的。"

"啊，像是。"她点点头。

"关于那个问题的答案，我倒是听到一个有趣的解释，说是男人和女人都处于麦比乌斯环上。"

哲朗说了"BLOO"的相川冬纪的话。睦美兴致勃勃地听着。

"麦比乌斯环……有意思。"

"不仅仅是心理，对于身体也可以那么说。如果是那样，你就处在麦比乌斯环的正中央了。"

"你这么说，我好像轻松了一点。"睦美用右手把喝完的饮料罐捏扁，

246

"真想见见那个人。"

"下次给你介绍……啊，对了，给你看个好东西。"

哲朗打开包，取出一个信封，里面装着三张照片，最上面那张是美月的裸体。他把那张照片放在睦美面前。

"这是她的身体。是熟识的摄影师拍的。"

"嗬！"睦美说完，仔细地看了起来。不单单是因为好奇，那双眼睛似乎是在欣赏艺术品。这令哲朗有些意外。

"锻炼得相当不错，肌肉的线条很好。"

"那时好像还残存着雄性激素的影响。"

"现在不注射了？"

"好像是。"哲朗暧昧地点头，把照片放回信封。睦美忽然像是吃了一惊，瞪大了眼睛，视线停留在别的照片上。

"怎么了？"

"那张照片上的人……不，不是那张圣诞树的，另外一张。"

她说的是那张香里和女招待同事的合影。当然，香里是假名。

"这个是你熟人吗？"睦美指着香里的脸问。

"不，不算是。"哲朗回答。

睦美脸上写满困惑。她把目光从照片上移开，看着地板的某一点。

"你认识这个女人？"哲朗把照片拿到她面前。

睦美抬起头，不知为何吃惊地望着哲朗，嘴唇微颤。

"如果知道什么，可以告诉我吗？其实，我正在找这个女人。现在她下落不明。"

睦美乌黑的眼珠像是要诉说真相一般游移不定，停下的那一刻，她开口说："我见过，就一次。"

"在哪里？"

"应该是池袋。"

"怎么遇到的？"

睦美似乎依然在迷茫，但就那样继续说道："在一个叫思考性意识的学会……的聚会上。"

"性……是有关性意识的？这个女人出现在那个地方？"

上次睦美提过，为排解烦恼，她曾经参加过各种集会。然而，佐伯香里，应该说是冒名的佐伯香里不知为何会出现在那里。

睦美犹豫半晌，最后像是下定了决心，深呼吸之后说：

"那个人，不一样。"

"啊？什么不一样？"

"不一样。他不是女人。那个人是男人。"

6

虽是一月份，银座的街道上却令人感觉不到什么活力。不景气的状况并没有好转，人们仍受困于阴郁的情绪。偶尔能看见残留着新年氛围的陈列窗，却只令人觉得有些空虚。

哲朗一推开"猫眼"的门，两个女招待立刻迎了上来。一个是宏美，另一个没见过。

"今天一个人？"宏美接过他的大衣，问道。

"是啊，不好意思。我坐吧台就可以。"

哲朗迅速环视店内，然后在吧台前坐下。上座率约六成，没有发现望月的身影。

宏美拿来热毛巾，坐在他身边。

"老板娘不在？"

"估计快要来了。找她有事？"

"嗯，有点事要说。对了，"哲朗又四下看了看，"香里小姐还在休息吗？"他明知故问。

"是啊。真对不起，每次都是我，要不要换个更年轻的女孩啊？"

宏美还是不改那种做戏般的语调。

"不，没关系。你和香里关系不错吧？"

"嗯，还好吧。"

"一起出去旅行过吗？"

"旅行？和香里？啊，我没有。我们店倒是组织过犒劳旅行，但香里好像没参加。"

"你去过她的住处吗？"

"嗯，好像去送过什么包裹。我记得她家好像在锦系町附近。"

"在那里过夜了吗？"

"没有。"宏美摇摇头，用女招待特有的眼神瞪着哲朗，"上回也是这样，西胁先生看来相当在意香里的事，只说和她有关的话题。"

"没办法。这种店的客人不都是冲着看上的女孩才来的吗？"哲朗拿着酒杯试探着说。

"也许是吧，但总是跟我说已经不在这里的人……"宏美一脸赌气的表情，这自然也是演出来的。

哲朗暗暗提醒自己，不要被她那张看似善良的脸和看似诚实的表情编织的假面蒙骗了。长时间一起工作的姑娘们不可能没发现香里的真实面目。

当然，他喝着酒想，那个香里不是女人一事，至今仍令人无法相信。但末永睦美断定，那个人一定是男人。

"一开始我也吓了一跳。我知道在那样的地方必须把身体和内心分开看待，况且我比一般人更能看清这个事实，可还是无法相信那个人是男人。但他本人都那么说了，所以肯定没错。"

哲朗想，一眼就看出美月本质的睦美尚且这么说，自己没能看出来也情有可原。若他本人没有说明，他的常客恐怕也不会知道。

据睦美说，那时那个人好像姓立石，名字就不知道了。似乎是立石主动跟睦美搭话的。

"他问我有没有为户籍而烦恼，因为看到户籍就会明白真实的性别，许多正式的手续必须用户籍上的名字才能办理。我回答我在户籍上暂且将性别定为女性，也认为只能以女孩的身份过日常生活，所以至今还没有感到棘手的地方，但也许将来会有。"

睦美说完，他便说以后若有事找他商量可以联系他，并把联系方式写在便笺上。可惜，睦美不小心弄丢了那张便笺。但她还记得上面写的不是"立石"，而是个女人的名字。哲朗问是不是佐伯香里，她说好像感觉差不多。

哲朗隐约觉得什么东西正一点点变得清晰，但还不确定该不该让它更加明了。

开门声响起，"您好！"不知谁问候了一声。哲朗看看入口，老板娘野末真希子正要进门。她今天穿着素雅的紫色和服。

野末真希子和别的女招待谈了一会儿，又去问候座位上那些傲慢的客人。

"我想和老板娘聊聊。"哲朗对宏美说。

"好的，那你等等哦。"宏美站起来，但没有立刻走向野末真希子，似在等待交谈的时机。

哲朗要了第二杯酒时，野末真希子终于来到他身旁。她那职业性的笑容后面似乎隐藏了几分责备之意。

"去年多谢惠顾。今年也请您继续关照，西胁先生。"

"这么忙的时候来打扰您，真不好意思。"

"哪里。"

"其实，"哲朗看了眼周围，贴近她的脸说，"有关香里小姐的事，想跟您确认一下。"

野末真希子微微叹了口气，仍微笑着，但似乎有些不快，仿佛在说，你怎么又旧事重提？

"那个孩子已经不在这里了。"她没有说还在休假。

"这我知道，所以才觉得您会坦白。"

"我跟您撒过什么谎吗？"

"关于香里啊。不对，这么说也许不恰当，"确认周围没有人在偷听，哲朗接着说，"应该叫立石先生。"

野末真希子仍保持笑容，却像被按下了暂停键，凝固了一般。那只是一瞬间的表情，她很快恢复正常。

"立石先生？那是谁？"

"您装糊涂也没用。我已经知道了。"

她望着哲朗的眼睛，点了点头。

"不知您还知道些什么，那样也无所谓。您没必要来追问我们啊。"

哲朗感觉她就要起身离去，于是拍拍她的肩膀。

"我想知道详细情况，不会给你们添麻烦的。我只是想找到日浦美月。"

野末真希子似乎没料到那个名字会从他嘴里说出，不住地眨眼睛，笑容顿时消失不见。

哲朗说出美月的名字是赌了一把，但他觉得野末真希子应该不会报警，因为这个女人的秘密比自己要多得多。

野末真希子涂了睫毛膏的睫毛低垂着，陷入思索。她终于开口说道："沿着门前那条路朝新桥方向走，左侧有家叫'Pit'的咖啡厅。你在二楼等我。我很快过去。"

"Pit，是吧？"哲朗下了高脚凳。

哲朗很快明白了她为何让自己在二楼等候。走上昏暗的台阶，二楼摆放着四张桌子，一个客人也没有。这样就不用担心会被谁偷听了，也不会被外面的人看到。

服务生端来咖啡时，野末真希子到了。服务生连忙问她要点些什么，她说不用了。

"特意让您来到这里，真是抱歉。"

野末真希子笑了笑，点上一支万宝路。

"香里的事听谁说的？"

"偶然听说的。有人去过关于男女性意识的讨论会，在那里见过香里。"

"是吗？世界真小啊。"她侧过脸，吐了一口烟。

"您肯定知道'她'是男人吧？"

"呃，差不多。"

"没想到'猫眼'这样的店会雇那样的人。"

"如果知道事实，客人们肯定气死了。"

"客人都不知道吧？"

"那当然。怎么可能告诉他们。"

"您怎么会雇'她'的？"说完，哲朗不禁想，"她"这个词不太恰当。

"老熟人介绍的。但我没想到会带个男人过来。"野末真希子笑了，这是她真实的笑容。

"您没打算拒绝？"

"如果一开始就知道是男人，肯定百分之百会拒绝，但事实上我得知真相是在决定雇'她'之后。第一眼见到'她'，我就很满意，详谈之后才知道是那样。当然，那时我免不了有些犹豫，但又觉得那么漂亮的孩子，客人应该不会怪罪，于是下定了决心。"

酒吧经营者里有一部分把女招待的身体当成赚钱工具，野末真希子应该不在此列。

"是个美人啊。说实话，我现在还有点无法相信。"

野末真希子也赞同地点点头。

"那孩子是阉伶。"

"是指……那种阉伶？"

"嗯。"

那是指为了让少年时代的美声保持到成年之后，在小时候就被阉割的男性歌手。哲朗看过一部电影，主人公就是一个叫法拉内利（Farinelli）的著名阉伶歌手。

"如今还有为了保持声线而阉割的人吗？"

野末真希子笑着又挥手又摇头。

"我是说他就像阉伶一样，但的确小时候就阉割了。"

"是谁做的？"

"他自己，他伤害了自己。"

"不会吧？"

"他本人说的，是在上小学的时候。他有哥哥和姐姐，他想变得和姐姐一样，并且从小就觉得自己能变成那样。"

但周围的人都教育他绝对不能变成那样。那会变成怎样呢？会变成身体结实、声音粗犷的哥哥那样。少年于是心想，不管怎样都要阻止这种变化。他终于发现，将导致自己变丑的根源就是垂在两腿间的东西。从那天起，那就成了他最厌恶的东西。只要没有那个……

少年的家里是开面包店的。面包作坊里有把面包切成片的机器。某个夜晚，少年实在无法忍受，就偷偷潜入面包作坊，把自己的睾丸切了下来。

"听到惨叫，父母急忙赶过来，地板上已经血迹斑斑。"野末真希子说，脸上已没有笑容，"说是住院治疗了两个多月。父母问他原因，他第一次说出了真实想法。父母也表现出一定的理解，但没有告诉他'那你就作为女孩生活下去吧'。对父母来说也是个难题啊。"

"伤后来怎么样了？"

"似乎治好了，但原本的功能基本消失。所以那孩子没有变声，也没有变成男人的身材。如他所愿，没有变成哥哥那样。但是变成姐姐那样，是十年之后的事了。"

终于揭开香里美丽的秘密了，哲朗想。他应该算是中性人。

"他原姓立石吗？"

"立石卓是他的本名。"她用手指在桌子上写下这三个字。

"这些事跟警察说过吗？"

她一动不动地盯着哲朗。"说了比较好吗？"

"不，我不清楚。"

"对于店员和客人的事情，除非有充足的理由，否则我都不会说。就算对方是警察，我也只会说不太清楚，仅此而已。"

"却跟我说了香里的事。"

"因为您已经知道那个孩子是男人。与其让您再费劲去问别人，还不如由我好好解释清楚。"

她似乎在暗示哲朗保密。哲朗自然也无意对别人提及此事。

"他现在在什么地方？"

"这个我不太清楚。他只对我说要躲一阵子，让我不用担心。"

"日浦美月呢？在店里好像是叫神崎见鹤。"

"也是一样。现在在哪里，做什么，我都不知道。"

"警察应该缠着您问了不少关于失踪调酒师的情况吧？"

"是啊，但我的回答只有这一个。"

好像就是那句"不太清楚"。

哲朗一口气喝干已变凉的咖啡，指着那盒万宝路。"给我一支好吗？"

"请。"她说着打开盒盖。哲朗抽出一支，她娴熟地点燃打火机。

"我和日浦美月是老朋友了。详情就不说了，但她好像和户仓明雄被杀事件有关，所以我才这样四处调查。坦白说，您怎么看？关于那两个人的事，您作何感想？"

野末真希子双手托着脸庞，歪着脑袋，长长地叹了口气。

"其实，我曾在一瞬间怀疑过，就在事件发生后，见鹤……美月失踪的时候。"

哲朗点点头，怀疑也很合理。户仓一直纠缠香里，老板娘不可能不知情，美月护送香里回家一事亦然。

"但我还是选择相信她。不管情况怎样，我都会保护她。"

"为什么？"

"香里对我说过。她说：'老板娘，我们不是杀人犯。我没有杀户仓，美月也没有，这一点请您务必相信。'"

"美月也没有杀……"

"是啊，她也没有杀人。我愿意相信那句话。"野末真希子点点头。

第七章

1

餐桌上放着一张纸，上面用圆珠笔写着"佐伯香里"和"立石卓"，两个名字中间用一条线连着。

"这两个人可能互换了：想变成男人的香里需要男性的名字，相反，立石想要女性的户籍。他们俩的利害关系达成了一致。"哲朗一边指着这两个名字一边说道。

"看来，他们俩交换名字应该是在香里离开早稻田的公寓之后。她在早稻田时还在用香里这个名字。"坐在对面椅子上的理沙子回答。

"不错，想必他们正是趁搬家这一机会互换了。"

"不知他们现在还有没有联系。"

"我觉得应该有，不然会有很多不方便的地方，比如遇到交通事故时该怎么应对之类。"

"也是……"理沙子一边点头一边说。

假如立石卓遭遇交通事故，陷入无意识的病危状态，警察一定会根据随身物品来推断他的个人信息，而他持有的随身物品全都显示着佐伯香里的名字。这样，警察就会联系香里的住址，万一让香里的家人知道就不得了了——佐伯刀具店的香里的父母将会在病房见到一个经变性手术变成女性的陌生男子。

"驾驶执照和健康保险证又怎么处理呢……"

"健康保险证可以用互换之后的名字申请。问题是驾驶执照上面的照片，如果要办理新的驾驶执照，必须出示旧执照。新旧照片截然不同，负责办理的警察一定会怀疑。"

"那么他们还在用原来的驾照？"

"有这种可能，又或许另有更好的办法。无论如何，这两个交换了名字的人终生都会密不可分地联系在一起。"

"如果他们现在还联系，失踪了的香里，或者说是立石卓的行踪，真正的香里很有可能知道。"理沙子皱起眉头，双手挠头，"真复杂啊，脑子都要乱了。"

"必须找到真正的佐伯香里。但线索只有一个。"

"金童剧团。"

哲朗点头。

"剧团的负责人嵯峨一定知道香里的事情。如果能从那家伙那儿问出些什么就好了。"哲朗扔下圆珠笔，抱起胳膊。

但从之前见面的印象来看，与其说不容易从她那里打探消息，不如说是几乎不可能。他们这样的人比一般人更看重隐私。

"你说过，那个姓嵯峨的，她的家也是剧团的办公室，对吧？"

"嗯。"

"那里肯定放着剧团的各种资料。"

"应该是吧。可是……"哲朗回头看着理沙子微微上扬的目光，明白了她想说的话。可总不至于……"小偷的活儿我可干不了！"

"但是……"理沙子转向一边，用手撑着脸颊。

哲朗想起了嵯峨居住的旧公寓。虽然旧，可也没到没有门锁的地步。像间谍电影中的主人公那样简单地用铁丝开锁，只能是荒唐无稽的胡思乱想。

他轻轻叹了口气。

"明天我去嵯峨那儿一趟，再试着求她一次。"

"我也去。"

理沙子立即回应。哲朗有点不知所措地回头看妻子。她迎着他的视线，轻轻点了点头。

"好，两个人去求她也许会有希望。"他没有说出真实想法：虽然不怎么值得期待。

理沙子起身走进厨房，从冰箱里拿出罐装啤酒。

"给我也拿一罐。"哲朗说。她默默地从吧台上递过啤酒。

她站着拉开拉环，坐在沙发上，拿起放在茶几上的金童剧团的小册子，哗啦啦地翻着。

"这两人互换姓名的事情，美月是怎么牵扯进去的呢……"

"根据我的推测，或者说想象……"哲朗也打开了啤酒，"你觉得，那本在户仓明雄的房间里发现的户籍誊本，为什么被撕破了呢？"

理沙子点上一支烟，吐出一口，摇着头，看来是不明白。

"我迄今一直模糊地认为也许是户仓撕破的，至于户仓为什么拿着它，却始终无法推测。但我忘了最重要的事情：户仓是一个跟踪狂。"

她歪着脑袋，好像在说：那又怎样？

"跟踪狂会搜寻垃圾袋。"

理沙子没有立刻明白哲朗的意思，但过了一会儿，她指间夹着香烟，张大了嘴，烟雾漏了出来。

"原来拿着户籍誊本的人是香里！"

"她的本名是立石卓，撕破那个户籍誊本的人正是她。她撕破之后扔进了垃圾袋，户仓把它捡回了家。自然，他可能还带回了很多别的东西。"

"为什么香里会拿着美月的户籍誊本……"

"至于这个原因，你应该也想到了吧？"哲朗喝了一口啤酒。

"美月也打算跟某个人交换名字？"

"或许她正准备那么做。就在这时发生了这件事，香里被警察盯上，然后就失踪了……"

"美月的失踪也……"

"是因为听说自己的户籍誊本被发现了。另一方面，"哲朗竖起食指，"或许她觉得如果继续在这儿待下去，会给我们添麻烦。"

"果然，那么美月很有可能跟香里在一起。"

"应该是这样。问题是她们到底在哪儿呢？"

哲朗想起了和野末真希子的对话。她也不知道香里她们去了哪里，却又说，相信香里很快会主动联系她，因为香里曾这样说过。

他还注意到另一件事。野末真希子说，香里曾明确指出美月不是凶手。她的话虽无法全盘相信，但特地指出这件事，让人觉得肯定有什么特殊意义。

难道杀户仓的人不是美月？

这个疑问萦绕在哲朗脑海中挥之不去。她不是凶手自然值得高兴，哲朗也一直由衷这么希望，但她为什么要告诉大家她杀了人呢？而且，她已经下定了自首的决心。

"美月究竟打算和谁互换姓名呢？"

哲朗决定处理一下办公室里积压的几件工作。最近用了大量时间来调查这些事件，没有好好写过稿子。他一边极力克制自己不去想那些事，一边默默敲击着键盘。即便如此，他仍找不到平时的感觉，因为无法集中注意力。

关于大阪半程马拉松的报道必须要完成了。他只写出了题目，正构思着内容。看着摆在桌上的备忘录和照片，他还是无法理出脉络。那天最让他印象深刻的，是末永睦美所说的话。

香里是男人的事已经很让人吃惊了，更令他注意的是香里对睦美说的话。

"他问我有没有为户籍而烦恼。因为看到户籍就会明白真实的性别，许多正式的手续必须用户籍上的名字才能办理。"

哲朗注意到，烦恼的内容集中在户籍问题上。或许香里正在寻找和自己一样想交换姓名和户籍的人。可以说，讨论有关性别意识烦恼的聚会正是招募这种交易对象的绝佳场所。

然而，即便如此，互换姓名的人肯定不止佐伯香里和立石卓。于是美月打算加入这样一群人……

哲朗忽然觉得，或许正要揭开的真相比想象中更宏大、更严重。

工作告一段落后，哲朗来到厨房，在玻璃杯里放入冰块，调了一杯加冰威士忌，打开电视，坐在沙发上慢慢喝完。电视里，一个没见过的搞笑艺人正穿着女装表演。他在衣服下面塞了东西，胸部看起来异常地大；假睫毛又浓又长，嘴唇涂成鲜红的颜色。总之就是把男人喜欢的女人的模样用夸张滑稽的手法展现出来。哲朗觉得其基础就是人们深信女性原本就是这个样子的。最近喜欢展示丰满胸部的女人越来越多，因此一些内衣和相关商品也非常畅销。本应多样化的时代，却发生了奇妙的偏差。他想起了从"BLOO"的相川那里听来的话。男人和女人都处在麦比乌斯环上，二者之间没有边界，这也许是真理；然而，我们难道可以允许男性和女性在某种特定力量的驱使下，都处于性别不明朗的中间地带吗？

正要调第二杯酒时，门无声地开了，理沙子闷闷不乐地走了进来。

"明天……"不知为什么，她像在回避哲朗的目光，"我还是不去了。"

"不去了……你是说去嵯峨家吗？"

"嗯。"她答道。

"啊，那倒没什么。你怎么了？忽然有工作要做？"

"嗯，倒不是工作，"她伸出左手揉着右肩，瞟了哲朗一眼，"我在想，我们这么做究竟好不好。"

“这么做？什么意思？”

“就是说，嗯……我说不清……她们一定拼命努力了很久，想做些什么来改变现状。不管是佐伯香里还是立石卓，都在为自己性别意识和肉体之间的偏差而苦恼，终于找到了交换姓名这个解决办法。”

“可能是吧。”

“仔细想想，那也是件挺不容易的事。毕竟，必须丢弃所有的过去。学历、经历，都会变成一张白纸。不仅如此，还要失去以前的朋友、家人、亲戚等一切。”

“的确牺牲了很多，可也有得到的东西啊。”

“正是如此。”她双手往下一挥，“牺牲了那么多才得到的东西，因为我们而失去，你不觉得这很残酷吗？”

“我没想让她们失去什么，只是想找到日浦。”

“我觉得你那样做，客观结果还是会让她们遭到不幸。事实上，在寻找美月的过程中，我们也知道了很多不该知道的事情。”

“可我不准备跟警察说这些事啊。”

“如果能到此为止就好了……美月的事情也是一样。我们试图找到她，难道真的是为她好吗？也许她其实想变成一个新的人，重新开始人生呢。”

“有可能，但我不想就这么放弃。”

“那只是为了满足你的好奇心。”

“我不这么认为。”

“总之我不去了。我决定要和这件事情脱离干系。”她望着斜下方。

“脱离……完全脱离吗？”

“正是。我相信美月的运气。事已至此，我们无能为力。”

“哦？那就没办法了。”哲朗打开冰箱，往玻璃杯里加了三块冰。

“我觉得你最好也放手。”

“我一定要做到让自己安心为止。”他往冰块上浇威士忌。

"还记得早田说过的话吗？我们的处境也许很危险。"

"那种家伙说的话，我根本不会在意。"

"我做不到！他可是专业人士。"

"就算是吧，可我走在他前面。"

"不，他走的路与你完全不同，说不定会在意想不到的地方和你发生正面冲突。"

"总而言之，"哲朗把玻璃杯推到理沙子面前，"我不会放弃。球是我丢掉的，所以必须把落后的比分追回来。"

理沙子凝视了他一会儿，脸上微微浮现出为难的神色，然后又瞪了他一眼，迅速转身走出了房间。

哲朗回到沙发上，又喝起威士忌。电视上已在演其他的节目。

他也开始琢磨早田的话，但他认为不能因此就退缩。好友美月正在世界的某个角落里苦苦挣扎，他只是想对她伸出援手。

更让他感到意外的，是理沙子态度的剧烈转变。起初是她主动说要一起去的。刚才的解释还算说得过去，可她骤变的原因难道真的像她说的那么简单吗？就算是简单地改变了主意，这样的改变又是为什么呢？

百思不解的哲朗喝完了第二杯酒。

2

第二天有洽谈会和采访的工作，哲朗从下午起开始在东京四处奔走。终于闲下来时，天已向晚。但他还是去了赤堤，嵯峨正道的住所正是在那里。

出门的时候，理沙子什么也没对他说，或许是觉得已无力阻止了。他也不想改变主意。

那时发生了一件怪事。哲朗翻遍了所有地方也找不到金童剧团的小册子，问理沙子，却只得到"我怎么会知道"的生硬回答。昨晚明明放在桌上，哲朗觉得非常不可思议。

沿着上次走过的那条路，他离公寓越来越近。看到那个像洞穴一样昏暗的入口时，他却立刻躲进旁边车辆的阴影中。因为他看到了一张熟悉的面孔。

两个男人刚进了公寓，其中之一无疑就是曾在"猫眼"见过的刑警望月。

这家伙怎么跑到这儿来了？

绝不可能是偶然。恐怕他们也是来找嵯峨的。他们怎么会找到金童剧团？

望月问了嵯峨什么，嵯峨如何回答……哲朗一边琢磨这些问题一边发愁。也许，他无数次在这里停滞不前，不仅仅是因为天气寒冷……

过了十来分钟，望月一行走出了公寓。天色太暗了，看不清他们的表情，但可以观察到，他们应该没得到什么重要线索，看上去这只是一次单纯的调查。事情进展到这个阶段看上去还不错，这无疑正是哲朗希望看到的结果。

在确定他们离开之后，哲朗走近公寓。他脑海中浮现出一个计划。

沿破旧的楼梯来到三层，他按响了三〇五室的门铃。室内马上传出了响动，门粗暴地打开了。

"怎么又是你！"嵯峨穿着运动衣，外面套着一件毛衣，毫无顾忌地歪着嘴角，摆出一副不耐烦的表情。

"不好意思，我就说几句话。"

"无可奉告。"

嵯峨作势关门，哲朗疾伸左手抵住。

"要夹到你的手了！"

"刚才警察来过了？"

嵯峨听到这句话，忽然面露倦色，马上转为不快。

"既然你都知道了，那也应该明白，我被你们这些接二连三莫名其妙的访客惹得很烦吧？"

"我非常理解，但觉得你应该听听，因为我的话跟刚才来过的警察也有关系。"

嵯峨投来疑问和困惑交织的目光，然后举起厚实的手掌擦了擦脸，咂了一下嘴，松开了握着门把的手。趁她未改变主意，哲朗迅速打开门进了屋。

房间里的样子与上次来时相比没什么变化，会议桌上一如既往地堆满了文件和文件夹。

"抱歉，我家没有咖啡、茶之类的东西。"嵯峨抱着胳膊坐在椅子上，"有什么要说的，请讲。"

"我要说的基本和上次一样。希望你能告诉我，带来那棵银色圣诞树的人的姓名和联系方式。"

"你真烦！我说过多少遍了？别说我不知道，就算知道也不会告诉你！"

"那么……"哲朗顿了一下，"关于立石卓的事情，你能告诉我吗？"

嵯峨的表情明显严肃起来。她本是懒散地伸着双腿，闻言立刻坐直了。

"立石？那是谁？"

"你就别装了。就是那个带来圣诞树的立石。"

嵯峨挠着平头，发出沙沙的声音，然后对哲朗怒目而视。

"果然不应该让你进来！回去吧！"

"你不告诉我立石的联系方式，我就不回去。"

"我说过了！没有！"嵯峨站起身来。

如果动手，哲朗有信心打赢，因为跟比嵯峨强壮几倍的家伙们也交锋过，但比较难付诸行动。从生物学的角度说，嵯峨是个女人。

"我认识刚才来过的警察。"哲朗说，"他来这儿干什么？想知道什么？"

"我有必要告诉你吗？"

"谈谈我的推断吧。警察大概是在找佐伯香里她们，一定是来问你有没有什么线索。"

"哎……"嵯峨摇摇头，"总之，你还是快回去吧。"

"你告诉那些警察也没关系。"哲朗把拇指向后一指，"他们正在找的佐伯香里，本名叫作立石卓，户籍上是个男人。"

嵯峨的口形好像在说"啊?！怎么会……"，从她下颌的移动可以看出，她正紧咬牙关。

哲朗仿佛在跟自己下赌注。如果对方回答"随你的便吧，无所谓"，他毫无办法。

嵯峨呼出一口气，紧绷的肩膀也放松了。

"好吧。我可不愿看到这里被警察糟蹋。收拾房间要花三个月呢。"

"你愿意告诉我了？"

"我没法告诉你。可以说保护工作人员的隐私是我最重要的工作。"

"可是……"

"我没法直接告诉你，但如果正好被你看到了就没办法了，只能说是我不小心。"嵯峨看了一眼手表，走向玄关，"我去买烟，十五到二十分钟后回来。"

"等一下！联系方式在哪儿？"

嵯峨一脸不满，像是在说"怎么那么笨"。

"都到这个年代了，你还以为会有写着住址的笔记本之类的东西吗？动动脑子！"

"哦……"

嵯峨举起一只手，说声"待会儿见"，走出了屋子。

哲朗走向房间深处，小心翼翼地避开地板上散乱的东西，来到电脑前面。他打开电脑电源，坐到椅子上。

他操作着鼠标，寻找与剧团有关的资料，很快就找到了一个名为"剧团成员"的文件夹。

里面列出了大约三十名成员的姓名、住址和电话号码。最上面是嵯峨，第十六个是立石卓，他住在西新宿八丁目的长泽公寓。

哲朗拿出采访用记事本记下信息，然后再次看了一遍成员的名单，却没有找到佐伯香里和神崎见鹤。自然，也没有美月。

他又浏览其他资料，发现了一个名为"原稿"的文件夹，打开后看到了以下文字。

很多人都相信血型决定性格，也许这些人觉得人可以被分为A、B、O、AB四种。但即使是这些人，也不会在日常生活中因为血型而歧视别人。

这是记载在《金童日月》那本小册子上面的文章，题为"我们应该背什么颜色的书包"。

哲朗无意中接着看下去，看到了一个提纲，题为"圣诞阿姨"。看上去大概是把这个文件拿到打印店，印出了那本小册子。

哲朗一边这样想一边操作着鼠标，忽然停了下来，因为他看到"左目失明"的字样。他从头阅读这篇文章，看来这和《圣诞阿姨》一样，是金童剧团所演戏剧的提纲，题为"男人的世界"。

主人公是大学棒球队的外场员，特长是击球高效、臂力强劲、传球准确。这名选手在一场比赛中犯下严重错误：在一人出局、一垒和三垒有人的危急时刻，对方击球手打出一记平飞安打，主人公接住了球。向来技艺精湛的他此后的表现令人目瞪口呆。为防止对方三垒跑垒手返回触垒，他将球传回本垒。而事实上，由于一垒跑垒手已跑了出去，所以只要主人公将球投到一垒，己方就会以双杀的方式赢得比赛。因为他的失误，本已拿下比赛的球队退出了争夺第一的行列。这一失误成为人们谈论一时的话题。

本来被众人认定会成为职业选手的他，并未如愿，而是选择了工作，放弃了棒球事业，并和大学时期交往的女友结了婚。

然而随着时间的推移，妻子不知为何疏远了他，不再像以前那样对他敞开心扉。他也感觉到了不自然，可还是一如既往地继续着每天的生活。

三十年后的一天，他卧病在床，枕边是他的妻子。知道自己已罹患绝症的他握着妻子的手道谢，妻子却说出了让他意外的话。

"除了道谢，你就没其他话要对我说吗？你到死都不愿让我进入那个世界吗？"

"什么世界？"他问道。

妻子回答："就是所谓'男人的世界'啊。"

"不知道你在说什么。"他说道。

妻子终于忍无可忍地喊道："为什么不告诉我，你左眼看不见？所以当年那场比赛你根本没看到一垒跑垒手！所以你才失去了自己的梦想！"

看到这里，哲朗站起身，出神地盯着橱柜上的纸箱。那里放着《金童日月》小册子。他取出一本翻开，里面的确有《男人的世界》这一篇。然而，他迄今甚至从未想过要读这篇文章。

这时，玄关的门开了，嵯峨走了进来。

"还没完？"

"嵯峨，这个……这部作品，"哲朗指着翻开的小册子，"是谁写的？"

嵯峨夺过小册子，瞥了一眼那一页，说了句"我啊"，随即把小册子扔到会议桌上。

"你撒谎。"

"凭什么说我撒谎？"

"就算是你写的，构思出故事情节的人也不是你。是谁想到的？"

"真啰唆！都说过了就是我。难道不能是我写的吗？"

哲朗深信绝无可能。他怒视嵯峨。

"你那样看着我也没用，我不会再告诉你任何事了。好了，事办完了就赶紧回去吧。"嵯峨像赶苍蝇般挥挥手。

"嵯峨，你……"

"到此为止吧，别再问了。我不会再回答。"

哲朗像被赶出来似的走出玄关。开门时，身后传来嵯峨的声音："别再来了。你不能再来了。"

哲朗回头，看到嵯峨默默地点了点头。他也点点头，关上了房门。

哲朗大脑中一片混乱，一时也忘了终于到手的立石卓的联系方式，满脑子都是《男人的世界》的剧本。

他不觉间回到了家。打开门，映入眼帘的是理沙子的鞋。

她坐在客厅的沙发上，一边吃三明治一边听着日式 R&B 音乐，茶几上放着两罐啤酒。

"你回来了。"她用平淡的语调说道。

哲朗脱去外套，坐在沙发上，向理沙子的烟伸出手去。

"你要抽烟？真少见啊。"

哲朗没有回答，叼着烟点上火，深吸一口，肺部感到一阵灼热。

"把那个给我吧。"

"什么？"

"那个。是叫《金童日月》吧，金童剧团的小册子。"

"我说了，我不知道。"理沙子拿起电视遥控器，按下开关。从电视和音响里传出乱哄哄的声音。

哲朗用两个遥控器分别关掉电视和音响。

"你不用糊弄我，我都知道了。"

"知道什么？"

"《男人的世界》的故事。"

理沙子屏住呼吸，凝视丈夫的眼睛，呼出一口气，慢慢地眨了眨眼。"是吗？"

"你是因为看了那个，才忽然决定不去嵯峨那里的？"

"嗯，可以这么说。"

"为什么？"

"因为……"她蒙住眼睛，"因为我开始害怕进一步接近真相。"

"哦。"哲朗从她脸上移开视线。

理沙子起身走出客厅，好像走进了卧室，回来时手里拿着那本小册子，放到哲朗面前。

哲朗拿起，翻到《男人的世界》那一页，又读了一遍。

"吓了你一跳？"她问道。

"有一点。你一看完就明白了？"

"当然。毕竟写的就是自己的事情。"

哲朗抬头迎上理沙子的目光。她用修长的手指指着那本小册子。

"剧中那个无法进入男人世界的可怜女人就是我，"她接着说下去，"那个傲慢的前棒球选手就是你啊。"

理沙子的声音让哲朗觉得一阵心寒，似乎也包含着她的焦躁和伤心。

"你早就知道？"哲朗问道。

"很久以前就知道了。我一直在等你亲口告诉我。我决定在你告诉我之前，都假装不知道。"

"啊……"

哲朗用双手拢起头发，轻轻盖上右眼。世界瞬间一片黑暗，所有的轮廓都转为模糊，混杂一体，沾染不清。就连坐在身边的妻子的脸也模糊不清，鼻子眼睛都无从分辨。

"你的视力……有多少？"理沙子问道，"连零点一都不到吧？"

"也就零点零一左右。"

"啊……"

哲朗把手从右眼前移开，世界清晰地恢复了原状。

"还好右眼视力一直维持一点二的水平，幸亏这样，日常生活才没什么问题。"

"那样，不会很难看清东西吗？"

"开始的确很难，但很快就习惯了。"

理沙子摇摇头。"什么时候开始的？"

"你不知道？"

"不知道准确时间，但大体推测。我觉得你到三年级为止还能正常传球，没什么问题。"

真不愧是橄榄球俱乐部的经理！哲朗很佩服。她观察得非常仔细。

"刚进入四年级没多久，因为一件小事，左眼视力从一点五降到零点一，而且此后一直不断下降。"

"一件小事？"

哲朗不答，吸了一口快要熄灭的烟，然后轻轻吐出，把烟捻灭在烟灰缸里。

"果然是因为那场事故？"

"别说了。"哲朗摇头道，"我不想再说那件事。"

她呼出一口气。"是为了友情？"

"不是，我不想怨恨任何人。"

"不怨恨任何人？实际上不就是为了满足你的虚荣心和优越感吗？"

"你怎么能这么说……"

"我觉得你早该告诉我。"

"我不这么想。"哲朗叼起第二支烟。

那是一个雨天，在体育馆里……

为什么偏偏在那天做出那么孩子气的事情呢？本来只做简单的力量训练不会有事，可哲朗偏要参加小游戏。如果戴着头盔参加也不会出事……现在说什么都已迟了。

"你恢复意识之前，在医院里的时候，我怕得要命。"

听到这里，哲朗想起了美月的话："理沙子在候诊室哭呢，那是我第一次看见她掉眼泪，也是最后一次。"

"听说你平安无事地恢复了意识，我从心底里松了一口气。"理沙子注视着哲朗，"尽管恢复了意识，你却失去了非常重要的东西。"

"一开始我没觉得有多严重，以为可以很快恢复，所以一直瞒着你。"

医生对他说过，如有什么异常赶紧来医院。那时哲朗已注意到左眼的异常，却没能说出口。他觉得不能让朋友们担心，而更让他恐惧的是失去"四分卫之王"的宝座。

"据我观察，你在最后一场比赛之前都没什么异常，只是战术风格有点改变。"

"传球的次数少了。"

"没错。"理沙子点头，"这与中尾的状态也有关系，但与前一个赛季相比，你传球的次数明显减少，长距离传球几乎没有，尽管你长传的功力数一数二。"

"因为通过和教练协商，我们决定主要利用中尾的速度进行攻击。当然，如果当时左眼还能看见，我一定会提其他方案。"

"用这个模式一步步接近胜利，也许的确是歪打正着。可惜最后一场比赛还是没能成功。"

"那是因为对手的持续防守战术太完美了。当教练提出以传球为中心的战术时，说实话，我眼前一片黑暗。"

"但是那场比赛，你有很多次传球，包括很多起死回生的长距离传球，不是吗？"

"毕竟投球很多年了，右侧视野里的目标还能勉强命中。可因为分不清远近，还是出现了很多失误。接球的松崎他们帮忙掩盖了我那些失误。"

"那场比赛的最后……"理沙子交叉双腿，望向斜上方，"没能看见早田？"

"我知道他往左边跑了，可能是在躲开对手的盯防。我想，如果我投出去或许能传到。"

"可是你没投出去。"

"当时我左侧视野模糊，没能正确把握早田的位置。是随便投出去，还是投给能看到的目标，我犹豫了一会儿，最后还是朝松崎投去。这样做的理由只有一个，我没有练习过胡乱投球，教练总是告诉我投球时要有明确的打算。我终究无法将球投给看不见的目标。"

那种情况下，即使赢了也不是靠实力，而只是偶然。哲朗这样想，安慰着自己。

"大学毕业后，大家都以为你一定会继续美式橄榄球生涯，包括我也是，你却再也没有回到美式橄榄球的世界。还是因为左眼吧？"

"看不到左边的目标，是做不了四分卫的。"

哲朗出神地盯着烟灰缸里的香烟冒出的烟雾，想起自己毕业之后辗转去了多家医院，却终未查出视力低下的原因。提起那场事故，很多医生都说那可能正是病因，却并没有找到治疗的方法。

理沙子把手放在额头上。"我问了你好多次，为什么要放弃美式橄榄球，你始终没告诉我真正的原因。不是说厌烦了，就是说已经失去了激情——你那些理由无论如何都无法让人相信。我纠缠不休，最终也只得到这样的答案：'这是男人世界里的事情，你别插嘴。'这些事，你还记得吗？"

"我……记得。"

"现在想来，我当时真该推迟和你的婚期。连放弃终生梦想的原因都不肯告诉我的人，我居然觉得可以与他共度一生，真不知道那时我是怎么想的。”

“我只是不想让你为我担心。”

理沙子合上眼帘，慢慢地摇摇头。

“如果你全都告诉我，我该有多安心啊。正因为你不肯告诉我最重要的事情，我跟你在一起时充满了不安。归根到底，你寻求的，并不是可以让你深信不疑的伙伴，也不是亲密的配偶。你心里一定有关于妻子和母亲的定义，并希望我达到你的标准，为此就连让我伤透了心的事情，你也没有半点犹豫。”

“伤透了心？”

“孩子的事情。”

放在烟灰缸里的香烟吧嗒一声掉了下来，哲朗捡起捻灭。

这件事让他百口莫辩。他的确曾经想把怀孕的妻子束缚在家里。

“对不起。”她的声音无精打采，“我本没打算说这么过分的话。”

“不，一点也不过分。”

“这部戏剧里棒球选手妻子的感受，就是我的感受啊。我一直很想问你：是不是决定到死也不让我进入你的世界，也就是所谓男人的世界？那个世界有多么夸张？是圣地？女人进入那个世界，对男人来说有那么严重吗？”

哲朗抱着胳膊，目不转睛地盯着墙壁。刚搬来时一片洁白的墙壁现在已开始发黄，也许是抽烟所致。婚后理沙子烟抽得越来越多，恐怕就是为了抑制纷乱的思绪，她才总在这里抽烟。她的心也一定和这面墙一样，已经从一开始的洁白无瑕变得微微发黄。造成这一切的人正是哲朗。

“既然你知道我眼睛的事，早点说出来不就好了？”

“那就没有意义了。你明白吧？和剧中棒球手的妻子一样，我希望由你自己挑明这件事，为此我一直在等。而剧中的丈夫大限将至，妻子没办法只好开口询问。”哲朗清楚地看到，她说完之后微微一笑，“如果没有今晚这场谈话，我可能也会做同样的事情——在你临终时追问你。当然我也可能会比你先死。"

哲朗从没见过理沙子如此辛酸的笑容，胸口如针刺般疼痛。

"抱歉，很多事情我都对不起你。"

"就这样吧，我不想听你道歉。一切都过去了。"

也许她曾期望有更理想的解决办法，而今晚的情形无疑并不理想，哲朗想象着。但若没有今晚的谈话，自己也许逃脱不了和剧中人一样的命运——临死之前被妻子追问。

"不说这个了，你不是有事想问我吗？"理沙子低头问道。

"什么？"

"为什么我会知道你眼睛的事情？为什么我知道你放弃美式橄榄球是因为这个？"

"啊……"哲朗点点头，"是想知道，虽然我大概想象得到是怎么回事。"

"你也只告诉了他吧？"

"只有他。"

"那不就得了。"

"是从他那儿知道的？"

"嗯。"

"什么时候？"

"很久以前。我们刚结婚没多久……你上班去了，不在家。他带着礼物来了，就是那时告诉我的。"

"那么久了啊？"

哲朗又一次觉得，女人的谎言极其持久。也许数十年对她来说并不长，因为无论如何，她已下定决心，只要丈夫还活着，她就不会主动说出来。

"为什么告诉他？"

"我本不愿说。最后一场比赛之前，他问我是不是眼睛不好，我否认了，可他不相信，让我去做视力检查。我只好说了出来。"

"他怎么知道的呢？"

"视线。选手之间用眼睛传递信号，我和他传球时距离最近，他好像注意到了我不正常的眼神。"

"毕竟你们是四分卫和跑卫……是吧？"

"正是。"

哲朗仿佛嗅到了当年那满是灰尘的房间的气味。中尾功辅说，应该告诉大家关于眼睛的事情，而哲朗坚决不肯。如果得知这一消息，造成那场事故的伙伴们一定会受到沉重打击。在如此重要的比赛之前，必须避免发生这种事情。

"即便如此，至少也要告诉领队和教练。不可能只用一只眼睛传球，必须重新考虑比赛的战术计划。"

"都这个时候了，怎么可能改变战术呢？况且，只有靠传球这个办法才能战胜明天的对手。对方以攻为守，严阵以待，要对你进行集中攻击……没关系，我明天一定会传球。打了这么多年，虽然左眼看不清楚，我也能把球传到你手上。"

中尾明白哲朗坚定的决心，没有再说下去，只是嘟囔了一声"不要勉强自己"。

最后一场比赛结束后，中尾好像也没有告诉别人哲朗眼睛的事。证据就是，迄今为止，哲朗还因当年那场比赛中有史以来最差劲的失误，被昔日的伙伴们嘲笑。

"为什么中尾告诉了你呢？"

"因为我对他发牢骚，说你不肯告诉我为什么放弃了橄榄球。我问他，男人的世界就那么重要吗？我还乱发脾气……其实我本来是开玩笑的口气，可他好像很认真。现在想想，可能是得到了这部戏的创作灵感吧。"理沙子拿起《金童日月》的小册子。

"果然是中尾写的。"

"正是因为想到这个，你才勃然变色，回家来了，对不对？"

"可以这么说……"

若非中尾隐瞒了行踪，他也许不会那么想。中尾的失踪和这一系列事件有不可分割的联系。理沙子也是在看过《男人的世界》的故事之后，觉察到这些事件背后中尾的存在，才失去了接近真相的勇气。

"不会是偶然吧？"哲朗用试探的语气说道。

"很遗憾，不可能。"理沙子断言道，"刚才我也说了，这部戏中妻子的台词就是我说的话，就是我曾经对中尾说过的话：只要哲朗你不告诉我，我不会主动说出眼睛的事情。如果我要说，那一定是在你临死之前，在枕边追问你。"

3

第二天，哲朗翻看学生时代的名册，试着往中尾家打了电话。接电话的是中尾的母亲。哲朗没有去过中尾家，这还是第一次和他的家人交谈。

哲朗彬彬有礼地说出名字，对方马上就明白了。哲朗意识到学生时代的中尾曾对家人提起过球队的朋友，感到一丝欣喜。

哲朗表达了因联系不上中尾而非常苦恼的心情，对方答道："啊，果然……连朋友也没有告诉啊，这孩子。"

"出什么事了吗？"

"是啊。嗯……不是什么好事，他前几天离婚了。"

"这我知道，就是在那之后失去了联系。"

"其实我们也一样。他离婚之后就和我们联系过一次，说要出去旅行一段时间，让我们别担心。"

"旅行？不知道他去了哪儿吗？"

"什么也没说。他是大人了，我们做父母的啰唆个没完，只会让他心烦，所以就没多问。"

"啊。"

看来中尾连与家人的联系也断绝了。但既然说是旅游，终归是要回来的。

"冒昧地问一句，"哲朗知道自己很失礼，"离婚的原因是什么？"

他本以为会惹怒对方，对方却只是沉吟："这个啊……他没告诉我具体理由，不过，夫妻之间本来就有很多说不清楚的事嘛。"

听上去不像是在装糊涂，再追问下去未免太不明事理，也没有意义。哲朗敷衍了几句，挂断了电话。

"真有你的，连人家离婚的原因也问得出口。"从身后传来了理沙子的声音，她仿佛听到了刚才的通话。

"情况特殊嘛，哪里还顾得了礼貌。"

"我觉得中尾不会对家人说这些细枝末节。"

"嗯……也是三十岁的大男人了。"

"不，他和父母之间界线分明。"

"哦，是吗？这我倒没听说过。"

"他现在的母亲不是生母，小学的时候他父母离婚，母亲离家出走。中尾不讨厌后母，但始终无法从心底真正依靠和信赖她。"

"你听谁说的？那家伙可没对我们说过这些。"

"我是听美月说的。"

"啊……那倒是可以理解。"

中尾是个诚实耿直、心胸宽广的人，即使有人犯了错误，他也绝对不会责怪。哲朗一直认为中尾成长于一个充满了爱的幸福家庭，而事实恰恰相反。也许他人格的形成受到了成长环境的影响：过早地与生母分离，又不得不尽快适应后母。

作为朋友，哲朗在毕业十多年后才知道中尾有如此境遇，这让他不禁质疑自己和中尾之间的友情。

时钟的指针指向下午一点。他伸手取过搭在椅背上的外套。

"你去哪儿？工作吗？"

"再去一趟中尾家试试看。哦，现在已经不是中尾家了，高城家，是吧？"

"我可不认为他妻子会告诉你什么。"

"不试怎么知道。"

哲朗走出客厅，向玄关走去。理沙子追了上来。

"哎，你还不肯放弃吗？"

"放弃什么？"哲朗穿上鞋。

"放弃寻找中尾。事情变成这样，我想一定有他自己的原因。我们随便插手干预，是不是不太好啊？"

"就算是这样，我也要听他亲口告诉我，否则我不会相信。"

理沙子好像还想说什么，哲朗在她开口之前走出了房间。

几十分钟后，他来到一栋白色房子前面，试着按响了门铃，但没有人应答。看来中尾的妻女果然已不住在这里，或许她们也以离婚为契机离开了，可能回了高城律子的娘家。对于母女三人来说，也许这栋房子太大了，也非常介意邻居的闲言碎语。但比起这些，最主要的原因还是若继续住在这里，将无法消除孩子脑海中关于父亲的记忆。

哲朗回忆起高城律子怪异死板的表情，和她菲亚特车后座上橄榄球状的靠枕。她一定知道什么，不，大概她全知道。丈夫做了什么，即将做什么，她都知道。离婚并非她的本意，但别无他途，只好同意。一定是这样。哲朗推测提出离婚的必是中尾。

哲朗离开中尾家，向车站走去。

他一度考虑去拜访高城律子，但她不会说出真相。如果是可以随便告诉别人的秘密，她也不必为保守秘密甚至选择离婚。

一辆空驶的出租车开了过来，哲朗立刻抬起手，心情开始有点忐忑。他焦躁地坐进出租车，说："去新宿。"

他在丸之内线西新宿站下了车，一边对比记事本上立石卓的住址和电线杆上的门牌号，一边往前走，没多久就找到了一栋三层的旧公寓——长泽公寓。

上楼梯之前，他看了看楼下的信箱，找到了写着"立石"的箱子。他向内窥视，并没有看到堆积的邮件。

走上二楼，他来到通道里面的拐角处。他曾经担心立石卓——真正的佐伯香里也已经消失，但以刚才的情况看，应该还不至于这样。

哲朗按下门铃，屋内传来人声，然后门开了。

应门的是一位约二十岁的女子，及肩的头发染成鲜艳的金黄色，相貌平常。她不是佐伯香里。

"什么事啊？"她一边投来怀疑的目光一边问道。

"这里是立石卓先生的家吧？"

"是啊，不过……"

"立石卓先生在吗？"

"他去上班了。您是哪位？"她警惕的表情始终未变。

"我姓西胁，有点事想问问立石卓先生。您能告诉我他在哪里工作吗？"

她没有回答，仰视着他，也许是在考虑这个人可不可信。

"你跟阿卓什么关系啊？他跟我说，不要随便告诉别人他在哪里工作。"

"我跟他没有关系，只是想向他打听别人的事。绝不会给您添麻烦的，请告诉我他在哪里工作吧。"

她稍作考虑后说道："你有身份证之类的吗？"

"啊？"

"身份证。我又不知道你是什么人。"

"驾照可以吗？"

她摇摇头。"驾照除外，能证明你工作单位的东西。名片也可以。"

哲朗从钱包里掏出驾照和名片给她看了，可她仍不满意。

"你这名片，除了名字什么都没写……"

"我没有工作单位，是自由职业者，从事与体育相关的工作。"

"你这种人找阿卓有什么事啊？"

"这跟你没关系。我在找人。"

她目不转睛地盯了哲朗一会儿，说"还是不行"，就要关门。哲朗迅速把脚伸进门缝。

"你干吗？我叫警察了！"她眼角上挑。

"事情闹大了，恐怕吃亏的是你们吧。阿卓的真名恐怕就瞒不住了。"

她吃了一惊，面露恐惧。

"我没打算破坏你们的生活。正因为不想强迫别人，才这样请求你。"

她踌躇了一阵，呼出一口气，放开手，说了一句"请稍等"，进屋去了。

哲朗保持姿势等待，没多久她就回来了。

"这就是阿卓工作的地方。"她拿出一张名片，是立石卓的。他供职于曲线有限公司，职务是设计师，公司位于中野区野方。

"你刚才说一定不会给阿卓添麻烦的。"

"我保证。我身边也有像他这样的朋友……"

她像是明白了哲朗的意思，默默点头。

"你是阿卓的……"哲朗一边推敲用词一边继续说，"夫人，是吧？"

"我们住在一起。"她答道。看来还没有加入对方户籍。现阶段要变更立石卓的户籍大概还很危险。

"祝你们幸福。"哲朗一边说一边抽出脚。女子嘴角的线条稍稍缓和下来。

哲朗从西武新宿线野方站出发，走了几分钟，就看到了环状七号线一侧的巷子里的曲线有限公司。立石卓的头衔是设计师，哲朗想象他的工作地点应该是设计事务所那样的地方，但眼前那座建筑物怎么看都更像汽车修理厂。几个穿着白色工装裤的男子正围着一辆汽车，像正在进行修理。

一名三十岁上下的男子看着面前桌上摊开的设计图纸，若有所思。哲朗走上前去。那人好像注意到了，抬起了头。

"打扰一下，请问立石先生在吗？"

"立石啊，应该在办公室。"

"哦，办公室……"

"在那儿。"

男子指着工厂角落，那里有一间隔出来的小屋。哲朗向他道谢，举步走去。

办公室里有三名男子，看到哲朗进来，他们一齐转过脸来。

"请问立石先生在吗？"

哲朗一边说一边和其中一个年轻人对视。此人一定就是立石卓，脸上看得出照片里那个站在圣诞树旁的佐伯香里的影子。不出"BLOO"的相川所料，此人有几分像堂本刚。

哲朗走近，正要开口，对方却说："出去谈吧。"

走出办公室，年轻人说："我妻子刚打过电话。"说的应该就是那个金发女郎，想必她说可能会有一个姓西胁的怪异男人来访。

"我有很多事想问你……"

"我明白，但我不能在这里跟你谈。"

哲朗感到困惑，听起来立石就像知道哲朗是谁一样。

"沿着前面这条路一直走，有一家叫'树叶'的咖啡厅，请你去那儿等我。"立石的声音是标准的男声，不管外表还是动作举止都全然不像女人。

"'树叶'啊，我知道了。"

离开工厂之前，哲朗又一次把目光投向那辆工人们正在处理的车，刹那间他注意到，那辆车很像阿斯顿·马丁，但不是真品，大小也不一样，只是巧妙地复制了车身的外形。工厂入口处放着小宣传册，哲朗顺手拿了一本。

在立石指定的咖啡厅里等待时，哲朗打开了小册子，上面说曲线有限公司是专门制造汽车车身的。基本车体是国产车，在此基础上根据客户的要求安装各种各样的车身。拥有全世界独一无二的一辆车对车迷们来说再好不过了，所以预约总是爆满。

他想起从佐伯香里的母亲那里听来的话——从事汽车设计方面的工作一直是香里的梦想。她已经实现了梦想。

也许她通过从佐伯香里变成立石卓这件事得到了幸福。能够从事自己梦想的职业，还有了可爱的娇妻。对她，不，对他来说，现在最恐惧的事一定就是失去立石卓这个名字。

喝完咖啡，哲朗看了看表，已过去近三十分钟了，立石卓一直没有出现。哲朗认为立石卓一定不会爽约，但也慢慢焦急起来。

他胸前口袋里的手机忽然响了。一定不会是立石打来的，他不可能知道号码。

"喂。"

"喂，QB，听起来精神不错啊。"传来一个熟悉的声音。

"日浦！"哲朗不觉大喊一声，"你这家伙，现在在哪儿？"

"这个我们待会儿再谈。现在我希望你按我说的去做。"

"按你说的……"

"首先有件事要告诉你：立石卓不会出现了，佐伯香里自然也不会去。"

"啊？那……"哲朗握着电话东张西望。他觉得美月正在某个角落看着自己。

"立石卓现在作为男人生活着。在他工作的地方，没有人知道他真正的性别。也许今后他还会遇到很多困难，但我相信他一定能够克服。

我不希望你去妨碍他。"

"不，我并没有要妨碍他的意思。"

"我明白，可很多时候，我们出于善意的举动却会给别人带来不幸。你也明白吧？"

"那倒是。"

"我明白你的心情，咱们需要谈谈。QB，你现在有时间吗？"

"有，要多少有多少。"

"你能来我指定的地方吗？"

"能见到你吗？"

"嗯，能见到。"

美月说要他去台场，在那里谈谈。

"你现在在台场？"哲朗问道。

"这个还真没法回答你，我们现在就过去。"

"你们？还有谁？"

"你一会儿就知道了。待会儿见。"

"等等，我去台场哪里啊？"

"嗯……说到台场，那就是摩天轮了，你就在摩天轮附近等吧，我会联系你的。再见。"

"那我怎么联系你——"哲朗开口时，电话已被挂断了。

他叹了口气，把手机放进口袋，站了起来。

大概是立石卓联系了美月。有一个姓西胁的讨厌的人来找我，如何是好？他一定是这样说的。看来他们果然经常联系。

还有一个方法：回到曲线公司再去追问立石卓。哲朗没有那样做。他明白美月所言，也不愿去破坏一个宁愿变成别人而拼命努力活着的人的生活。他只想找到美月和中尾，知道事情的真相，仅此而已。如果美月肯见他一面，也就不必找立石卓了。

从野方去台场并不方便，要换乘好几次，还非常慢。美月没有指定时间，哲朗却想尽快到达。他走上环状七号线，再次坐进出租车，上车之后打了几个电话，取消了今晚的采访计划。

摩天轮在台场的"调色板小镇"里。今天并非节假日，可是这里人也不少，大部分都是年轻情侣。

哲朗来到摩天轮前面时，大约刚过五点，天色已暗了下来。摩天轮前面等待的队伍越来越长，想来大家都等着观赏夜景。

约过了十分钟，手机再次响起。

"到摩天轮前面了？"美月突然问道。

"就在这里，你在哪儿？"

"别那么着急，QB。先排队坐摩天轮吧。"

"你们也来吗？"

"我正是这么打算的。正好，在摩天轮里面谈话也不会被别人听见。"

"知道了。"

挂断电话，哲朗走过去排队。前面的一对年轻情侣正牵着手开心地聊天。放眼望去，整个队列里没有比哲朗年纪更大的人，也没有像他这样一个男人独自排队的。

哲朗一边在弯弯曲曲的队列里随众人向前移动，一边不断环视四周，想象美月会从哪里出现，但一直没有看到她的身影。

终于到了自动售票机前面。在工作人员的催促下，哲朗也买了票，一个人九百日元。走上台阶，摩天轮的吊篮近在咫尺。他开始着急了。自己一个人坐摩天轮毫无意义。

这时手机又响了。

"喂，是我。"

"啊，是不是要坐上摩天轮了？"美月说道。

"马上就排到了。你们在哪儿？快点来啊！"

"没关系，你别管我们，轮到你了就坐上去吧。一个人可能有点孤单，你就先忍忍吧。我挂了。"

"哎！等等！"

美月径自挂断了。

究竟要干什么？

哲朗兀自伫立，后面有人轻推他。一个年轻男子目光怪异地看着他。无奈之下，他迈开脚步。

检票的工作人员用不可思议的语气问道："您一个人吗？"哲朗嗯了一声，点点头。他知道自己的表情非常不快。

摩天轮的吊篮一次可以坐六个人，哲朗两腿交叉坐在出入口的对面。面前就是东京湾，回头望去，身后是著名的电视台大楼。

手机响起，他迅速按下通话键。

"看来你已经坐上了。"

"喂！你这是在干吗？不是说要见面吗？"

"我没骗你。"

"那你让我坐这个破玩意儿想干什么？"

"QB，不好意思，我们没有时间说废话，应该谈一些更重要的事情。"

"所以我想和你面对面直接谈，而不是通电话！"

"别为难我了。好了，QB，我以这种方式给你打电话，只有一个原因：和这件事划清界限吧，我希望你不要再追查下去。"

"你这才是在为难我！我被牵扯进来这么长时间，搞得乱七八糟，你就让我假装什么都不知道，接受所有事实？"

"把你牵扯进来，是我的错。我很后悔，对理沙子也很抱歉。"

"不用道歉，你只要告诉我真相就可以了。事件的背后究竟有什么？"

美月好像叹了口气。"有什么……你一定也觉察到了。事件的背后就是为性别而烦恼的人们一生一世的赌注。"

"交换户籍这件事？"

美月又顿了一下。"说真的，我没想到你连那个都看出来了。听说你去找了金童剧团的嵯峨，我起了一身鸡皮疙瘩。后来你又明白了香里和立石互换身份的事情。真不愧是你啊，不愧是四分卫之王。"

"你那些同伴跟你是什么关系？"

"这个，你一定也想到了。"

"我想听你亲口告诉我。"

摩天轮的吊篮经过了中点，回头可以看到东京的夜景铺陈开来。前面吊篮里的情侣耳鬓厮磨着坐在一起，小伙子搂着姑娘的肩膀。

"用一句话来概括，就是志同道合的朋友。"美月说，"在当今世界上，难以生存的人们正要掀起一场革命，一场平静的革命，谁都不会注意到，只有我们自己知道。"

"你也在打算和某个人交换户籍，在户仓房间里发现的户籍誊本就是为此准备的，是吗？"

"嗯，是这样。"

"你打算冒充某个人的名字生活下去？"

"还没有决定。交换户籍，必须满足许多条件：年龄，外貌越接近越好，经历也要相像比较好，方言、兴趣、嗜好最好都能相通；而最重要的，是要完全变成另一个人，所以必须完全断绝所有人际关系。即便如此，也还有问题：交换的时间必须相互吻合。这条路比我嘴上说的还要艰险许多。"

"说到底，就是最好尽量多地招募希望交换户籍的人？"

"就是这样。现在名单上登记的充其量也就二三十个人。而到现在为止，包括香里和立石，成功交换户籍的男女只有五对。一切都刚起步，革命才刚开始，所以更不能因为这些事受挫。"

"你刚才说二三十个人，光是收集这些，肯定就已经很困难了。全是靠口耳相传吗？"

"那样太危险了。因为哪怕是谣传，我都不希望传到当局耳中。我们的活动不引人注意，却很可靠。发现了一个合适的人选，要经过充分的调查之后才可接触。”

“怎么找出人选呢？大家一定都在隐瞒身份生活。”

“所以要准备一个容易聚集那类人的场所。”

“场所？”哲朗忽然想到了，“啊，对了，金童剧团的戏！”

“除了那个，还有很多不引人注意的活动。这个秘密绝不能让外人知道，我也就没告诉你。所以，我当时虽觉得一直受你们照顾，悄悄离开不好，还是那么做了。”

“但我还是察觉了。”

“所以我才以这种方式把你叫来，为了请求你……”

“要对我说，我知道的这些事情绝不能告诉任何人？”

“这也是为了你好，跟这种事情有关联没什么好处。”

“我没打算要告诉别人，只想知道真相。”

“那你应该满意了，这就是真相，这就是全部。”

“怎么可能？户仓被杀一事呢？”

“那只是个跟踪狂。正如你所知，他拿着我的户籍誊本，是一个翻找香里的垃圾袋的卑劣鼠辈。我惩治了他，仅此而已。”

“听‘猫眼’的老板娘说，香里说她和你都不是凶手。”

美月叹了一口气。

“那种时候怎么可能说出真相？！”

“是你杀了户仓？”

“是啊，我都说过多少遍了。这件事非常简单。我只是害怕会牵连到同伴罢了。”

哲朗沉默了。他无论如何也无法相信美月所言，但又不可能在这里追问她有什么证据。

“有件事想问你，”他说道，“关于中尾。他又是怎么牵扯进来的？”

美月没有立即回答。也许是忽然听到中尾的名字，她有些慌张。摩天轮的吊篮越过了最高点，可以看见高速公路上的车灯不断闪过。

288

"功辅的事情就交给我们吧。"

"交给你们？什么意思？那是……"

"就是指绝不会让他遭遇不幸。对不起，现在我只能这么说。"

"那家伙现在在哪儿？跟你们在一起吗？"

"……在一起。"

"让我见他一面。如果不行，至少告诉我联系方式。"哲朗恳求道。可他马上感觉到，这样的恳求没有意义，美月不会回应。

"你是读了金童剧团的剧本，才注意到功辅也跟这些事有关系，对吧？"美月问道。

"是啊。"

"果然。他说过如果被你看到那个，会很危险。他说：'QB 如果看了，一定会察觉。'"

"那是中尾写的吧？"

"剧本是嵯峨写的，但想到这个题材的是功辅。他们俩很久以前就认识了，这个剧团的创设也与功辅有关。"

"交换户籍的事情也与他有关系？"

"算是吧。"

"当时在我家里，中尾假装很久没见到你了，其实从很久之前开始，你们就一直在联系，对吗？"

"没错。虽不想骗你，但在那种场合，没有其他办法。"

旧情人的重逢——那个晚上发生的事情，却并非那么甜蜜。他们蒙骗西胁哲朗这个老好人，其实是在商议组织活动的事。

"可我还是不明白。为什么连中尾都必须消失？他又不是同性恋什么的，总不至于也想在户籍上做文章吧？！"

"功辅是正常的男人，但有时仍然必须隐瞒行踪。不，应该说正因如此，他才需要这样做。结婚之后成为丈夫，成为父亲，必须承担一些事情。"

"究竟是什么意思？你说的这些……"

"对不起，我只能说这么多了。我能说的只有一句：你不能再跟这些事有任何关系了。我希望你能忘记这一切。"

摩天轮的吊篮持续下降。美月仿佛注意到已经没有时间了。

"等等，你现在到底在哪儿？无论如何，我要再见你一面！"

"我也想见你，想在你身边看你的脸。但我们还是不要见面为好。虽然有点寂寞，可是，我们就在这里告别吧。"

"美月！"哲朗叫道。

一阵沉默后，电话那端微微传来了她的笑声。

"你叫我的名字了。如果我没记错，这应该是第二次。"

"你打算就这样跟所有人告别吗？家人，朋友，亲戚，都打算永远不再见面了吗？"

"各有各的活法。请你原谅。"

美月打算挂断了。哲朗觉察到这一点，慌张起来，不知不觉地在狭小的吊篮里站起身来。

就在这时，他看到西边的停车场中间有两个人影，在灯光的映照下显现出来。其中一人穿着黑色皮夹克，还有一个穿着大衣的长发女子。穿皮夹克的人无疑就是美月，正将一个手机模样的东西贴在耳边。那个女子可能就是香里。

两人看上去仿佛看得见哲朗一般，面对着他。

"日浦，站在那儿别动，我现在就过去。"

"你好像看见我们了，最后总算见到了啊。"

吊篮即将到达地面，可是这样就看不到美月她们了。

"站在那儿别动！"

"保重啊，QB，再见了。理沙子就拜托你了，她可是个好女人啊。"

"等等，日浦！"

电话挂断了。那两个身影被建筑物遮住，从哲朗的视野中消失了。

哲朗顿时觉得吊篮移动得太慢，他站在出入口旁下意识地原地踏步。终于到达地面后，他冲了出来，在一边谈笑一边慢行的人群缝隙中奔跑穿行，搭上电梯。他再次焦急无比，不能自己。

终于到达了停车场那一层。他奔跑着超过一对对情侣，冲出了停车场。

然而，美月的身影已消失不见。哲朗站在她们刚才站的地方抬头看着摩天轮，根本无法看清乘客的脸。

我倒是见到你了，可你没见到我啊。难道这样也可以吗？

他心中默默念道。

第八章

1

两辆大卡车相继开进。等在运输公司办公室外的哲朗慢慢靠了过来。两辆车整齐地停了下来。

司机下了车,主管跑过来,核对完毕后相互交换了账单。哲朗远远地看着这一切。

和嵯峨核对完账单,主管指着哲朗说了些什么,大概是说"那位客人一直在等你"。嵯峨看清是哲朗,顿时面露难色。

看样子嵯峨不可能主动走过来,于是哲朗走了过去。嵯峨没有看他,默默地朝办公室走去。

"你这么累,还来打扰,真是不好意思。"

"你要真这么想,就请回吧。"

"我就说几句,不会占用你太多时间。"

"你就放过我吧。"嵯峨没有要停下来的意思。

"我只想知道中尾的事。我不会再问剧团的事,大概情况日浦都跟我说了。"

嵯峨终于停下了脚步。他环视四周,然后直直地盯着哲朗。

"你说的大概情况是指……"

"关于剧团的存在理由，或许叫活动理由更好。"

"你指什么？"

"就是，"哲朗瞥了一眼四周，压低声音说，"交换户籍的事。"

嵯峨闭上眼，呼出一口气，又睁开眼睛。

"你见到美月啦？"

"她联系我了。算不上见面……我看到她了，可我们是在电话里说的。"

嵯峨轻轻点点头，又叹了一口气。"美月还好吧？"

嵯峨好像也不知道她们现在的情况。

"还过得去。"

"那就好。她都已经告诉你了，我就无可奉告了。"

嵯峨正要走，哲朗抓住她的右手腕。她胳膊上的肌肉很发达，一般女人不可能拥有。

"希望你能把中尾的情况告诉我。听日浦说，你们好像很久以前就认识了，交情很深。"

嵯峨用力甩开哲朗的手，凑过脸来。

"我说过无可奉告。劝你还是不要过分关心。我也在忍受。"

"忍受？怎么回事？"

"我不知道的事情也有很多。我不知道中尾现在在哪儿，接下来会做什么。他过去做了什么，我也不是很清楚。现在我们唯一能做的只有等待。因为我相信他，只能由他来做出判断。"

"那就把你知道的告诉我。"

"和你无关。这是我和中尾竭尽全力才建立起来的。"

"努力的最终结果不还是徒劳吗？"

"什么？"

"偷偷摸摸地逃跑，东躲西藏，最佳跑卫颜面扫地。"

哲朗还没说完，嵯峨的手就伸了过来，紧紧地抓着哲朗的衣领。

"不许你说他的坏话！"

她手劲很大，但还是无法与四分卫相比。哲朗抓住她的手腕，轻而易举就把她的手拉开了。现在，他对自己的握力仍很有信心。嵯峨露出痛苦的表情。

"我和他早就认识，交情比你们深得多。"说完，哲朗望着她。

嵯峨揉着手腕，似乎想回敬点什么，却又默默地转过身，朝前走去。

"嵯峨，就算说这些……"

嵯峨站定，回过头。"曾经的运动明星也是火暴脾气啊，这么容易就乱了阵脚。我跟同事说声'去休息一下'。"她笑了笑。

从运输公司出来，步行几分钟的地方有一家咖啡店，他们走了进去。这家店兼营快餐，桌椅都已很旧了。他们在最里边相对坐下。

"我和中尾是在高尔夫练习场上认识的。"嵯峨腼腆地笑了笑，"很奇怪吧？不管怎么看我都不像玩高尔夫的。可在那个年代，稍微有点钱的人都打高尔夫，在我们驾驶员之间也很流行。"

"感觉你能打得很远。"时值隆冬，她却挽着袖子。哲朗看着她露在外面的手腕，说道。

"确实能打很远，可打得一点都不好，虽然去练习场的次数还不少。"嵯峨把咖啡杯拉到眼前，加了两勺糖。

她说那时一周去两次练习场，都是在上午人比较少的时间段。击球的位置也大体固定，从右数第二个。最靠边的那个位置只要稍打歪一点，球就会触网，一般人都不喜欢，右边的墙上还装有镜子，方便调整姿势，所以嵯峨很喜欢那里。

不知什么时候，在嵯峨和镜子之间，即最右边的击球练习位置有人来了。总是那个人，所以她很快记住了对方的长相。看样子像是二十五六岁的年轻人，一直没有说过话，可对方一定也注意到了嵯峨的存在。嵯峨默默击球时，总能感觉到他的眼神。

第一次说话是因为厕所坏了。嵯峨正往厕所走的时候，年轻人正好从里面出来。嵯峨准备就这么默默地擦肩而过，可对方主动打了招呼。

"啊，这里恐怕不行。"

嵯峨没听明白，回头看着年轻人。

"要是大……的话……隔间的厕所好像坏了。"年轻人很客气地说。

嵯峨吓了一跳。这人怎么知道，自己就算进男厕所也不用男式小便器，必须进隔间呢？

年轻人朝上指了指。"二楼的厕所男女通用，那儿应该没问题。"

嵯峨自己都觉得丢人地应了一声"哦"，朝楼梯走去。年轻人的话一直在她耳边回响。

她回到击球场地，年轻人正在练习击球。嵯峨注意到什么，转过了头。"没问题吧？"他问道。

"嗯，谢谢。"嵯峨表示感谢。

就这样，两人相互做了自我介绍。年轻人自称中尾功辅。

"那时真被他吓着了。"嵯峨端着咖啡杯，稍微往后仰了仰，"他不可能知道我的秘密啊。想了好久，难道那时我脸上明显露出要大便的样子？"她含笑说道，但应该不是开玩笑。

"首先，没有人会觉得你不是男人。"

"我也这么觉得。其实我已经十多年没被人怀疑过了。现在运输公司的同事也基本都不知道，除了董事长和我的顶头上司。在我告诉他们之前，不，是我说完之后，大家都好像很难想象我是个女人。"

"那么中尾怎么会知道呢？"

"我也觉得很不可思议，委婉地问过他。他的回答着实吓了我一跳。他一副理所当然的表情说：'男式小便器你根本用不了啊。'"

"他知道你是女人？"

"他好像察觉到了，而我们之前分明没有说过话。当时太吃惊了，我也就忘了什么拐弯抹角，直接问他怎么会知道。他是这么回答的：'我也不知道我怎么会知道。'他说是直觉。"

"直觉……"

"我和他慢慢接触之后发现，他确实有这种能力。男扮女装的人、女扮男装的人、具有男人心的女人、具有女人心的男人，他一眼就能看穿。他和那种经常大言不惭地说自己绝对不会被变性人欺骗的男人不一样。那样的男人，只看到了一面，没有看到事物的本质。世间没有人能够完美地装扮，瞒过人们的眼睛。像我这样，还有，你完全没有想到'猫眼'的香里会是男人吧？"

的确如此，哲朗只能点头赞同。

"因为完美，谁都不会注意到。因为注意不到，就会想当然地认为不存在。就是这样。可中尾注意到了这些人的存在，他拥有看穿这个的能力。好像很久以前就有了。"

"很久以前，难道是从大学时开始的？"

嵯峨摇摇头。

"他说是更早之前。中学，也可能是小学时就开始了。"

哲朗想这不可能。若是那样，中尾应该早已看出美月的内心是男人了。难道他的特殊能力只对她失效？又或者他明知她的心是男人，却还跟她交往？

"真难以置信。"他不由得低语道。

"最初我也一样，但慢慢和他接触之后，我明白了，那既不是谎言，也不是故弄玄虚。因为他一见到在猫眼工作的香里，就看穿他是个男人。"

"为什么他能做到呢？难道这就是所谓的直觉？"

哲朗像是在自言自语，嵯峨直直盯着他的眼睛。

"我还没有对任何人说过，反正都说到这儿了，就算告诉你，中尾应该也不会生气。他之所以有这种能力，是有秘密的。"

"秘密？"

嵯峨把胳膊肘搭在桌子上，探出身子。

"他母亲是个男人。"

"啊？"

这实在出乎意料，哲朗有一瞬间觉得自己听错了。嵯峨点点头，微微笑着，可是眼睛告诉他，她是认真的。

"你也对我们做了很多调查。我这么说，你应该明白吧？"

"就是……身体是女人的，精神上却是男人，是吗？"

"差不多。用现在流行的话来说就是性别认同障碍。"

"我之前一点都不知道。"

哲朗忽然想起理沙子不知什么时候说过的话。中尾的生母在他出生不久就离家出走，他父亲又续了弦。离家出走的母亲大概就是有问题的女人。

"中尾怎么知道母亲就是这样的人呢？难道也是凭直觉？"

"这个我没有详细问过。他大概也不想说吧。但是，那样的母亲和这样的直觉，不能说完全没有关系。"

对哲朗来说，今天一切都是头一次听说。大学时，他和中尾那么要好，几乎形影不离。他真不知道自己那时究竟对挚友有多少了解。四分卫和跑卫之间明明有过无数次目光接触，他却没有接收到最重要的信息。他对自己的愚钝极为恼火。

"好像就是因为有了这样的经历，中尾才会对男女的性意识那么感兴趣。就这样，他和我算是意气相投吧。那时我正在准备创办剧团。当然，那时候还没打算利用这个来进行户籍交换，只是想如果能向那些有同样烦恼的人传达点什么就好了。中尾很赞同我的想法，说那就一起做吧。就这么回事。"

看来，他们的接触源于金童剧团。

"户籍交换进行得顺利吗？"

嵯峨只是摇头。

"焦头烂额。大概你也听说了，做成一次必须满足很多严格的条件，事后处理也很重要。独自一人在很多事情面前总是显得很无力，所以需要一个组织。中尾也一直在努力建设这个组织。"

"那现在他不在了……"

"说实话，很头疼。可我也不能老是依靠他，现在只能由我来领导了。"

"还是联系不上中尾吗？"

"我这边联系不上。他有时会打电话给我。无论我问他什么，他总是固执地说不用担心。"

哲朗悬着的心暂时放了下来。虽然不知道中尾如今在何处做着什么，不管怎样，他好像还活着。

"你和日浦美月见过几次？"

"好几次。中尾带她来看表演。"

"她好像也在计划着交换户籍。"

"她听说有这样一种途径，好像还比较感兴趣。我也只是抱着找找看的心态，帮她寻找合适的人选，刚好发现了一个完全符合条件的男人。可在我通知美月之前，中尾忽然跟我叫停。"

"为什么？"

"不知道。中尾的大概意思是：还是再观察一段时间比较好。他没有往下说，但他对美月交换户籍一事表现得很消极，绝对没错。"

哲朗双臂交抱胸前，轻声感叹。中尾为什么会表现得很消极呢？曾经的恋人变成男人出现在自己面前，他内心果然还是有些反感吗？可是，一个对性别问题那么认真、表现得如此关心的男人，会出于个人原因改变想法，实在不合情理。

"这是什么时候的事情？"

"去年九月吧。"

那是户仓明雄被杀前两个多月。他好像也不是因为杀人案才改变想法。

"那段时间他常说，我们做的事情说不定是错的，并不是违法的意思。我们做的只是让镜子映出了事物的相反面，就内容来说，不是一点都没变好吗？他大意就是这样。"

"映在镜子里……"

他眼前忽然浮现出中尾那张寂寞的脸。还有一件事，他必须跟嵯峨确认。

"警察掌握到哪种程度了？"

"你指哪方面？户籍交换，还是板桥那个男人被杀一事？"

"两个都是。"

"户籍交换，大概还没有触及根本。他们现在追查的仅限于'猫眼'的香里不是真的佐伯香里这种程度。他们可能已查到这个名字的主人是个有着男人心的女人。因为他们调查过我们剧团，大概已经推测到我们通过表演让假香里和真香里会面，但恐怕也仅止于此，他们做梦也想不到，假香里其实是个男人，竟然有一个户籍交换的组织。"

望月在"猫眼"的时候看了好几眼香里，哲朗确信，他应该没有看穿香里其实是个男人。

"警察怎么发现这和你们金童剧团有关联？"

"说起来也算不上什么。他们在香里的房间里找到了半张演出票。香里原本想把可能成为线索的东西全都处理掉，不料百密一疏。"

"可就算他们找到半张票……"

嵯峨立刻绷紧脸庞，摇了摇头。

"糟糕的是，他们好像找到了两张相同的半张票，由此推断她应该是和别人一起去的。那半张票上还留下了指纹。一个肯定是香里的。他们在房间里的好多地方都找到了另一个人的指纹。这可能是警察的推理在起作用。其实也算不上什么推理。"

"他们认为香里有男人？"

"正是。"嵯峨点点头，端起玻璃杯喝水，"那个姓望月的警察给我看香里的照片，问我是否见过这个人，说她应该去看过我们的表演，是和男人一起……他那副表情像是在说，像你们这样差劲剧团的表演反正也没什么人来看，所以应该记得每一个观众，这是理所当然的。事实也的确如此。"

"你怎么回答？"

"我跟他说感觉好像见过，但也说不准。不知那个警察有没有相信。"

"你觉得警察知道和香里交往的男人的名字吗？"

"不太好说。他没有特别提起，但也不能因此就认定他对这个男人不感兴趣。"

望月一定觉得就是这个男人杀了户仓明雄。

"和香里交往的是中尾……对吧？"

嵯峨轻轻耸了耸肩。"要是你认为香里是中尾的情人，那就大错特错了。他们可不是那样的关系。中尾很爱他的老婆和家人。但是和香里一起来看表演的人的确是中尾，或者应该说是中尾带香里来看的。"

"你知道中尾为什么离婚吗？"

"我还什么都没问呢，只知道他们离了。我想总有一天他会告诉我的，也没有具体查过。"

哲朗眼前浮现出中尾的前妻高城律子严厉的面孔。如果中尾还爱着她，他们为什么一定要分手呢？从律子当时的样子来看，她一定隐瞒了什么不可告人的秘密。

"望月就问了你这些？"

"不。"嵯峨挠了挠下巴。那里隐约可见胡须，大概是注射激素的缘故。"他说要是有剧团相关人员、粉丝团成员的名单，希望给他看一下。"

"你给他看了？"

"怎么可能！"嵯峨往后靠了靠，"要是让他看了，他们也会知道立石的名字。警察大概会逐一调查，注意到户籍交换组织也只是时间问题。"

"你真行，竟然能过望月那一关。"

"和你那时一样，我告诉他，我有保护大家隐私的义务。他们没有证据说剧团和案子有牵连，只好回去了。"

"可要说证据，会有很多吧？到时他就会拿着搜查令来了。"

"或许。所以我把和剧团有关的资料都删了。"

"删了？电脑里的所有资料也都删了？"

"算是吧。我也考虑到这一点，文件一个都没留。只要点击两下鼠标，所有的证据就没了。东京地方检察厅不是经常从某个嫌疑人家里抱出十多个装有相关资料的大纸箱吗？我想这种事以后不可能有了。"

嵯峨看上去很开心。

"可要是资料没有了，你也很难办吧？"

"你不用担心，我已经把资料转移到别处了。网络很方便。就现在的情况来看，剧团的活动也只能暂停，户籍交换暂时取消。"她转向哲朗，"你是第一个也是最后一个看到那份绝密资料的人。"

"让你为难了，真抱歉。"哲朗低头致歉。

"你去过立石家了？"

"对。公司也去了。"

"哦？他还好吗？"

"好像已经和公司的人打成一片了。"

"那就好。那家伙身边没有一个人敢开胸怀对他，所以随时都要很小心，十分辛苦。我刚才也说了，还有几个上司知道我的真实身份。立石不一样。那儿的老板以为他是个男人才雇了他。"

"大概是这样。"

"为了继续隐瞒身份，他受了不少苦。不能和男人一起泡澡，所以公司组织去温泉旅游的时候，他好像故意把自己弄感冒了。他也有小弟弟，但不是一点破绽都没有。"

哲朗听的时候就想，嵯峨大概看过了。

"就算有了男人的户籍，还是一样战战兢兢，这一点丝毫没变。"

"说不定反倒增加了心理上的负担。所以我最近也不时想起刚才我提到的中尾说的话——只是把事物的相反面映在镜子里，实质内容一点都没变好。"

嵯峨长叹一声。"只希望大家都能幸福。"她喃喃着看向远处。

看着这双眼睛，哲朗联想到了母亲的目光。但他没理由对嵯峨提起。

2

回到公寓，门没有上锁，奇怪的是房间里不像有人。客厅也看了，装有理沙子办公用具的大包靠在墙边。

哲朗试着推开卧室的门。理沙子把脸埋在床里，跪在地板上。

"怎么啦？"他问。

她慢慢抬起头，投来目光。

"啊，抱歉，你都回来了。"

"刚回来。你是在睡觉吗？"

"嗯，好像睡着了。"她撩起头发。

哲朗点点头，关上门，来到工作间。

他先打开电脑，正查看电子邮件的时候，传来敲门声。哲朗意外地看向房门。理沙子一直都不承认这个小房间是哲朗专用的工作间，所以进来时从不敲门。

哲朗说："进来。"

门开了，现出理沙子的身影。

"现在，可以吗？"

"啊，什么事？"

"我有事要跟你说。"她走进来，反手把门关上，顺便环视一下四周，"真窄，这么小的房间，你也能工作？"

"你就别抱怨了。你说有事？"

"嗯，"理沙子低下了头，又再度抬起，"我打算明天去房产中介找房子。"

"房子？啊……"他明白理沙子为何说这房间小了，"办公用的房子？"

"嗯，有工作间，也有住的地方……"

哲朗转过椅子，面朝着她。"到底怎么回事？"

"我没有胡来。不是说现在就分手，我没有这个意思。只是，我想我们现在这样肯定不行，所以暂时先出去住一段时间。就这样。"

"就这样？"

"我反省过了，以前我关于婚姻的看法都错了。两个人互相喜欢，在一起也很开心，这样就好了，我曾经这么以为。但这些是不够的，还需要更多的心理准备，不惜搭上性命的心理准备……"

"你突然之间说什么啊？"哲朗强笑道，"出什么事了？"

"没有，什么都没有。"她摇摇头，"我也想了很多，才得出这样的结论。你有什么反对意见吗？"

"反对意见？"哲朗想不出合适的话语，无奈地摇头，"不，没有。要是你这么想，就按你的心愿去做吧。"

她呼出一口气，看得出肩膀已完全放松。

"你这么说，我就释然了。你一直都很善良，我还担心你会假意挽留我呢。要是那样也太可怜了。"

哲朗苦笑着伸手摸了摸脖子。某种意义上，这件事在预料之中。说让她重新考虑一下，大概会更好——他脑中闪过这样的念头。但这不是他的本意。坦白说，他很赞成她的提案。他感觉到了两人一起生活时的苦闷，这一点毋庸置疑。

"中尾那边，你知道什么了吗？"她首先换了话题。

"嗯，算是收获不少。"他正在犹豫要不要跟她具体讲。

"我要修正以前说过的话。"

"修正？什么事？"

"我说过叫你不要插手中尾的事。我错了，中尾是你的挚友，不可能放任不管。对不起。"

"没事，你不必因为这个向我道歉。"哲朗抬头望着妻子，"我说，你今天到底怎么了？很奇怪。"

"我不是跟你讲我考虑了很多吗？话说回来，你觉得能找到中尾吗？"

"不知道。我想尽一切努力去做。我今天其实——"

理沙子立刻摊开右手说："停。你不必向我通报调查情况。我一点忙都帮不上。可你要加油，我会一直支持你。"

哲朗一边点头一边想，这番话一点都不像理沙子的风格。

"我一定把他找出来。"

"明天我会把必需品先带走。在找到房子之前，我和朋友一起住。剩下的行李，我有时间了再来取。"

"你行动还真快。"

"只要决定了，就马上行动。我的性格就是这样，你也知道。"

"是啊。"

哲朗想起，她以前要和当记者的好友一起去海外采访时的情景，自那以后一切都乱了。

"我说完了，就这些。"她说完转身离去。看着合上的门，哲朗终于想通了，她刚才为什么敲门。

第二天一大早，他就被吵醒了。起床来到客厅，看见理沙子正在打包行李。

"啊，抱歉，把你吵醒了。"

"这么早就要走？"

"对，有件工作要去做。我打算做完后就去朋友那儿，放下东西，然后出去找房子。"

"这么忙。要不要我帮忙做点什么？"哲朗站起身来。

"不用了，都弄好了。"理沙子猛地拉上包的拉链，起身把包挎在肩上，"住的地方定下来以后，我会跟你联系。"

哲朗点点头。理沙子刚一开门，他就条件反射地走上前准备送她。她马上制止了。

"又不是永别，到这儿就好了。保重啊。"

"你也是。"

她走出客厅，留下一句"谢了"。走廊上传来她的脚步声，接着听到她穿鞋，打开玄关的门，然后又关上了门。

哲朗坐在沙发上发了一会儿呆。对于理沙子搬出去一事，他心中没什么真实感。她说"这不是永别"，却让他有一种空空荡荡无从把握的感觉。

桌子上还放着理沙子的烟，他伸出手，找了找，里边就剩一支了。他叼上烟，用一次性打火机点燃，深深吸了一口。肺隐隐作痛，被呛到了。他慌慌张张地捻灭烟，扔在烟灰缸里。

他来到厨房，喝了杯水。这时，他发现洗好的餐具里混杂着两个茶杯，还有两个相同花样的杯垫。这种皇家哥本哈根餐具是结婚时早田送的。理沙子一直都很珍惜，只有在贵客光临时才会用。

哲朗想了想理沙子忽然提出要出去住的理由。

果真还是出了什么事。这会不会和来客有关？他真懊恼昨晚竟然没注意到茶杯。

究竟谁来过呢？

他想寻找线索，于是环视四周，留意到了冰箱上用磁铁固定住的记事条。

是理沙子的字迹，上面写着"请一定找到中尾，不要输给早田"。

3

原计划下午去采访，哲朗又取消了。他忽然做了个决定。

他来到百货公司的食品柜台，买了方便携带的小礼物：薄脆饼干和点心，都包装得很精美。

他打算将薄脆饼干送给户仓泰子，点心给户仓佳枝。佳枝已上了年纪，若也给她薄脆饼干，未免显得自己太粗心了。

户仓明雄家和上次来时一样，静静地伫立在狭小密集的住宅区，密不透风，窗内也很昏暗，不像有人居住。

哲朗按下门铃。不一会儿门开了，露出户仓佳枝满是皱纹的脸。

她大张着嘴，像是被吓着了。看样子她还记得哲朗。哲朗鞠了一躬，表明想打听一点跟案子相关的东西。

"我没什么可告诉你的了。"

她要关门，哲朗马上伸手止住。

"我还有很多事情无法确认，想麻烦您听一下。"

户仓佳枝显得很犹豫。哲朗一直盯着她的眼睛。

几秒之后，她轻轻地点点头。

和上次一样，他被带到那间四叠半的和室。房间里设有佛堂，上面依然放着户仓明雄的照片，只是变干净了。哲朗大致看了看，室内好像收拾过了。

哲朗递上糕点，佳枝客气地收下了。

再次探访他家，完全是因为理沙子的留言。不要输给早田——哲朗一直放不下这句话。看来早田手里掌握着什么。他斩钉截铁地说，他手上有揭开谜底的钥匙。没有这个，警察很难接近事情的真相。

哲朗不知道那是什么。早田究竟是在哪里、怎么弄到的呢？他是记者，与普通人相比有各种渠道和门路。可如果是这样，警察也能做到。

早田当时明确地跟哲朗说，我不用你的方法，会从不同的渠道追查案子。他察觉哲朗在某种形式上和案子扯上了关系，所以才这么说。他也没有跟踪哲朗。除此之外还有别的查案渠道吗？

考虑到这里，他想到了户仓家。那时早田能做的也就是重新调查户仓明雄的周边情况。他肯定又来见户仓佳枝和户仓泰子了。终于，极为重要的"什么"被他弄到手了。

"之前和我一起来的那个姓早田的记者，您还记得吗？"哲朗问佳枝。她端坐在榻榻米上，没有给哲朗倒茶的意思。

"记得。"

"我想后来他又来过几次吧？"

"嗯……没有，之后一次都没来过。"老妇人摇摇头。

"是吗？"

"嗯。"

这不可能，可佳枝表情困惑，不像在说谎。她满脸皱纹，本就很难看出表情，这也是事实。

"电话呢？他给您打过电话吗？"

"在我印象中好像没有。那个记者怎么啦？"

"没，没什么。"

难道是自己猜错了？哲朗一脸沮丧。

这时佳枝说："呃，您刚才说，还有事情没有确认……"

"嗯，对。有几件。"哲朗端正坐姿。

为不让她怀疑，有必要提供一定程度的消息给她，但又不能说太多。隐瞒什么，说什么呢？这很难把握。

"警察好像把焦点集中在一个叫香里的女招待身上。她以前在一家叫'猫眼'的酒吧工作。"

"女招待……明雄是她杀的吗？"

"不是，警察怀疑是女招待的情人杀的。好像有男人和她同居。"哲朗想了一下补充道，"那个叫'猫眼'的酒吧有一个调酒师，在明雄先生被杀之后就辞职了，所以警察也在追查这个男人。我想警察推测这个调酒师就是和香里交往的男人。"

他故意说了好几个"男人"。丝毫也不能让她察觉，日浦美月原是个女子。

"你说那个调酒师就是凶手？"

"这个不好说。"

"那人叫什么？"

"好像……"哲朗判断就算说出来也不会有问题，就说，"名叫神崎见鹤。"

"神崎……"虽然只是一点点，老妇的表情有了变化，布满皱纹的眼睑惊跳了一下。

"您认识吗？"

"不，完全不认识。"佳枝摆摆手，"那么，还没有抓到这个人吗？"

"好像是。"

哲朗说完，她又陷入沉思。

不管怎样，若早田没有来过，继续待在这儿大概也没什么意义了。哲朗又说了一些跟案件无关紧要的事情，站起身来。

"户仓太太住在附近吗？"

"不知道算不算近……前面两站。"

"要是可以，能把住址和电话号码告诉我吗？"

佳枝想了一下，说声"稍等"，打开了旁边茶柜的抽屉。

"户仓太太后来怎么样啊？有没有不时跟您说说话？"

"完全没说过话。过完年一次都没见过。我这边倒也没什么事，所以也无所谓。嗯，电话号码是……因为从来不打电话，写有号码的纸也不知哪儿去了。"虽这么说，她还是从里面拿出一张纸，上面写着户仓泰子的联系地址。哲朗记了下来。

他在佳枝告诉他的那一站下车，朝着记录上的地址走去。若早田没有去见佳枝，那很有可能来找过泰子。想到或许会白跑一趟，哲朗根本提不起精神。

是栋很旧的两层公寓，户仓泰子和儿子就住在一层。六岁的儿子应该是叫将太。

门铃一响，马上有人应声，门开了。看到哲朗，泰子缓缓行了个礼。她像是还记得哲朗。

"冒昧前来真是抱歉，想看看您近来状况如何。"

"没什么，什么都没……"泰子垂下眼帘。

"呃，能占用您一点时间吗？在附近喝点茶什么的。"

"啊，可我不是很想出去。"她敞开门，"请进。"

哲朗说声"打扰"，走了进去。

刚进门的地方是厨房兼餐厅，对面好像还有一间。但说是厨房，一张小桌子就几乎占满了。普通家庭居住就太窄了。

哲朗和泰子隔着小桌相视而坐。将太坐在地板上，在玩电视游戏，游戏机和之前玩的那个不一样。哲朗稍感意外，因为他推测他们算不上富裕。

"您现在做什么工作？"

哲朗刚一开口，她就无力地摇头。

"之前在酒馆工作，后来被炒了。生意萧条，客人不多，人手也够。现在正在找下一份工作。"

"那您真是辛苦了。"

"嗯，因为有这个孩子，就算再困难也要继续努力。"泰子看看将太。

哲朗又问了一遍，大意就是问早田来过没有。泰子的回答同样让他很失望。她说之后一次都没见过。

哲朗又问警察有没有来找她询问和案子有关的事情。泰子沉思了一阵。

"我也一直在想，警察几乎没怎么联系我，我还纳闷呢。明明是受害者家属，却什么都不告诉我们。"

凶杀案被害人的家属常说这种话。很久以前就有人呼吁要保护受害者的权利，可现实中好像什么都没解决。

像是游戏机玩厌了，将太玩起了电话机。不知他摁了哪个键，然后拿起听筒，过一会儿又挂断。他一直重复这套动作。让人意外的是，电话挺新，带号码显示屏。孩子摁的大概是重拨键之类的，只要一摁下，显示屏上就会出现一连串数字，可能是觉得这个比较有趣吧。

"将太，别玩了。不是跟你说过不准玩电话吗？"

听到母亲的警告，孩子从电话机旁边走开了。

之后都是一些闲谈。哲朗主要问她以后有什么打算。她没有明确的答案。

"也没有存款，我知道得早点想办法了。"

"和婆婆还有联系吗？"

"嗯，我和那个人已经形同陌路了。"说完，不知为什么，她又望了望电话。将太已经回到游戏机旁。

将要告辞时，哲朗想起随身携带的小礼物。穿上鞋后，他递过纸袋。

"您不用这么客气的。"

"不不，您别这么说。"

"是吗？真是不好意思。将太很喜欢甜食，肯定很高兴。"

"不是，呃，里边装的是薄脆饼干，真是对不起。"

"啊，是吗？对不起，他也很喜欢薄脆饼干。"泰子很不自然地笑笑，接过了纸袋。

哲朗一边往车站走，一边感叹自己的徒劳。他很意外。早田竟然没有和她们见面。他是怎么弄到那么重要的情报的？

能想到的就是……

户仓明雄曾工作过的门松铁厂。他以前也调查过那个地方。据早田说，那家公司的经营者是户仓的亲戚。哲朗看看表，这个时间公司肯定有人。他犹豫着要不要过去看看。反正都到这儿了，就算白跑一趟，也不觉遗憾。

车站前面有家卖点心的商店，是家西式糕点店。在门松铁厂，工作的大概都是男人，空手去拜访会更好。

走到那家商店前，他停下了脚步。他忽然想起泰子的那句话："将太很喜欢甜食，肯定很高兴。"

对，她确实这么说过。她为什么深信盒子里面装的是甜食呢？包装纸的外面只写了糕点店的店名。

还有一件事也让他觉得奇怪。看到哲朗，泰子并不感到惊讶，对他知道自己家住址一事好像也没有疑问。你是怎么知道我家地址的？问出这样的问题才合乎情理。

难道户仓佳枝跟泰子联系过了？

他只能这么想。佳枝大概通知她，有个姓西胁的可疑男人要去你那里，还顺便提到他还带了点心作为礼物，刚离开我家。

若是这样，就不得不重新认识佳枝和泰子的关系了。两人称彼此根本没有往来，其实不然。

早田曾经说过，那个老太婆很难缠。

其实她们的关系并不像她们说的那么恶劣。若果真如此，她们为什么要装成这样呢？哲朗思索着该如何确认她们之间有没有联系。

他忽然有了主意，沿来路返回。

回到公寓摁响门铃，再次看到泰子的时候，她的表情比刚才僵硬许多。"还有什么事？"

"我还有两三件事想向您确认。"哲朗也很强硬，顺势进了屋子，"您知道您丈夫生前经常去一家叫'猫眼'的酒吧吗？"

"'猫眼'？这个……他好像经常去银座那边的店，我听警察说过。"

"您记得有个叫佐伯香里的人吗？"

"佐伯小姐，是吗？这个……"她歪着脑袋。

"那么神崎见鹤呢？"哲朗边观察她的表情边说。

泰子摇摇头。"不知道。"

他觉得，有一瞬间她圆瞪双眼，但这可能只是错觉。

"是吗？"

"他们怎么啦？"

"没什么，现在还不好说。对了，"哲朗佯装看表，"能借用一下电话吗？我的手机忘在家里了。"

"哦，请便。"

哲朗说声"打扰"，进入房间。礼物的包装早已被打开，将太正嚼着饼干。

哲朗站在电话机前，尽量不让泰子看到他手指的动作。看了一下键盘，他假装拨号，摁下重拨键。屏幕上显示的并非之前印在脑中的户仓佳枝的号码。

他准备摁下通话记录键。最近的电话能记录多个已拨号码。如果泰子和佳枝联系频繁，记录的号码中肯定有佳枝的。

可他的手指停住了。他注意到好像见过屏幕上显示的号码。这不是佳枝的，而是属于一个令他始料未及的人。

4

手表的指针已过晚上十一点。哲朗又点了杯黑啤。他一人独占一张圆桌。其他四张方桌旁各围坐着几个工薪族打扮的男女。这家店以美女调酒师的精湛手法闻名，在非节假日也座无虚席。

端上来的黑啤刚入口，两侧对开的店门便被推开。身穿黑色皮夹克、围着灰色围巾的早田走了进来。"等很久了？"

"没有，只一会儿。"

服务员拿过酒单。早田边摘围巾边点了 Gin & Bitters。

"理沙子喜欢的酒。"哲朗说道。

"所以我才点的。"早田抿嘴笑了笑，将皮夹克搭在椅背上，"真的开始变冷了。不用去北方吗？"

"北方？"

"滑雪或者滑冰的采访任务，那边会有很多比赛。"

"啊……我并不是那方面的专家。"

"如果按喜好选择，可难保生存。"早田取出烟盒，用芝宝打火机点燃一支烟。哲朗想起以前非常流行带芝宝打火机去滑雪场。那时他和早田都不抽烟。

"在来这里的途中，我试着想象了很多。"早田边吐烟雾边说，"到底是什么事情呢？肯定不是同窗的谈话，而是与那件事相关。但我不知道你约我出来的理由。我说过，不会协助你，反倒希望你收手。这个你不是不知道。"

哲朗陷入沉默。他不知该如何与这位强敌展开话题。

酒上来了。早田捧起玻璃杯，哲朗也举起盛满黑啤的玻璃杯。

"高仓怎么样？还是一如既往东奔西走吗？"

"怎么说呢，"哲朗点头，"其实我们已分居了。"

早田夹着烟的手在空中停住。"我可以问原因吗？"

"没有原因。哦，与其说没有，不如说是我不知道。理沙子提出分居，我同意了。就是这样。"

"她肯定有她的理由，你同意想必也事出有因。"

"一言难尽啊，经历了很多。"哲朗一口气喝了半杯黑啤，"那件事也许还是先说了为好，就是关于总决赛。"

"还是那次被截球吗？"

哲朗点了点头。"关于那时我没给你传球的原因。"

"你看不见吧？"早田轻描淡写地说，"大概是左侧视野。"

哲朗吃惊地看着朋友的脸。昔日的著名近端锋若无其事地喝着苦味鸡尾酒。

"原来你知道。"

"我当时认为可能是这样。松崎或许也注意到了，但真正知道的人应该是中尾。看到你们的合作，我观察到左侧似乎成了死角。是眼睛有问题吗？"

"左眼。现在左眼的视力也不是很好。"

"哦。"早田点头。

哲朗不打算说眼睛出问题的原因，也不想发牢骚。

"你一次也没问过这件事。"哲朗说。

"问了又怎样？隐瞒自然有原因。"

"嗯……"

"在训练时注意到了，真正确认是在比赛中。那种场合也不能追问。"

"你知道我左眼视力不好，所以才在最后跑到那个位置？"

"是。我也是打了一个赌。"

"打赌？"

早田喝完酒，向桌前探身。"谁也没指出这一点，你觉得为什么那个位置会无人防守我呢？在左侧区域，对手几乎没人。那支队伍可是以防守严密出名，你不觉得奇怪？"

哲朗屏住呼吸。"难道……"

"没错。"早田抬着下巴微微一笑，"对手的防守阵容注意到了，帝都大学的四分卫不往左侧区域投球，不知为什么就是不投。当然，他们大概不是一开始就注意到了，但至少在比赛最后关头，他们看破了，这千真万确。"

"所以左边没人……"

"是。于是我将计就计，跑到左边。接下来就看你能不能发现我，把球投过来。我说的打赌就是这个意思。同时，我也在试自己的运气。"

"运气？"

"你感觉到我对高仓有意了吧？"

"……嗯。"

"我一直在犹豫，不知是否该对她表白。我知道高仓和你的关系。这就是所谓的一边是爱情，一边是友情。结果还没得出结论，就迎来了决战。于是我决定，如果能在比赛中成功达阵就表白，否则就给缘分画上句号。"

"结果没能达阵……"

哲朗才知道，那对早田来说是双重的失落。

"我在一瞬间也怀疑过，难道你察觉了我的决心，才故意不给我传球？虽然那不可能。"

"就算我知道你的决心，如果看到你了，我也会传，毫无疑问。"

"嗯。"早田点了点头。

哲朗握拳轻轻敲了下桌子。

"我还一直认为没有谁会注意到我的眼睛……"

"美式橄榄球没那么容易瞒过别人吧。一个人什么都不能做，齐心协力才能凸显个人。"

"是这样。"哲朗点点头，叹气。

哲朗意识到自己长久以来一直在犯错。他将自己看成悲剧性的选手，为不伤害队友而隐瞒意外事件，因此输了比赛也从不辩解——一直麻醉在这样的状态中。然而，这只是对自己的放任，是伙伴们一直在守护着自我陶醉的他。

他也终于明白了理沙子讨厌"男人的世界"这个词的理由。那只不过是自恋罢了。

"原来只是我一个人在装英雄。"

"也不能那么说。那既是人的弱点，也是优点。"

"理沙子似乎不能原谅这个弱点。不，她说能共有弱点的才是夫妻。确实如此。"

"高仓对于左眼的事情……"

"她知道，但假装不知。她等着我坦白，但我没说。"

"那家伙大概不会原谅你吧。"早田抖落烟蒂的烟灰。看他的眼神，他似乎想起了高仓理沙子的脸。

"她搬出去后，我发现了她留下的字条，写着'不要输给早田'。"

"输给我？"早田用大拇指指着自己，"什么意思？"

哲朗环顾四周，降低了音调。

"你说过，你握有解决事件的关键。如果没有那个，就连警察也无法接近真相。那份自信至今没变？"

早田苦笑，手在脸前挥动。"如果是让我说板桥事件，我这就走。"

"等等。你必须听我把话说完。"

哲朗抬手叫服务员，又点了一杯 Gin & Bitters。

"你打算干吗？"早田问道。

"你如果不想说，就保持沉默。听完我的话，你再考虑要不要回答。"

早田一直盯着哲朗的眼睛，一副琢磨他内心的表情。不知是否看透了什么，早田点了点头。"我听听。"

哲朗喝了口黑啤润润喉，深深吸了口气。

"我的推测是这样的。板桥命案至今未破，是因为缺乏找出凶手的重要途径。我认为你正是找到了这条途径。为什么这一途径会缺失呢？是有人故意隐瞒。就一般情况而言，如果存在这种人，警察总能调查清楚，只有一些人例外。他们对于警察来说几乎是盲点。"

早田正想点烟，手顿时停住了。打火机的盖子敞开着。

"盲点就是被杀的户仓明雄的家人，具体说就是户仓佳枝和户仓泰子。特别是他母亲，警察完全忽略了。"

早田盖上打火机的盖子，将衔在嘴里的烟放在桌上。这时，点的酒刚好送来了，他并没有伸手去拿。

"真是大胆的推测。你是说被害人的家属在掩护凶手？"

"这个，你以前就意识到了，不是吗？你掌握的关键就是这个吧？"

"不像喝醉的人说的话呀。"早田将酒杯挪到一边，"我们换个地方说。"

早田领哲朗去了一家地下茶室。这里光线昏暗，为保护客人的隐私，每张桌子都摆得恰到好处。对怕被人看见的男女来说，这里是约会的好地方。

"我想问问，得出如此结论，你有什么根据？"早田没碰端上来的咖啡，径直问道。

"你能先回答我的问题吗？你也一样抓住了这点，对吧？"

"你先说，我再回答。"早田撇了撇嘴角。

哲朗举杯喝了口水。他一开始就没指望早田会爽快承认。

"死者的母亲和妻子知道凶手是谁。我有证据。"

"是什么？"早田绷紧嘴角。

"电话号码。细说起来太长，总之有个契机使我接触到了户仓泰子家的电话。按下重拨键时，出现了重要人物的号码。说重要，是因为与案件有很大关联。"

"等等，你一定知道那个重要人物，也知道对方的电话号码,对吗？"

"当然。"

"说与案件有很大关联，可以理解为案件内幕吗？"

"你就那么想吧。户仓泰子绝对没有理由与那人打电话，表面上他们完全没有关联。补充一句，户仓泰子假装与佳枝没有联系，实际上并非如此。那两人保持着非常紧密的联系。"

"那个重要人物叫什么？"

"你认为我会说那么多吗？你一张牌都没出。"哲朗往黑咖啡里加入牛奶，搅拌起来。

早田将双手放在脑后，身体后仰。他凝视天花板，陷入沉思。他大概在脑海里开始各种计算，但其中不会夹杂哲朗曾是他的战友这个要素。

跟早田这样讨价还价很危险，但哲朗别无他途。自从看到户仓泰子家的那个电话号码，他就清醒地意识到悲惨的结局正逐渐临近。

"那个老太太……"早田开口，"从一开始见到她，就觉得很可疑，觉得她在隐瞒什么。所以，我想再见她一次。"

"可她说从那以后再没见过你。"

"没错，最终还是没见到。我正准备去拜访的时候，碰巧看到有人进去。"早田放下胳膊，看看哲朗，"是户仓泰子。我以为她们又要开始吵架，可并不是那样。泰子进去快两小时仍没出来，而我已确认老太太在家。势如水火的两个人在一起待两小时，你不觉得奇怪吗？我又想起老太太家的电视机连着一台游戏机，那表明泰子经常带着孩子出入。我意识到两人关系恶劣的说法纯属谎言。"

"后来呢？"

"我跟踪了泰子，因为她并没有带孩子出来。我想她可能要去什么地方。这种直觉是对的，她去了银行。"

"银行？"

"没去业务窗口，去了自动柜员机。为不被发现，我只能躲在很远的地方观察。她是去打印存折，没有存钱也没有取钱，只是打单子。"

"是在确认有没有进款？"

"大概是。我自费雇人监视了她一段时间，发现她常去银行，做的事情仍旧只是打单子。"

"很奇怪。"

"而老太太那边，我也在有空的时候监视过。我想知道来她家拜访的都是些什么人，但几乎没有访客。傍晚时分老太太会出去购物，除此之外她似乎不与人见面。正当我觉得一无所获，准备放弃监视的时候，老太太有了行动。她穿着与平时截然不同的时髦衣服出门了。"

"去哪里？"

"一个意想不到的地方。去了江东区的周租公寓。"

"周租公寓？"哲朗不禁怪叫，"去那种地方干什么？"

"我也不知道，至今也不知道详情。老太太似乎有事要找住在那里的人，进去了。我悄悄跟在后面。老太太敲了一个房间的门，可没人出来。"

"是谁的房间呢？"

哲朗侧着头，一脸不解。住在周租公寓，肯定不是长久居住。案件相关者中有这样的人吗？

"老太太离去后，我调查了暂住者。我想，他们反正不会用真名，但还是多了个心眼。那种地方，邮递员大多不会将邮件直接送到户，而是先送到传达室，再由管理员转交。所以只要问管理员，就能知道名字，哪怕只是假名。老太太去的房间是一个名叫神崎见鹤的人在住。"说到这里，早田指着哲朗，"你知道这个名字吧？"

"是'猫眼'酒吧的调酒师……"

"对。"早田慢慢抬起下巴，"警察也在追踪他，因为案发后他就辞职了。望月也为了查明他的去向而在'猫眼'盯着。据'猫眼'老板娘说，神崎是女招待香里介绍来的，香里现在也下落不明。警察认为神崎是香里的恋人。神崎在店里登记的住址和履历都是假的，老板娘也不知道他真正的住处。可意外的是，被害人的家属竟然知道。对于这点，你怎么看？"

"户仓佳枝和泰子一定知道杀害户仓的是神崎，却瞒着警察。"

"这么想大概没错。但她们为什么要这么做呢？"

"为了保护神崎见鹤？"

"不可能。"早田立刻摇头，"先不说泰子，户仓是佳枝的亲儿子啊，很难相信她会保护凶手。但是，也不一定因为憎恨就希望凶手被抓。在只有她们知道凶手是谁的情况下，可能会采取别的行动。"

"复仇？"

"有可能。但对于家属来说，不是杀了凶手才能消气，况且泰子正想和户仓明雄离婚。我能想象，他们对凶手并没有多么仇恨。"

"如果不是复仇……"

"一句话，就是勒索。"早田竖起食指，"实际上，佳枝和泰子的生活都非常窘迫。不知道是谁提出的，她们开始向凶手勒索金钱——这是我的推测。所以泰子才会频繁去打印存折，查看钱有没有到账。"

"被害人的家属向凶手勒索……"

"大跌眼镜吧？如果这是事实，"早田点了根烟，耸着肩吐出烟圈，"同时也是骇人听闻的独家新闻。这种事前所未有。"

哲朗想起在户仓泰子家看到的景象。她儿子将太在玩游戏机。那游戏机可不是经济拮据的家庭买得起的。这一点与和凶手交易获得金钱相吻合。

"因此，你对案件的看法也忽然发生了改变？"哲朗问道。

"这是我的工作。但我讲义气，所以警告过你，不要搅进来，会影响你的未来。"

早田语气粗鲁，却是发自真心。但哲朗不能接受他的好意。

"这件事还有别人知道吗？"哲朗问道。

"现在只有我知道，还没向上级汇报，不能被别人抢了头功，况且我不知道你与案件有多大关联。但凡事皆有限度。我准备开始行动了。户仓佳枝和泰子最近也没什么明显的行动。"

"要告诉警察？"

早田顿时大笑起来。

"做那种傻事干吗？抢在警察之前下手才是独家新闻。"

"冲佳枝她们？"

"我拍到了老太太去周租公寓时的照片。那两人看到照片时会露出怎样的表情，我很期待。"

"但是，关于勒索的说法，没有证据吧？"

"证据之类的，之后让警察去找就行。我们的工作是从完全不同的角度来曝光事件。只是，"他说着，将并不是很短的香烟捻灭，从桌上探过身来，"事情像是有了些变化。验明神崎见鹤真实身份的机会来了。喂，现在轮到你说了。在户仓泰子家发现的电话号码到底是谁的？"

早田嘴角浮起一丝微笑，目光犀利，似乎在恫吓哲朗：再不说就没机会了。

哲朗喝了口已变凉的咖啡，只尝到了苦味，或者说，此刻的心情将味觉也搅乱了。

"我叫你出来是有理由的。"

"交换信息，对吧？我同意跟你交易。"

"不只是交易。不，那个怎样都行。我有事求你，虽然你不一定会接受。"

"到底什么事？别装模作样的。"

"早田，是这样的。"哲朗将双手撑在桌子上，低下头来。

"怎么？你想干吗？"早田的声音充满疑惑。

"请不要再调查此事。请……请放手，请你忘记这件事。"

早田陷入沉默。哲朗低着头，看不到早田的表情，但可以想象他脸上一定挂满惊讶、震撼和疑惑。

"西胁，你……"早田说道，"你小子耍我？"

"不，不是。"哲朗抬起头。

早田眼角上挑，两颊绷紧，强忍着怒气。

"什么不是？放手不管这种话，应该由我说才对吧？"

"当然，我决定从今以后不再参与。我知道我提的要求很强人所难，但其中是有原因的。"

早田瞪了哲朗一眼，将手伸向烟盒，但没有拿烟出来，只是将盒子放在桌上。

"我听听那个原因吧，但不代表听了之后就会答应。"

哲朗叹气。他无法确定这样做是否妥当，但他想不出更好的方法。

"那我说了。你可能会很惊讶，有一个我们认识的人和这件事有关。"

"我知道，是日浦。"

"你知道是怎么牵连进来的吗？"

"看来你知道内情？"

哲朗深呼吸。心中仍在犹豫，但他还是舔舔嘴唇，开口了。

"那个叫神崎见鹤的调酒师就是日浦。日浦美月。"

5

早田紧皱眉头，张大嘴巴。一定是不能立刻理解，这也难怪。

"是日浦。"哲朗慢慢重复，"日浦就是神崎见鹤。"

"你在说什么！神崎是个男人。"

"是的，所以日浦也是个男人。"

哲朗向未完全明白来龙去脉的早田概述经过：在那次同学聚会的夜里再次相见，哲朗和理沙子阻止美月自首，美月出走……他甚至说了事件背后，被性别意识困扰的人们进行的令人震惊的计划。

说完要点，哲朗观察着早田的反应。只见他轻咬嘴唇，凝视着旁边，表情犹如在比赛中。著名近端锋不只是听从四分卫的指示，还自行构思各种作战计划。

早田拿起刚才放下的烟盒，叼了一根点燃，凝望空中吐着烟圈。"让我大吃一惊！"

"是吧。"

"这样就对上了。可能在户仓家里，有大把的东西证明他是个跟踪狂。户仓佳枝看了，认为凶手就是香里或她的恋人神崎，于是和神崎交易。目的自然是为了钱，想隐瞒户仓跟踪行为的想法大概也在起作用。户仓生前可能已经查明神崎住在周租公寓。"

"我也这么想。"

"尽管如此，事件背后竟存在如此内情，我做梦也没有想到。但这样就吻合了。我听认识的警察说，'猫眼'的女招待香里所用的'佐伯香里'这一女性名字是假的，真正的她很可能是性别认同障碍患者。但我觉得这与户仓被杀没什么关联，大概警方也这么认为。"

"比起杀户仓的凶手被查清，他们更担心户籍交换一事曝光。日浦准备自首，我认为也是想尽量以简单的方式终结这起事件。"

"是中尾让她改变了主意？"

"可能，虽然不知道是怎么说服她的。"

早田点头，再次自语："真让人吃惊！"他又看向哲朗。"听了这么多独家消息，你觉得我会保持沉默，不去报道吗？"

"我不知道。但是，除了说出来，别无办法。"

"说出来才是失败。之前我也说过，我刚开始从事这一职业时就下了决心。只要能传达真相，无论失去什么我都不后悔。"

如果害怕球被截，就不可能传球。哲朗想起自己也说过这样的话。

"我说出来，是因为还有一线希望。"哲朗说道。

"什么？"

"你如果告发户仓佳枝他们，警察会从她们口中得知凶手。她们不知道凶手的真名，但知道电话号码。这样很容易查出号码持有人。"

户仓泰子的电话显示的号码是手机号。哲朗知道机主并非通过不正当的方法签的手机合同。

"那个号码的主人是真凶吗？而那个人你十分熟悉，我也一样。"早田说。

哲朗没有办法，唯有点头。"如果警察出动，那家伙也逃不了。逮捕凶手只是时间问题。那样所有真相都会水到渠成地暴露。"

"你是想，反正会暴露，不如先对我挑明，让我罢手。原来如此，这果然是一线希望。但是，"早田接着说，"对不起，那一线希望也没了。我想，你们都很辛苦，大概会恨我。尽管如此，我还是会做自己该做的。否则，在这个社会生存就没有意义了。"

哲朗咽下口水。他深深意识到早田不是轻易改变想法的人。

"得出结论之前，你不想知道名字吗？我在户仓泰子的电话机上看到的手机号码的机主的名字。"

"我想确认啊，其实，大致也猜到了。"早田看着哲朗的眼睛，"是中尾功辅？"

"你怎么会……"

"只要冷静听你的叙述就能找到答案。日浦用神崎见鹤的名字生活，想必是中尾给她租的公寓。也就是说神崎见鹤既是日浦，又是中尾。户仓佳枝她们提出与神崎见鹤交易的时候，日浦或中尾只要出来一个就行了。"

哲朗低下头。他再次后悔将眼前这个男人当成敌人。

"连亲密的朋友也不饶恕，是这个意思吗？"

"请说不妥协。现在在这里的不是早田幸弘这个人，而是一只只要有饵就四处猎食的鬣狗。"早田吼道。将自己比成鬣狗，可见他也很苦恼。

"我认为中尾会自首。"哲朗说道，"很可能在此之前他会销毁所有户籍交换的证据。他现在还没现身，我想是因为需要时间。"

"同感。"

"如果你无论如何也要告发户仓佳枝和泰子，我也没办法，但能不能等到中尾自首以后？"

"不行。这就像要求一只鬣狗将现在就能享用的肥肉等到腐烂以后再吃一样。而且，我觉得就算中尾这么打算，能否按计划进行也很可疑。户仓佳枝她们要是知道户籍交换的事就完了。"

"可是，如果没有证据……"

哲朗说到一半，早田用力摇头。

"证据这东西从哪儿都能得到，中尾无论怎么隐藏都没用。不要轻视警察的实力和战术。"

哲朗并没有轻视警察，只是想拖延事件落幕的时间。他明知这只是徒然，但目前能做的也只有这样。

"你打算什么时候告发？"哲朗低着头问。

"还需要弄清几个内幕，也得小心不让警察和中尾发觉，所以，可能还要费点工夫。我会尽快。"

"哦。"

早田不会一个人奔走取证。也许他很快就会向上司汇报。这样，秘密很快就不是秘密了。

"但是，像之前说过的，我会公平地干。我不会把今天从你这儿听到的话作为基础去采访。按照当初的计划，我会从户仓佳枝和泰子那里入手，然后一步步接近户籍交换的事实。待内幕一揭晓，我就报道。所以，我不会把你的话向上级汇报。很遗憾，我不能满足你的愿望，你就把这当成我的一点心意好了。"早田站起身，"还有别的话吗？"

"没了。"哲朗摇头，准备取桌上的账单。早田抢先一步拿起。

"我来付吧。你给了我礼物，我却没有给你什么。"早田边说边走向出口，途中停了下来，回头问，"下次的组织者是须贝吗？"

"组织者？"

"十一月的例行聚会。今年的组织者应该是须贝。"

"哦……"哲朗点了点头想，现在怎么问起了这个？

"你跟他说，不用给我发请帖了。不光今年，以后都不用了。"

"早田……"

"早就超时了。总决赛结束都过去多少年了？"

他留下这么一句，迈步离开。

6

抬头看看这座三层公寓，哲朗叹了口气，心情沉重。虽与美月已有约定，但没有更好的办法，就这么放手不管又不行。可能会惹人讨厌，但别无选择。

哲朗深吸一口气，开始上楼梯。二层尽头的房间便是要去的地方。在门前调整好呼吸，他按下门铃。时针指向晚上七点多，能确定立石卓已回家。立石卓——本名佐伯香里。

感觉门内有人起身，似乎在通过门镜查看。不知是那个年轻的金发姑娘，还是立石卓本人。

对方不开口，一动不动，像是要假装没人在家。哲朗又一次按下门铃，仍没有动静。哲朗想象着对方将耳朵堵上的样子。

他蹲下，用手指推开邮箱口，把嘴凑上去。

"能开门吗？"他说，"我知道你在里面。我不想吵得让别人也听见。"

对方仍沉默以对，肯定是在犹豫，可能在考虑与美月他们联系。无论如何，得阻止他这么做。

"我不想威胁你们的生活，所以才来这里。危险在逼近你们，如果置之不理，中尾就要被抓走了。"

哲朗明显感觉到有人在屋里。似乎是因为听到了中尾的名字，对方开始动摇。

"开门吧，"他再次说道，"已经没时间了，不能再磨蹭。"

又是一阵沉默。哲朗抱着祈求的心情等待。终于，门锁打开，门慢慢开了。

站在那里的是立石卓，针织衫外套着件毛衣。

"我有话要说。"哲朗道，"很紧急。"

"不是说过你已经和我们没有关系了……"

"美月说的吧，或者是佐伯香里。我本来也那么打算，但现在情况变了。我要说的事和你们有关。还是让我进去吧，我在这里大声说话，对你也不好吧。"

立石卓四下望了望，终于点头。

房间是一居室。眼前是厨房，餐厅里没有放餐桌，代之以被炉。旁边一个金发女子紧握着无绳电话子机，瞪着哲朗。

"太太……这样称呼不知是否合适。请先放下电话。你是想打给美月或香里吧？请稍等一下。"

女子看了眼丈夫，似乎在征求意见。见丈夫默然点头，她放下电话。

"有什么事？"立石卓问道。或许是特意低声说话，可知道实情的人能听出声音里混有女人的音色。

"请告诉我中尾在哪儿。我来就是为了这件事。"

立石摇头。"这个，我们也不知道。"

"那不可能，你们不可能不知道。拜托了，告诉我吧。我有事情务必要告诉他。"

"什么事？"

"刚才我也说了，再这样下去，他会被捕。如果他被抓，你们也会受到牵连。"

"我听说中尾会有办法。"

哲朗摇头。"你听谁说的？佐伯香里？日浦美月？还是中尾本人？他们中的哪一个都不知道现在的情况。总之，让我见见中尾吧。"

立石卓面露困惑，看了一眼金发妻子。她也正抬头望来，脸上满是不安。

立石卓叹气。"真不知道。我们没办法直接联系上中尾。"

"那，你们知道谁的联系方式？"

"香里。"立石卓说的是自己的真名。

"是真正的立石卓的联系方式？"

"是。"他低头回答。

"好吧，那先给那边打电话。但不是由你来打。"哲朗看了看金发女子，"你来打，照我说的做。佐伯香里接电话后，你就说丈夫得了阑尾炎，急需健康保险证，然后约定去取。"

立石卓的脸绷紧了。

哲朗相信自己想得没错，他持有的是立石卓名下的健康保险证。若是小伤或感冒，用那个保险证没问题。但若是内脏的毛病就不能使用，只能用写着真名的保险证。只要说做过变性手术，医生应该不会怀疑。只是，那种时候要去一家不熟悉的医院。

金发女子拿起电话准备拨号，立石卓制止了她。

"没有必要照他说的做。"

"这样做也是为了你们。"

"但是，不能背叛同伴。"

"现在不是说这种话的时候。"哲朗再次看向女子，"快打。"

她的手没有动，在等着丈夫的判断。

"不用打。"

"如果不照我说的做，我马上向公司告发你。"哲朗说道，"那样就算你们不情愿，也要和佐伯香里联系。"

立石卓的表情扭曲了，瞪着哲朗。

"我也不想这么做，但情况紧急。"

"你想让她拿保险证过来，然后抓住她？"

"没错。"

"那让她打电话，你在电话里直接约她见面好了。"

"她不会跟我交涉，我才采取这样的手段。不，称不上交涉，她可能一听到我的声音就会挂电话。"

立石卓半张着嘴。他知道哲朗所言不虚。

"快点打吧。"哲朗朝金发女子说。

她向丈夫求援，他垂下了眼帘。

"你们一般在什么地方碰面？"哲朗问他。

"新宿车站的检票口。东口……"

她开始拨号码，是一个手机号码。

过了一会儿，她吸了口气。

"喂，啊，是我，丽美……那个，他好像得了阑尾炎……啊，没，还没去医院。这就带他去……是的，是这样。我想没有保险证大概不行……是的，啊……好的。那，在老地方……好的，三十分钟后。"

丽美挂断电话，长出了一口气。

"八点在检票口见面。"

"干得好。"

"龌龊啊，这样的做法。"立石卓自语。

"如果有时间选择，就不这么做了。但我想让你们知道，我说过多次了，这样做也是为你们好。"

立石卓表情严肃地挠挠头，盘腿坐下。

"一辈子可能就是这样了吧，我还以为能作为真正的男子汉活下去呢。究竟要到什么时候才能安心？"

"这是你自己选择的道路。"

哲朗似乎戳到了他的痛处，他一时语塞。然后啪地敲了一下大腿。

"性别什么的无所谓。自己觉得是男人不就行了？为什么非得把它弄进资料呢？资料里写的都是真实的？也不见得吧？"

看到立石卓的肩微微颤抖，哲朗想起了去静冈时的情景。立石卓的母亲求过他一件事。

"你母亲对我说，希望知道你好不好，现在在干什么。可以告诉她吗？"

他低头思考了一会儿，抬起头来。

"立石卓这个名字和我待的地方请不要说。会给大家带来麻烦。"

"好，那就不说。可以告诉她你还好，对吧？"

他又沉默了片刻，将刘海拢上去，摇了摇头。

"我非常努力地活着。请这么告诉她。"

"知道了。你有回家的打算吗？"

他看了看丽美。她也担心地看着他。

"我是立石卓。"他继续说，"我不能回佐伯香里的家。"

第九章

1

已经过了晚上八点十分，佐伯香里仍未出现。站在能看见检票口的柱子背后，哲朗微微晃动右腿。也许是从丽美的电话里觉察到了不自然，或者是在哲朗离开后，立石卓又打了电话。不管哪种情况，如果香里不出现，他就得再次去威胁立石卓。想到这里，哲朗心情沉重。

看看表，八点十三分。

他想，不论怎样一定要见到中尾。既然得不到早田的协助，警察迟早都会追查中尾，可他本人像还未注意到这一点。见面之后，一定要把这件事告诉他，还要询问他以后作何打算。

人们接二连三地朝检票口走去。哲朗想，为什么要选在这儿见面呢？三十分钟内就能赶到，说明佐伯香里住得离这里不太远。美月和她一起吗？中尾呢？

佐伯香里还没来。哲朗正想再看表，忽觉身后有人。一回头，一个帽子压得很低的女人站在那里。她穿着长裤，罩一件很大的外套。

女人摘下帽子，露出了脸庞，哲朗惊讶地张大了嘴。

"QB，不要这么惊奇。"

"日浦，你怎么会……"

"还有必要解释吗？是你约的啊。我本打算把上次在摩天轮的会面作为最后一次见面。"

"为什么会是你？香里呢？"哲朗环顾四周。

"她不来了。我来不合适？"

"不，没这回事。"

"走吧。站在这种地方聊天太显眼了。"她毫不犹豫地朝前走去，哲朗慌忙跟上。

"之后立石卓跟你联系啦？"

"没有。我接到了香里的电话，她说立石得了阑尾炎，我想其中必有问题。还听说丽美也有些异常。凭直觉我立刻想到这是 QB 的战略。"

"所以你就来了？"

"对。就算来的是香里，你也打算让她带你去找我，对吧？现在这样不省事多了。"

来到大街上，美月扬手拦了一辆出租车，告诉司机去池袋。

"你住池袋？"

"算是吧。"美月压低帽子，大概是想避开司机的目光。

哲朗有无数问题要问，却又有所顾虑。美月沙哑的声音本就已经很引人注目。

快到池袋时，美月小心地给司机指路。出租车最终停在一个矮小建筑很密集的地方。

美月朝一栋茶色建筑走去。一楼可以看到中餐的招牌，好像没有营业。美月走上旁边的楼梯，哲朗跟在后边。

美月在二楼的一扇门前站定，取出钥匙。门上写有金融公司的名字。好像和中餐厅一样很久以前就关闭了。

打开门，美月说："请进。"

室内东西很少。两张落满灰尘的办公桌，一把坏了的椅子，两个破损的沙发，还有一个物品保管箱，能看到的只有这些。

"之前一直不断地换宾馆，可中尾说情况越来越危险，就搬到这里了。他说警察大概会拿着香里的照片，逐一搜查东京都内的宾馆。"

这很有可能。

"这间屋子究竟是怎么回事？"

"过去这里是小额信贷公司的办公地点。"

"这我知道。你怎么会有这儿的钥匙？"

"功辅借我的。这栋楼好像是他父亲的，现在交给他管理，其实他什么都没做。他说没想到在这种时候派上用场了。"

"中尾的？"哲朗再度环顾室内。对于中尾的父亲，他一无所知，只知道他娶了一个怀着男人心的女人。"要是这样，你一直待在这里也很危险。警察迟早要追查中尾，可能也会来这里。"

"功辅的事情，警察那边已经败露了？"

"不，还没有。可我把事情告诉了早田。"

看到美月一脸不可思议，哲朗把和早田的谈话讲了一遍。

"啊。户仓老太婆她们的诡计被识破了？真不愧是早田。"

"他的推断没错吗？"

"嗯，大致就是这样。"

"总之你先帮我联系中尾，告诉他我要马上见他。"

美月摇摇头。

"如果我能做早就做了。功辅不在这儿，连我也不知道他的下落。"她摘下帽子，抬眼看着哲朗，"QB，那家伙已经不在乎生死了。"

哲朗的身体都僵硬了。

"什么意思？"

美月把手伸进稍有些长的头发，挠得乱蓬蓬的。

"不是比喻也没有夸张。功辅那家伙是认真的,他把命都豁出去了。"

"为什么他非这么做不可呢？"

"因为他觉得这是最好的办法，相信只要这么做，很多问题就能迎刃而解。"

"我还是不明白。给我解释清楚。"哲朗踢了一脚旁边的旧沙发。

美月咬着唇，扔掉手里的帽子，叹了口气。

"都是我的错。那时我要是没去见你们就好了，这样就不会把你们也卷进来。"

"你现在说这些做什么？你快说，告诉我全部。"他抓着美月的肩膀，摇晃着她的身体。她的脸色变了。哲朗看到泪水在她眼里打转，立刻就停手了。"日浦……"

"好痛，QB……"

"啊，对不起。"他把手从她的肩膀上抽回。

美月往后退了两三步，揉着被他抓过的地方。

"户仓跟踪香里的事是真的。嗯……这里说的香里是指假的那个。"

"你没有杀户仓，对吧？"

哲朗刚说完，她就痛苦地皱了皱眉。

"户仓是个十足的跟踪狂，如影随形地调查她的行动。你也看过那个记事本。不论她到哪儿，他都跟着，有时还调查与她见面的人。你知道这意味着什么吗？我想他还不知道我们是在多大程度上有组织地进行行动。但首先他查探出在'猫眼'工作的调酒师住在周租公寓里，并且是个女人。他还从香里的垃圾里找出几个有性别认同障碍的人的户籍誊本。大概他也知道香里其实是个男人。"

"他以此来要挟你？"

美月轻轻地闭上眼，摇摇头。

"正常人才会这么做。户仓是行为异常者，这种人若发现别人有什么秘密，会采取常人无法理解的行动。"

"他做了什么？"哲朗问。

美月坐到破了的沙发上，双手抱头。

"那天夜里，我送香里回家，然后在公寓外面等功辅。我们约好要见面。可在他来之前，一辆车开到我身边停下了。一辆白色的厢式货车。"

"户仓的？"哲朗说。

"准确地说是门松铁厂的车。当我明白是纠缠香里的男人时已经晚了。车门开了，我被拽了进去。明明他已经一把年纪了，力气却特别大。不，不是这样。"她摇摇头，"是我力气太小了，归根结底，只是个女人。"

哲朗愕然。

"可笑吧，确实可笑。"美月抬起脸，上面没有一丝笑容，"那时，大家都看不出我是个女人，'猫眼'的客人也是。我甚至自负地觉得自己比男人看起来还像男人。可对户仓来说却不是这样。看起来像男人的女人，这好像刺激到了他什么地方。"

"他是那种只要是女人就可以的变态？"

"我想不光如此。可能因为香里的事，他对我心怀怨恨。我一直把香里保护得很好，在户仓看来我是个大麻烦。为发泄心里的怨恨，他想到的手段就是让我受到最大的屈辱，那就是把我当女人来对待。并且是那种最无耻的手段。"

她指的好像是强暴。

"他想得一点没错，目的也达到了。衣服快要被他脱下来了，他气焰嚣张，我的自尊被撕得粉碎。我用尽全力还是敌不过他，只能放弃。可我不能忍受他把我当成女人，把我看成泄欲的对象。"

之后呢？哲朗没能问出口。他无法催她往下说。

"可最后我平安无事。"她给出了他要的答案，"忽然，砰的一声，车被撞了一下，摇晃起来。户仓也吓了一跳，力量减弱了。"

"那是……"

"是功辅。在约定的地方没看到我，他就开着沃尔沃到处找，觉得停在路边的货车有点奇怪，开过去之后，倒车的时候撞到了。"

哲朗忽然想起，中尾的车有撞过的痕迹。

"功辅从车上下来，来到我们身边。一打开车门，他就勒住户仓的脖子。脸，脸……"美月轻轻地摇着头，"脸扭曲得跟鬼一样。他一定很生气，那样的表情我第一次看到。他是为我才生那么大的气。"

"就那么把户仓杀了？"

美月右手握拳捶着腿。

"功辅他没有错。要是那变态没有做出那种事，功辅也不会气得发昏。他是为了保护我才不得不那么做。"

哲朗点点头。中尾应该是气坏了。不单单是保护一个被袭击的女子，更重要的是他要维护美月的自尊。他太生气了，才会勒住户仓。就算他用力过度，也不能责怪他。

"那么你们马上报警不行吗？把事情讲清楚，中尾的罪也会轻一点，虽然不知道有没有可能被判无罪。"

他刚说完，美月就淡淡地笑了。

"根本不可能说清楚，所以我们大家不也都快烦恼死了吗？"

"……是啊。"

"虽这么说，我一开始也和你一样，对功辅说了同样的话。可当他得知户仓死了，反倒很冷静，最先做的就是让我远离现场，让我开着他的沃尔沃回公寓，还把户仓的驾照和记事本也给了我，叫我把它们都处理掉。"说完美月低下头，小声地继续说，"更让人伤心的是，我照他说的做了。我把他一个人留在现场，自己先跑了。"

"尸体是中尾处理的吗？"

"我也是事后才听说的，具体情况不知道。他好像开着户仓的货车，把尸体拉到了那家造纸厂。货车就那么放在那里太危险，就藏到了别处。QB，你曾多次担心若车被发现就完了。事实上被中尾处理掉了，所以没有必要担心会被找到。"

"处理掉货车，是担心指纹什么的吗？"

"好像也有这个因素，功辅最担心的是货车的刮痕。刚才我也说了，救我之前他把自己的车撞到了货车上，留下了刮痕。"

哲朗心里惊呼了一声。好像在书上看到过，只要一调查车上的刮痕，从漆片就能查出对方的车型。

"不知道功辅打算怎么做，但我认为逃不过警察这一关。只要一调查户仓家，就一定会来调查香里和我。那就完了，所以只能去自首。我想不可能叫功辅去自首，所以只能我去。"

"在那之前，你来见了我们？"

"我说过很多遍了，那简直太失败了，关键时刻变得怯懦起来。"

美月站起身，朝房间深处走去。那里有一个很旧的洗刷台，旁边并排放着几件简陋的餐具。她往电热壶里加水。

"给你弄杯咖啡吧。没有冰箱，没法储存啤酒。"

"你放弃自首的念头，是因为中尾跟你说了什么吧？"

美月摆弄纸杯的手忽然停了一下，随即继续。

"中尾找我了。据说当他知道我在你那里时，吓了一跳。这也很自然。那时他说，他想到了一个谁也不会被抓的办法，所以不用去自首。"

"谁都不会被抓？"

"我想怎么会有那么好的办法，于是让他具体讲一讲，可他说还没到时候，还不能告诉我。后来我又问，要是警方从户仓的周围开始着手，搜查到家里，不就暴露了吗？功辅说不用担心，警察大概抓不到关键所在。"

"意味着户仓佳枝她们跟他开条件了？"

"据说周租公寓的电话里有语音留言，说有事要商量希望回电话。户仓竟然能查到公寓，真是让人意外。功辅无奈之下只好打电话。"

"中尾答应她们的条件了？"

"好像给了好几次钱。可这太危险了，不是长久之计。"

水开了。美月把速溶咖啡倒进纸杯，再倒上水。好像没有砂糖和牛奶。

"佐伯香里不在这儿吗？"

"已经离开了，在台场的时候我跟你说过。之后不久她就走了。"

"去了哪里？"

"啊，"美月递过一个纸杯，"她很坚强，我想她无论如何都会继续活下去。只是她可能这辈子都不会再用佐伯香里这个名字。这样，世上就没有叫佐伯香里的女人了。"

哲朗的脑海里忽然闪过原本叫这个名字的人——立石卓。

"你和中尾最近一次联系是什么时候？"

"昨天。他打电话给我。"美月单手拿着纸杯，从口袋里取出手机。

"说什么了？"

"所有的事情很快就会结束，在这之前叫我静观其变。"

"什么意思？他想干什么？"

美月看着手中的杯子，却没有要喝的意思，喃喃道："所以我刚才不是说了……"

"他抱了必死的决心？"

"对。"

"他死了又能怎样？"

"他想一个人背负所有罪责。他想只要让警察注意到户仓是他杀的，然后再自杀，这样警察大概就不会继续调查了。"

"中尾这么说的？"

"他怎么可能这么说？可我知道。他不想连累到像立石卓那样交换了户籍过着宁静生活的人，所以打算将这些秘密和自己一起埋葬。"

哲朗低声呻吟，喝了一口咖啡，却如嚼蜡一般。这不单单是味道太淡的缘故。

"没必要死啊，自首不就行了？"

"杀人动机怎么对付？就这么沉默着不说？警察可没那么容易糊弄。只要自己还活着，警察就可能查出户籍交换的事，我想中尾是这么想的。"

哲朗一言不发。或许吧。中尾很可能会得出这样的结论。

他忽然想到一件事，即中尾忽然离婚。他不想给家人添麻烦，所以在被捕之前和家里断绝关系。

哲朗从美月手里抢过手机，一直盯着，又递到她面前。"给他打电话。"

"啊？"

"我说让你给中尾打电话。"

美月看看电话又看看哲朗，伤心地摇摇头。

"不是说了吗？现在我联系不上他。我也不知道他在什么地方。"

"有什么线索吗？"哲朗问，可美月只是一个劲地摇头。哲朗咂咂嘴，一口喝干那淡淡的咖啡。

"QB，这只是我的推断，"美月静静地说，"功辅那家伙会不会生病了，并且还病得不轻？"

哲朗都快把纸杯捏扁了，他停住了手。

"你是不是想到什么了？"

美月慢慢点点头。

"有啊，好几件事。QB你不是也注意到了吗？"

"我想他身体可能不太好，他瘦得太厉害了，可当时我以为是他太辛苦了。"

"肯定很辛苦，大概不单单是这个。我听嵯峨说，功辅好几年前好像得过重病，还住院了。嵯峨说不知是不是癌症。"

哲朗只觉胸口一阵剧痛。他想起自己几度看到中尾做出很奇怪的举止，又想起他在自家公寓楼下痛苦挣扎的模样。

"难道是癌症复发？"

"不知道。"美月仍拿着杯子，低垂眼帘。她根本无意喝咖啡。

癌症复发，中尾觉得大限将至。若果真如此，考虑到现在的局面，他很可能会选择自杀。可就算是这样也太傻了。哲朗这么想着。就连对妻子和家人，都不说出真相。为替那些因性别问题烦恼的人保守秘密而选择去死，也实在太傻了。

不！哲朗忽然抬起头。当真谁都没有告诉吗？

"日浦，你能跟我走一趟吗？"哲朗说。

"去哪里？"

"我想要你陪我去一个地方。想要那个人把真相说出来，有你在比较好。"

"谁？"

"理沙子。"说完，哲朗捏扁了纸杯。

2

仿砖的墙上贴着以怀旧的名画为主题的海报。店内光线昏暗，桌子也小。这是一家前些年比较流行的咖啡店。哲朗和美月坐在最靠角落的桌旁。从下北泽车站到这里徒步需要五分钟。

木门开了，小钟咣咣地响了几下。这也是那种过去的感觉。

比约定的时间晚了五分钟，穿着皮裤的理沙子缓缓走来。她中途忽然停了一下，大概是注意到了哲朗身边的那个人。美月没有做男人打扮，穿着牛仔裤和女式夹克。像是佐伯香里给她的。

"美月……"理沙子睁大眼，很快扑了上来，"你去哪里了啊？"

"抱歉，让你们担心不少。不只是担心，好像还给你们添了麻烦。"

理沙子坐到对面的椅子上。

"这是怎么回事？"她对哲朗说，像是盘问一般。

"还是先点东西吧。"

服务生来到她旁边。

趁理沙子的皇家奶茶还没送来，哲朗把事情原委对她讲了一遍。理沙子蹙眉聆听。在听到没有得到早田协助和户仓想强暴美月的时候，她眉头紧蹙。

"哦……原来是被害人家属勒索凶手，真让人意外。"

"幸运的是警察的调查还比较滞后，算是有利也有弊吧。"

"早田他，"理沙子歪着头，"不会帮我们？"

皇家奶茶端了上来，理沙子喝了一口，看向美月。

"我也觉得美月或许才是受害者呢。说是因为香里而引发争执，进而把他勒死了，我总感觉怪怪的。不管你内心再怎么是男人，也不是那种寻衅滋事的人。"她看了看一直低垂着脑袋的美月，继续说道，"要是说因差点被强暴才杀了人，可能还会相信。"

"日浦不愿提起这件事，这件她被袭击，还被当成泄欲对象的事。"

"这我知道。我也不准备责怪美月，说她不该撒谎。"理沙子双手捧杯，挺直脊背，"你找我有什么事？"

"我有事要问你，不如说，有事要跟你确认。"哲朗直直地盯着理沙子的眼睛，"你搬走的前一天，家里来客人了，对吧？你还用了皇室哥本哈根的茶杯待客。"

理沙子刹那间屏住了呼吸，垂下眼帘，旋又审视着哲朗的眼神。

"那又怎么了？只是朋友来家里玩玩。"

"哪个朋友？你现在帮我给他打个电话，应该有手机吧？"

理沙子一副思考该怎么回答的表情，眼睛好像在打探哲朗究竟看穿了多少。

"若不是朋友，你觉得是谁？"

"我说中了，你就把所有事情都告诉我吗？"

"我可以考虑考虑。"

"没有考虑的余地了。难道你想眼睁睁看着中尾死去？"

理沙子像被忽然打了两巴掌，眨了眨眼睛。

哲朗深深吸了口气，说："客人是高城律子，对吗？"

理沙子紧张的表情眼看着渐渐消失了。背负这样的秘密，对她来说大概也是一个很大的包袱。

"收到那套皇家哥本哈根茶具的时候，你说过，只在有贵宾来的时候才用。这样的人除了高城律子，我想不到还有别人。并且，这和你那时候说的话也很吻合，因为你从她那里听到了她和中尾之间残酷的约定。"

"什么？"美月问。

"我能猜到大概，"哲朗说，"但想听理沙子亲口说出来。"

理沙子拿起托盘上的勺子，探进咖啡杯。奶茶表面浮着一层奶皮，她用勺子捞了出来。

"律子原本是来找你，可你不在家，所以就跟我说了。"

"是吗？"若只是来家里坐坐，那就不是故意要避开哲朗。"那么，我应该有权利听听那些话。"

"可以。但经我判断，觉得还是不说为好，就选择了不说。我觉得就算对你说了，你也不会照她说的去做。"

"她希望我怎样？"

"不要再找中尾。"

哲朗点点头。"哦，她觉得，要是我听完事情原委，大概会收手。"

"你会收手吗？"

"天晓得会怎样，大概会吧，如果事情跟我想的一样。"

理沙子淡淡地笑了笑，笑得很落寞。

"中尾得了癌症。胰腺癌。他本人也知道。事实上，他比谁都清楚。"

哲朗和美月对视一眼。美月只是伤心地点点头。

"没法救治了？"

"好像是。"

"哦。"哲朗深吸一口气，胸口一阵憋闷，"理沙子，你带烟了吗？"

她默默地打开包，取出烟和打火机放到桌子上。哲朗叼起一支烟，点燃深吸一口。看着吐出的烟圈，脑海中浮现出中尾消瘦的脸。

　　"律子原本打算陪中尾到最后，但不可能了。中尾对她讲了一件骇人听闻的事。"

　　"是他杀了人的事情？"

　　"律子似乎对户籍交换的事知道得不多。中尾好像只告诉她，自己杀了人，那个男人一直纠缠相熟的女招待。"

　　"之后中尾就提出离婚？"

　　"对。他说迟早要被抓，在这之前还是先断绝关系为好。最初律子好像拒绝了，但最终还是被他说服了。"

　　"是因为孩子吧？"

　　"不想让孩子有个杀人犯父亲，这好像是他们夫妻俩共同的想法。"

　　"可是，"美月在一旁自语，"就算离婚，他们还是有血缘上的联系啊。在周围人的眼中，那仍是杀人犯的孩子。我想中尾不会不明白。"

　　"律子告诉我，中尾说会解决好这方面问题。"

　　"怎么解决？"

　　"她好像也没有听他说过。"

　　"中尾没打算让'中尾功辅'死。"哲朗的话令理沙子和美月一片茫然。他看看她俩，接着说："他大概是想制造假象，让警察以为杀户仓的那个人死了，却又查不出死者的身份。这样就会结案，中尾功辅的名字也不会被发现。与此同时，户仓泰子和佳枝听说神崎见鹤死了，也就只好放弃。"

　　"他想制造死者身份不明的假象？"美月颤声问道。

　　"我想是这样。警察如找到这种尸体，会按照失踪者名单追查身份。可中尾不会出现这样的情况，因为谁也不会报警要求寻找中尾。"

　　"的确，律子没理由提这样的要求。"理沙子点头道。

　　"因为她根本就用不着担心前夫去了哪里。如果没离婚，明明不知丈夫去向却不报警，就变得奇怪了。面对女儿，也不知该怎么解释父亲为何忽然不见了。"

"功辅离婚的真正目的原来是这个，"美月说，"他的确会考虑这些问题。"

哲朗把已积了长长烟灰的烟放进烟灰缸，捻灭了。就像轮班一样，理沙子从包里取出烟盒。三人暂时都陷入了沉思。

理沙子率先打破沉默。

"律子就跟我说了这么多。她好像觉得，只要把知道的都告诉你，你就会死心放手。"

"可你没告诉我。不仅如此，你还留了便条叫我一定要找到中尾。"

"因为我很伤心。听了律子的话，我也知道中尾已抱定必死的决心。她大概也很清楚。知道朋友要死了，你能放任不管吗？反正你也不会放弃继续寻找他。我也觉得不应该放弃，于是觉得还是不说为好。这么伤心的事，本不该说出来。"

你就是因为这个才搬出去的吗？哲朗想这么问，但忍住了。她搬出去有很多原因。

"我们一起找功辅吧。"美月忽然冒出这么一句，"正如理沙子所说，知道朋友要死，我们不能放任不管，就算他本人不希望我们去找他。这样，我们应该想想别的解决办法。"

"我当然还是打算去找。并且，现在事情的发展并不像他预期的那样，我们必须把这个告诉他。"

"什么意思？"理沙子问。

"中尾推断就算他死了，警方也查不到他的身份。可事实并非如此。"

理沙子略一思索，说："你是指早田吗？"

"早田大概很快就会知道死者是中尾。他应该不会告诉警方，否则他的消息来源也将遭到怀疑。他可能也不想提起和我们之间的关系。可他掌握了户仓佳枝她们的企图。他会让她们去告诉警察，也可能在那之前先登在报上。"

"这样，警察就会去调查户仓佳枝她们。她们不知道神崎见鹤的真名，但知道他的电话号码。警察就可以由此查出死者的真实身份……"

"没想到近端锋会变成我们的敌人。"美月说。

"不能责怪早田。他只是在实现自己的人生价值。"

"总决赛结束都过去多少年了？"早田最后那句话回响在哲朗耳边。

"我还有一点不明白。"理沙子说。

"什么？"

"我明白中尾要把自己弄成身份不明死者的原因。可是，他怎样才能让警察觉得他就是杀死户仓的那个人呢？"

"不会打算留封遗书之类的吧？"美月说，"这是最简单的办法。"

"不，我想他不会用这一招。警察最需要的是证据，比如他手上拿着只有凶手才有的东西，最需要这样的东西。"

"有这样的东西吗？"美月苦苦地思索。

"只有一样。"哲朗说，"车。"

"户仓的货车？"美月轻轻拍了一下桌子。

"警察可能也知道，户仓被杀那晚，门松铁厂的货车不见了。他若死在那辆车里，警察肯定会认为和案子相关。"

"对了，中尾好像说过那辆车是王牌，所以绝对不能被发现……"

"案发后，车被放到什么地方？"

"不知道。中尾只告诉我放到安全的地方了。"

"应该不会放到收费的停车场，长期放在那种地方会引人怀疑。"

"也不会停在马路边，可能会有人报警。不停换停车场一定程度上算安全吧。"说到这里，哲朗忽然注意到一个关键问题，"等一下！案发时间是深夜，中尾必须马上把车藏好，那个时间能藏车的地方很有限。"

三人都沉默下来，苦思冥想。

"最可靠的，"理沙子仍是一副思考的表情，"只有自家的停车场了。"

"这很有可能。那天晚上，我开着他的沃尔沃，停在周租公寓外边。他家的停车场是空的。"

"不，这不太可能。从未见过的货车忽然出现，邻居也会觉得奇怪。要是车库有卷帘门就另当别论了。等等，卷帘门……"哲朗眼前浮现出一张照片，"难道是……"

"什么？"理沙子问。

"中尾能自由使用的带卷帘门的车库只有一个。"

"哪儿？"

"高城家的别墅。他给我看过照片，好像是在三浦海岸。"

"中尾会尽量不给高城家添麻烦，躲在那种地方岂不太危险？"理沙子反驳。

"死的时候一定会搬出去。可在那之前，他可能打算潜伏在那儿。"哲朗看了看手表。

3

已近深夜，大家先各自回家。哲朗回公寓，理沙子回朋友家。

问题是美月。哲朗不想让她回池袋的那栋楼。

"去我家吧。"像是和他想到一块了，理沙子说，"朋友有事，今晚不回来了。"

"会给你添麻烦吧？"

"你要是随便乱晃不见踪影，那才麻烦呢。不用担心，朋友说过，就当住在自己家一样好了。"

"要是那样……"美月轻轻点头。

哲朗在咖啡店前和她俩分手，坐上出租车，路上给须贝打电话。

须贝像是正在洗澡，过了一会儿才接电话。

"出什么事了？"须贝压低嗓门问。他大概也在关心事件进展，但不知道户籍交换以及中尾涉案等情况。哲朗此时也不想说出真相。

"不好意思，这么晚打扰。有点事想问一下，关于中尾的别墅。"

"啊？"

"嗯。上次我租房子时，你给办了火灾保险。我想中尾的别墅大概也是你给办的。"

"呃……"须贝好像一时没反应过来，过了一会儿抬高声音，"啊，是神奈川的别墅吧，那是高城家的财产。"

"就是它，是你给办的保险手续？"

"你真清楚呀。没错，我一听说他要买别墅就立刻联系，签下一张大单……"

"告诉我地点。"没等须贝说完，哲朗就说，"别墅地址，如果有电话也告诉我。"

"怎么忽然问这个？"

"回头再解释，现在我着急知道别墅地址。"

"中尾已经离婚，和那别墅没关系了。"

须贝不紧不慢的语气让哲朗着急，跺起脚来。"跟你说了回头解释，没时间了，告诉我别墅地址。"

"你再着急，我现在也没法告诉你，去公司倒是可以查到。"

哲朗一阵抓狂，但也无法让须贝现在就去公司。

"那你明天尽早去查，查到了马上告诉我。"

"真是火烧眉毛，究竟出什么事了？说个大概总行吧？"

"电话里说不清。拜托了，这辈子就求你这一次。"

"从你嘴里说出这种话可真稀奇……"须贝似乎在电话那头沉思，也许害怕火苗飞向自己，"明白了，明天本想晚点去上班的，看来不行了，查到了马上跟你联系。"

"谢了，我记着你的情。"

哲朗觉察到须贝想问些什么，便挂了电话。就算须贝告知别墅地址，哲朗也没打算向他和盘托出，可什么都不解释又不行，便开始考虑怎么才能骗过好友。

回到家，哲朗躺在床上，在脑中梳理事件脉络。对于在理沙子和美月面前宣布的推断，他很有信心，确信中尾一定是想自杀。

不能坐视朋友去寻死，他的想法并未改变，但若说丝毫没动摇则是谎言，因为一想到错综复杂的情形，他便觉得无计可施。

自己不该做任何事。这念头在他脑中盘旋。如果最初就不插手，任由中尾和美月去做，也许一切都会顺利，虽然无法避免将失去中尾的现实。

自责、犹豫、后悔整晚折磨着哲朗，他辗转反侧，愁闷难眠。但好像还是睡了一会儿。远处响起的电话铃声叫醒了他。看看枕边的表，才早晨七点。

"是我，理沙子。"

"怎么了？"他心头一阵不安。她的声音里有不同寻常的紧迫。

"抱歉，她逃走了。"

"逃走？"问"谁"之前，哲朗已经明白事态，"日浦不见了？"

"是。我们睡不着，一直在说话。她好像是在我迷迷糊糊的时候出去的。"

"哦……"

哲朗想，不能怪理沙子。看昨晚的情形，美月不像要走。

"她会不会回池袋了？"理沙子不安地说。

"不会，那样没意义。"

"那会是哪儿呢……"

哲朗思索着，回想起昨晚的对话。"只有三浦海岸。"

"三浦海岸？美月去了中尾的别墅？可昨晚感觉她似乎对别墅不熟

悉呀。"

"她知道，但在我们面前假装不知，打算独自去见中尾。"

"怎么会……她一个人去见中尾又能怎样？"

哲朗没回答。他心里已大致猜到，但不敢说出口。

理沙子似乎从他的反应中得到了启发。"不会是想一起死吧？"她声音发哑。

"你马上做出发准备，我们也去三浦海岸，去追日浦。"

"你知道地址吗？"

"我打听好了。时间有点早，但不能再等了。"

"明白，我马上去你那里。"

"不，那会浪费时间。你去新宿，须贝的公司。"

"啊？怎么回事？"

"回头再解释，见面地点随后告诉你，你先准备。"

听理沙子说"好"，哲朗没应声就挂了电话，接着打给须贝。昨天打去电话是在深夜，今天则是一大早，须贝的妻子一定不高兴，但也顾不得了。

新宿，上午八点四十，斜前方能看见东京都厅。哲朗把车停在高楼林立的路边，拍着方向盘，觉得电子表指针走得飞快。

"美月和他一起死也解决不了任何问题。"副驾驶座上的理沙子喃喃道，语气像在呻吟。

"那家伙大概是不想让中尾一个人赴死。"

想来美月不是想阻止中尾自杀，否则不会瞒着理沙子出去。

"如果美月也死了，中尾的计划就泡汤了。"

"大概她没想那么远，再说中尾的计划到目前为止已相当疯狂。"

须贝从旁边一栋大楼的出入口走出。天气寒冷，他却只穿着西服。虽然哲朗没详细说，他大概也明白情况紧急。寒风吹起他的西服下摆。

哲朗下车，须贝跑过来递过一张纸条。

"总算查到了，但没找到别墅的电话号码，他留的是家里电话。"

"有地址就行，让你特意跑一趟。"

"我说，中尾怎么了？"

"抱歉，有一天我会全部告诉你。"

哲朗没看须贝的眼睛，知道没法把一切告诉眼前这个朋友，只能骗他。罪恶感刺痛着他的心。

"我们着急赶路。"哲朗打开车门。

"西胁，"须贝把手搭在门上，"见到中尾，告诉他改天再去烤串店喝一杯。"

哲朗抬头看去，只见须贝眼中露出他从未见过的真挚目光。虽然不知情，须贝也感受到了某种气息。

哲朗微微点头，关上车门。车启动后许久，还能从后视镜中看见须贝站在那里目送的身影。理沙子吸了一下鼻子。

车驶入首都高速公路，朝横须贺开去。车里，两人几乎无言。哲朗回想这两个月发生的事，自问至今所做的事是否有意义，却找不到答案。

来到横滨横须贺公路的终点，只有一条路通向海边。路上大卡车穿梭不停，像是工业大道。但前方出现大海时，道路两边便星星点点地出现了卖冲浪板、自携式呼吸器的商店。

"昨天和美月聊天，"许久，理沙子开口了，"我觉得也许犯了极大的错误。"

"错误？谁？"

"我们。我，你，还有美月。"

"什么意思？"哲朗的眼角瞥了瞥妻子。

"美月跟我说了很多她和中尾的事，这一年的事，还有过去的事，以前恋爱时的事。"

"然后？"

哲朗一催促，理沙子沉默片刻，吐出一口气："我觉得，美月还是女人。说起中尾时，她的表情不是男人的。"

哲朗无法回答，差点直斥理沙子胡说。如果美月的心不是男人而是女人，一切前提都将从根本上被推翻，他们的行动就完全失去了意义。但是，他心里在一定程度上认同理沙子这句话，他也一直隐隐这样认为。"如果是这样，那就是日浦在撒谎。有必要吗？她甚至注射激素，弄伤了声带……"无法想象。他摇了摇头。

"我也觉得自己在说没道理的话，可是看美月的行动，觉得更没道理。你说，如果美月完全是男人，会想和中尾一起死吗？"

哲朗无言。理沙子的质疑很有道理。

车继续向前，左边看得见大海。海水呈灰色，天空乌黑。迎面不断驶过卡车，扬起的灰尘洒向哲朗的车。

理沙子对照须贝给的纸条和地图，叫哲朗停下。他把车停在路边，理沙子下了车。右边有家小钓具店，她像是去问路。

几分钟后她回来了。"问清楚了。前面第二个红绿灯右转。"

"好。"哲朗松开手刹，心跳加快。

哲朗照指示驶入小道，两边树木茂盛。路的尽头左边另有条小路，通往一栋房子。小路入口竖着金属牌子，刻着"高城"。哲朗熄了火。

高城家的别墅是一栋砖墙方形建筑，和世田谷的住宅有说不出的相似。哲朗漠然想象，高城家的人大概换了地方，也不想改变生活方式。

理沙子摁了大门的门铃，没人应答。

"好像不在。"

"是啊。"哲朗抬头看二楼。窗帘拉着，帘子也没动。

来晚了！这念头在哲朗脑中一闪，旋即打消。中尾不会死在别墅里。

大门旁有带卷帘门的车库，看样子能放两辆。哲朗试着拉门，门锁住了，但抬起卷帘门底部，和地面之间有几厘米的空隙。哲朗趴在地上，往里看去。

"怎么样？"理沙子问。

"看不清，像是没车。"他站起来拍拍衣服上的灰尘。

"挪到别处去了？"

"也许。"

另一种不安向哲朗袭来。也许中尾根本就没藏在这里……

哲朗束手无策，茫然伫立，手机忽然响了。是美月！刹那间他想。

"喂。"

"西胁吗？是我，早田。"

4

竟然是他。

"什么事？"

"虽然我们在户仓命案中是对立的，我还是想尽尽道义，提供些信息给你。"

"怎么了？"哲朗握紧手机。

"凶手很快就会被捕。"

"什么？"

"户仓供职的门松铁厂有一辆货车，案发后不见踪影，刚有消息说，那辆车找到了。"

哲朗一阵心跳。"在哪儿找到的？"

"不能说，我们也有义务保密。"

"早田，"哲朗吸了一口气，"告诉我，在哪儿？之前我也说过，在那儿的是中尾，要被捕的是他。"

"这个我不去想。本来就是我不知道的消息。"

"跟你说是把你当朋友。作为记者的早田大概不知道，但如果是中尾的朋友，不该装作不知情。"

"我说过，比赛已经结束了。"

"你想说友情也结束了吗？没这么简单就能断！不是为自己的利益说连就连说断就断的。不能因为做朋友辛苦，就单独放走你一个人。你也得尽尽做朋友的义务。"

早田沉默了。这样的交锋已有过多次，他第一次表现出犹豫的态度。

"神奈川县，"哲朗说，"并且是三浦海岸，对吧？"

"……为什么这么想？"

"理所当然。三浦海岸哪儿？我现在就在这里，中尾的别墅，但再往后就不知道了。"

"见了中尾，你想干吗？"

"还不知道，反正先阻止他自杀。"

"还不至于去死吧……"

"他的确想死。"哲朗慢慢说道，"他知道自己得了胰腺癌，大限将至。为保守伙伴们的秘密，这是最好的办法。但我不想让他那样，你不也一样？还是为了工作可以装作不知道？"

早田再次沉默。哲朗急了。若早田在眼前，动武也得让他开口。

"不知还来不来得及。"早田终于说，"警视厅的人正往那里去。因为不想被抢了头功，他们没让神奈川县的警察出手，但大概让他们去监视了。"

"那就没时间废话了，快告诉我！"

话筒那端传来低沉奇怪的声音，像混杂着呻吟和叹息。"去找一家叫'三海屋'的店。"

"三海屋？"

"数字的三，大海的海，屋子的屋。像是家日餐馆，听说货车就停在那家店旁边。"

"三海屋，谢了。"

"西胁，"早田说，"我会继续追查，不会对犯罪视而不见。"

"明白，你回到记者的身份吧。"哲朗挂断电话。

跟理沙子说明电话内容，哲朗上了车，在发动引擎之前拿出地图。

"一听中尾要死，那家伙好像也害怕了。"哲朗说。

"早田也一直在和自己斗争。他告诉我们货车被发现，已经证明他内心在动摇。"

也许吧，哲朗同意。

看地图找不到三海屋的位置，哲朗先驱车前行。还是开到滨海道路上，问当地人快一些。

"美月会在中尾那儿吗？"

"大概会。"

"她怎么找到中尾的呢？难道她去时中尾还在别墅，两人一起离开？"

"呃……觉得不对。"

"为什么？"

"如果和美月在一起，中尾应该不会离开别墅。不，是不能离开。他决意自杀，美月不可能让他死。对于中尾来说，有美月在身边，就不能采取下一步行动。"

"那么，美月原本就猜到了那地方？"

"很可能。也许她一听三浦海岸，就想到了什么。"

哲朗沿路来到一家古旧的米店前。米店经常出去送货，应该对当地很熟悉。理沙子快速下车。

哲朗轻敲方向盘等待着，想象此时中尾的心情。如果美月在身边，他一定很焦急。不能自杀，又不能被警察抓住。

理沙子小跑着回来。"说是过了前面的大十字路口，左边有成排的椰子树，右边就能看到招牌。"

"好，去看看。"

理沙子关上车门，哲朗立刻踩下油门。

"中尾会在那家店吗？"

"应该不会，太惹眼了。"

"在货车里？"

"不知道。要是那样，现在也许正在回答神奈川警察的盘问。"这么说着，哲朗又想，中尾不至于这么糊涂。

过了十字路口，左边开始出现椰子树，对面是适合游泳的沙滩。哲朗放慢车速。

"看见了，那儿！"理沙子叫出声。

马路右边有家日式建筑的商店，挂着"三海屋"的招牌。

哲朗开过店前，踩刹车左转，停在椰树间的空地。游泳季节这里大概会用作停车场。也有其他车停着，不见司机。没见到那辆货车。

眼前是广阔的沙滩，掉了漆的旧船反扣着。海面平静，听不见涛声。天气要是再好一点，他俩就像兜风途中顺便休息的情侣了。

哲朗下了车。海风凉飕飕的，他不禁缩起身子。

"哎，那边……"理沙子扬起下巴示意马路对面。

那里好像是三海屋的停车场，贴着"禁止随便停车"的提示。到了旺季，没地方停车的游泳者大概会胡乱停吧。

看样子最多容纳十辆车的停车场上只停了一辆。注意到那是辆白色单厢货车，哲朗身子僵硬。

哲朗装作是开车途中休息，慢慢靠近马路。也许附近有警察埋伏监视。他不经意地观察那货车。

货车侧面刷着"门松铁厂"字样，好像还写着电话号码。里面不像有人。

哲朗回到自己的车旁，装作看海。理沙子和他并排站着。

"哎，怎么办？"理沙子小声问。

"先得找中尾。"

"那当然，怎么找？"

哲朗忍住没说"我要是知道就不用辛苦了"，思索起来。周边的建筑不光是小店，还有民居。中尾会不会身处其中？如果在，怎么才能找到？

就在这时，哲朗的手机响了。他和理沙子对视一眼，按下通话键："喂。"

"那儿很危险。"

一听声音，哲朗顿时全身泛起鸡皮疙瘩。

"中尾！你在哪里？"

理沙子的表情立刻严肃起来。

"别在那儿东张西望，警察盯着呢。要边说边走，最好还不时笑笑。"

"告诉我你在哪里，日浦和你在一起？"

"别慌，现在告诉你。美月就在我身边，别担心。沿着路走，和三海屋相反方向。对，就这样。"

一手拿着手机走着，哲朗环视周围。听中尾的口气，他似乎正在附近看着自己。

"过马路，进第一条小巷，有家叫'海滨俱乐部'的旅馆。"

两人拐入小巷，看到前面有栋白色建筑，了无装饰，说是旅馆，看上去更像研究所。大门镶着玻璃，上面有"海滨俱乐部"的图标。

"看到了。你在里面？"

"很遗憾，那里采取会员制。你从它前面过来。"

照指示往前走，是一小块空地，再往前是山崖，没有去路。

"走到头了。"

"我知道。看左边，树丛中有石阶。"

仔细一看，有宽仅五六十厘米的石阶，又窄又陡。

"从这儿爬上去？"

"没错。对僵硬的身体来说可能够呛。"到了这种时候，中尾的语气仍令人感觉不到紧迫。

哲朗没挂电话，对理沙子说："你在车里等吧。"

"我不去更好？"

"我需要知道周围的情况。如果我们都去中尾那里，可能就不知道动静了。"

理沙子的表情不大情愿，但想了想后还是说声"明白"，就折回去了。哲朗想叮嘱她别被警察盯上，略一思索又没开口。她那么聪明，自己不必多此一举。

哲朗爬上石阶。石阶中途拐了个弯，接着又往上延伸。

"要爬到哪儿？"哲朗问。

"到能爬的地方。缺乏运动的身体很吃力吧？"

"有一点。"

终于看到了石阶终点。还剩最后两三级时，前面传来声音："我应该说欢迎吧。"

一张熟悉的脸出现在面前。

5

中尾身穿大衣，外系围巾，站在那里。看上去他比最后一次见面时更瘦了，脸颊瘦削，下巴尖得像三角尺一样，脸上浮出笑意。

他身后有一个小小的祠堂。美月半倚着躺在睡袋里，闭着眼睛。

"日浦她……"

"没事，只是睡着了。话说回来，你还真能找，竟然知道这里。"

"早田告诉我的。"哲朗说出早田打来电话一事。

"早田啊。听美月说，你们好像没有得到他的协助。"

"他也不想让你死。"哲朗看着好友，"你打算去死，对吗？"

中尾挠挠头，笑容中略带苦涩。

"美月对我说了你的推断。真了不起，能查出户籍交换真是不简单！"

"要是我推测错了就好了。"

"没有。"中尾靠向旁边枝叶繁茂的橡树，"差不多都被你猜到了，没什么需要修正。"

哲朗心情阴沉。他多么希望中尾能给出修正。

"中尾，自首怎么样？"他提议，"我听日浦说了事情的详细经过。杀死户仓并不是你的错，警方很可能会酌情处理。关于户籍交换，你就什么都不要说，这样不是很好吗？"

中尾和之前一样，只是嘴角露出了一丝诡异的笑容。他看着美月。

"西胁，你看，她睡觉的时候多可爱，很难看出已经年过三十。这张脸，你不觉得怎么看都是个女人吗？"

"你想说什么？"

中尾深呼一口气，接着摇了摇头。"可能你已经知道了，我母亲是个男人。外表看上去是个女人，内心完全就是男人。"

"我听嵯峨说了。"

中尾点点头。"小时候，母亲主动跟我说了实话。我简直不敢相信，最初以为她在开玩笑。"

这也不是没有道理，哲朗表示理解。

"可看着她热泪盈眶地诉说一切，我就明白了这既不是玩笑也不是别的什么。让我更为震惊的，是我父亲竟然知道这件事。"

"你父亲明知实情，还跟你母亲结了婚？"

"我母亲说，生完我之后就向父亲坦承了。但她推测我父亲大概也有所察觉。因为当她说出实情时，我父亲好像没有表现得很意外。"

"真了不起。"

"这，谁知道呢。"中尾歪了一下脑袋，"有时我想或许只是因为他不感兴趣罢了。就算如此，自从母亲对我讲明一切之后，我对性别的看法就改变了。你会觉得理所当然吧？因为这世上与我关系最亲近的女人，居然告诉我她其实是个男人。"

"嵯峨说你有看穿性别的超能力。"

"也不是什么大不了的事。只是和常人不太一样，我有个坏习惯，在看人的时候，会把其外表和内心分开，这倒是事实。久而久之，我也能掌握一点本质的东西。"

"那，日浦的事你怎么想？没看出她的内心是男人吗？"

中尾一时语塞，表情变得很复杂，像是为难，又像是害羞，还像是苦恼。

"我知道美月不是一般的女孩子，所以才对她那么痴迷。"

"所以才？"

"正是。"中尾点点头，"说得通俗一点，就是我一直在追随母亲的影子。美月有着和我母亲一样的气质。"

"你明知道她的心是男人的，还把她当成恋人？"

"不。"中尾摇头，"之前我也说过，美月对我来说是女人。那个时候是，现在也是。"

哲朗不明白他究竟想表达什么，没有随声附和，只是死死地盯着好友的脸。

"你一定觉得很奇怪。为什么我没有看穿美月呢？我不是觉得她和我母亲感觉很像吗？这正是她最大的魅力。我可能就是迷上她这一点了。与此同时，她的这份特质里包含着有关性别的最大的问题。这可以说是矛盾，也可以说是谜。"

"矛盾？谜？"

中尾眉头一皱，搓搓脖颈，好像是苦恼于不知该如何表达想法。

他终于转过头来看了一眼叹息的哲朗，像是下了什么重大决心。

"美月是男人，可同时也是女人。"

"这我知道。"

哲朗话音未落，中尾就开始摇头。

"不是单纯地说她的身体是女人，但内心是男人。她的内心既是男人的也是女人的。反过来也可以说，既不是男人的也不是女人的。"

"是说具有两面性？"

中尾稍稍考虑了一下，还是给出了否定的答复。"这么说好像还是不能表达出她内心的复杂性。说得简单一点，就是假设男人是黑石头，女人是白石头。美月就是灰色的石头。她拥有双方的构成要素，并且各占百分之五十，但她又不属于任何一方。原本人就不是单纯的白或单纯的黑，而是处在从黑变白的过程中。她刚好在正中间。"

"过程中……"

哲朗好像在什么地方听过类似的话。他想起是经营"BLOO"的相川说的。她用的是麦比乌斯环的比喻，说所有的男女都在麦比乌斯环上。

"我想人的大脑可能不是很稳定。"中尾说，"根据每天的身体状况和周围的环境，可能会在这个渐变过程中晃来晃去。我和你也是，有时会倾向女性一边。百分之九十五的黑和百分之九十八的黑虽有区别，但不会有太大影响。可要是百分之五十的黑变成了百分之四十五的黑，那就很不一样了。白的一边就会比黑的多出百分之十。"

"日浦的内心一直在这样一个比较微妙的地方徘徊？"

"正是如此。"中尾郑重地点点头，"不知是什么导致她这样左右摇摆。我一直在想可能跟生理什么的有关。我没有看穿她，也正是因为这个。"

"她和你在一起的时候，"哲朗低头看着熟睡中的美月，"女人的内心占了上风，所以你才会觉得她是女人。"

"大概如此。"

和我在一起的时候也是，哲朗在心里自语，美月的内心偏向女性一边。然而，和理沙子在一起的时候，大概倾向于男性一边。

他想起在美月老家看过的成人礼时的照片。她笑得那么有女人味，那大概不是装出来的。

"美月大概也没注意到自己的本性。"中尾接着说，"所以才很痛苦，一直在想自己究竟是什么。说是女人，可又有不协调的感觉，所以得出其实是男人这一答案。可真正作为一个男人生活的时候，察觉到问题终归没有解决。她嘴上不说，却一直在犹豫到底要不要变成男人。"

"在我们面前，她斩钉截铁地说自己是男人。"

"她强迫自己要深信不疑，那是自欺的结果。"

哲朗点头，他觉得自己好像明白了。

"嵯峨说你忽然中止了日浦的户籍交换。是因为你察觉到了这个？"

"就现在的情况来看，就算给美月男人的户籍，还是不能解决她的问题。到头来仍会有和做女人时一样的不协调感，从相反方向困扰她。"

"从相反方向……"

哲朗耳边回响起嵯峨说过的"只是让镜子映出了事物的相反面"。他当时指的就是这个。

"我开始反思，我们一直以来做的都是什么事啊？不单单是对美月，对于立石卓和佐伯香里，那样真的好吗？离真正意义上的解决还差得很远，觉得自己做的事毫无意义。"

"你不会是说自己要承担责任吧？"

"责任什么的，"中尾笑得很无力，"没有要承担的意思。现在能做的，就是守住他们的秘密，就算搭上性命。"

"请你不要说什么死不死的。"哲朗向中尾走近一步，"正是为了阻止你这么做，我们才特意赶到这儿。"

中尾低下头，再次看向美月。

"美月刚到这里就对我说，不会让我一个人去死。"

"她说要和你一起死？"

"差不多。我不会让她这么做，叫她回去，但她也没有乖乖照办。

我在下面买了罐装啤酒，加了安眠药让她喝下去，她才终于安静下来。睡袋是我从别墅那边带过来的。"

"你在用安眠药？"

"对。最近没有它就睡不着。但最后一颗让美月吃了。"

"是疼得睡不着吗？"

中尾不答。他把两手伸进大衣口袋，叹了一口气。

"日浦怎么知道是这儿？"哲朗换了个问题。

"她说，在你推测货车或许藏在高城家的别墅里时，就想到了这个地方。"中尾走到哲朗刚才走过的石阶，俯视沿海而建的城市。

"这里曾经是我和美月约会的地方。一起爬上石阶，我搂着她的肩看夜景。那时的她也是女人。"

这里好像是充满他们美好回忆的地方。美月确信，中尾若选择死，肯定会来这里。

"坦白说我很吃惊。昨天晚上之前一直在别墅，今天早上刚到这里就看到了美月。我想这不是做梦吧？"

"你故意让日浦睡着，打算独自去死？"

"是这么想，结果不行，很为难。就这么把美月留在这儿，恐怕很快就会被警察发现。"

哲朗表示理解。

"把货车的事通知警察的果真是你？"

"不是给警察，而是给门松铁厂打了电话。因为即便通知神奈川县警方，也不清楚警视厅的搜查本部什么时候能收到消息。可没想到报警之后能见到美月。在她睡着之前还好说，就在我不知接下来该怎么办时，从这里看到了高仓和你的身影。"

哲朗和中尾并肩而立，望向同一个方向。民房和餐馆的屋顶如阶梯一样排列着。更远处，能看到哲朗的车。理沙子好像在里边。那辆有问题的货车就在不远处。

"所以你才叫我过来？你该不会说让我带着日浦离开这儿吧？"

"不可以吗？"

"也不是不可以，只是我有个条件。你要跟我们一起走。"

中尾耸耸肩，动了动嘴唇。

"美月说了，QB 现在还是爱发号施令。"

"错了，其实我并不想当领袖。"

中尾摇摇头。"喂，西胁，那个时候真的很开心。为什么人会变呢？并且还是朝着不好的方向。如果成功就变得傲慢，失败了就变得卑微。我过去可没想成为这样的人。和有钱人的女儿结婚，给家里人的名字抹黑，我没想过这样的人生，可现实中还是选择了这样一条路，由这样一种自我厌恶燃烧出和嵯峨他们一起直面变性人问题的热情。可这只是自我满足，可能只是对现实的逃避。真怀念那段只须考虑如何打倒眼前对手的时光！"

"其实我也一样。"

"是吗？"中尾回头看着哲朗，点了点头，"可能吧。"

哲朗不经意间想起了早田。大概只有他没有变。他现在仍然只考虑如何打倒眼前的对手，就算那个人是他曾经的挚友……

"中尾，去自首吧。"哲朗说，"要是知道通报货车位置的是你本人，也算自首。"

中尾眨了眨眼睛，又恢复了先前的平静。

"从现在的局面看，好像只能这么做了，只要你什么都不说，带着美月离开。"

"我们不会让你去死。不仅不让你在这儿死，就算在医院里也是。自首之后，第一件事就是好好检查身体。就算是警察，这点要求还是会同意的。"

中尾闭上眼睛，像是感到很冷，合上大衣的前襟。

"我会去自首，但不想把美月也卷进来，只希望她能逃掉。"

"那要怎么做？"

"我现在去货车那边。这样，躲在暗处监视的警察大概会叫住我。我会在那里承认自己就是杀户仓的凶手。"

"然后呢？"

"趁警察把注意力都集中在我身上，你们看准时机带美月离开这个城市。这是我们引以为豪的打法。"

"声东击西？"

"正是。"

假装把球传给跑卫中尾，牵制住对方防守阵营，哲朗再来一个漂亮的长传。比赛中若这样打，就会轻松获胜。

"可日浦看上去一点都没有醒来的迹象。这样背着她很引人注意。"

"我们俩先把她背到台阶下边。你能先帮我联系一下高仓吗？希望她能把车开到这边。"

"有到这儿的路吗？"

"没问题。有一条只有当地人才知道的近道。"

哲朗取出手机，给理沙子打了电话，简单讲清楚情况，把手机递给中尾，由他详细指明该怎么走。

"好，把美月背下去吧。"中尾递还手机，说。

哲朗背着美月，中尾在后边扶着，慢慢往下走去。美月很轻，哲朗想，果然是女人。

在下面等了没多久，理沙子就开着车来了。

"感觉形迹可疑的人变多了。是警察？"她说。

"大概是。"哲朗回答。

"可明明没有感觉出有警车来啊。"

"又不是两小时短剧，不会特意做一些引起嫌疑人警惕的事。"

美月被放到车后座上。她睁开了眼睛，很快又合上了。

"交给我吧。"哲朗笃定地说。

中尾点点头看向理沙子。

"也给你添麻烦了。不是成心要骗你，希望你别介意。"

"这个你就别放在心上了。比起这个，倒是你赶紧去看医生啊。"

理沙子的声音有些颤抖，继而泪水夺眶而出。

"西胁也这么跟我说。虽没抱什么希望，被抓以后，还是准备先跟负责的警察说说看。告诉他如果不想让案犯死亡，就带我去医院。"

中尾大概是想当玩笑来说，可哲朗和理沙子都没笑。

"好了，十分钟之后你们原路返回，在这之前千万别动。明白了吧？"中尾竖起食指，满脸认真地说。

哲朗沉默着点点头。中尾迅速转身离开，可走了两三步就停下，折返回来。

"想给美月留下点纪念品，可什么都没有。把这个给她穿上吧。她穿得这么薄，看上去似乎很冷。"

"你不冷吗？"

"我没事。反正，一会儿就会被一群热血沸腾的警察围住，警车里应该会开着空调。"

哲朗和理沙子还是笑不出来。

中尾打开车门，把自己的大衣披在熟睡的美月身上，凝视她的面容，然后慢慢地凑近脸庞。

透过玻璃，可以看到他们的唇贴到了一起。

6

"美月要是醒了，你替我向她解释一下。"中尾说。

"大概会被她责备为什么不叫醒她，但也没有别的办法。嗯，我会的。"

"拜托了。"

中尾伸出右手，哲朗握住。那只手瘦得只剩下骨头了。以前，哲朗不知曾多少次把球传到他手中。今天却刚好相反，变成自己接球了。这个"球"就是美月。

"能见到你们真是太好了，很感谢你们能来。"

"以后也会去看你的。"

中尾微微笑了一下，轻轻点头。

"保重。"理沙子说。

中尾轻轻摆摆手，朝前走去。这次好像没打算回头。但哲朗和理沙子仍目送着中尾，直到他的身影消失在建筑物的尽头。

"他说十分钟之后。"哲朗坐到副驾驶座上，看了看手表。理沙子手握方向盘。

"嗯，他说在那之前千万别动。"

"真没办法。"哲朗叹了口气。

中尾是否真的会去自首，其实哲朗根本就没有把握。可现在他终于明白自己什么都做不了，他没有任何理由反驳中尾的计划。现在除了这样，他们已无路可选。

忽然，传来了怒吼声，并且不止一个人，同时还响起汽车发动的声音。哲朗和理沙子对视一眼。

"理沙子，开车！"

"可还不到十分钟啊。"

"不管了，快开！"

理沙子发动引擎，换到倒车挡，迅速倒车并马上转动方向盘。车轮打滑传出巨响，车头已掉转过来。她迅速换挡，准备驱车前行。

这时，忽然响起刺耳的警笛声，能听出是好几辆车的警笛声混在了一起。

"给我停车，停车！理沙子！"

车刚起动，理沙子急忙踩下刹车，哲朗往前猛地一栽。他一调整好姿势，立刻打开车门走了出来。

"你去哪儿？"

"在这里等我！"

哲朗朝来路狂奔。来到石阶下面，他毫不犹豫地往上跑去。他呼吸困难，肺部疼痛难忍，但还是咬紧牙关往上走。警笛声越来越远。

爬到刚才那个祠堂，他似乎隐隐听到了隆隆的响声。他喘着粗气朝海岸那边望去。

沿海而建的公路朝东西两个方向延伸开来。西边的道路蜿蜒曲折，时隐时现，通向遥远的半岛。半岛上聚集了很多警车。

海面变得耀眼起来。哲朗用手掌遮住光线，全神望向半岛周边。

几秒钟后，他的视线转移到半岛下面。从公路到大海的落差大概有二十多米。下面的岩石堆上横躺着一个白色四边形物体，好像还冒着烟。可以看到下了车的警察们正目不转睛地俯视。

哲朗颓然跌坐在地，双手抱头，闭上眼睛。

刚才在这儿和中尾谈话的情景就像录像快放一般，一幕幕在哲朗脑海中闪过。他还想起了中尾隔着头盔的面容。他明白不能一直就这么待在这儿，可身体动弹不了。他祈祷着，希望只是一场误会。可弄错的可能性根本为零。中尾离开这儿时就已下定决心。哲朗终究没能改变他的决心。

就这样过了一会儿，他听到有人抬阶而上。他想大概是理沙子，没有抬头。

那人在他面前站定。他睁开眼。是美月。

"日浦，你醒了……"

"不知究竟发生了什么。"她有点迷茫地说，"但他好像达到目的了。"

哲朗摇头。"我没能阻止他。"

美月顿时泄了气，说："我……也是。"

她的眼角溢出一滴泪，刚好落在哲朗正前方的地面上。他想起中尾刚才就站在那里。

刹那间，一股被什么东西催促着的情绪涌上心头。他快速起身。

"我们走，日浦。逃离这儿。"

"够了，怎样都无所谓了。"

美月刚说完，哲朗就给了她一巴掌。她捂着脸，打了个趔趄。

"我向中尾保证过会保护你。"哲朗抓过她的手，往台阶走去。

车里，理沙子两手搭在方向盘上，头埋在其中。哲朗察觉她大概也知道发生了什么。

他打开驾驶座一侧的门，理沙子吃惊地抬起头。她眼睛通红。

"走了，理沙子。我来开车。"

"可中尾他……"

"我知道，这个一会儿再说。"

"可是……"

"到副驾驶座那边去。"

理沙子下了车，迅速绕到副驾驶座。美月坐到后座上，披上中尾的大衣，很爱怜似的不住抚摸着袖子。

"从现在开始，你们俩十分钟内给我忍着别哭。"哲朗边说边驱车出发。

抄近道来到沿海公路，通往半岛的那一侧道路拥堵严重，警方好像正在对货车坠落的地方进行现场勘查。哲朗驶入相反方向的车道。他听到理沙子的啜泣声。

经过三海屋时，忽然闪出两个男人挡住去路。其中一个披着大衣，另一个是穿着制服的警员。哲朗无奈地踩下刹车。看上去像刑警的男人轻轻敲了敲驾驶座一侧的车窗，哲朗稍稍降下玻璃。

"打扰一下，想问你们几件事。"

"什么事？"

"这辆车刚才还停在旁边的停车场，我记得当时好像是那边那位小姐坐在驾驶座上。"刑警指了指理沙子。

"怎么了？"

握着方向盘的手开始冒汗，哲朗装出很平静的样子。为了不露出半点破绽，他精神高度集中。

"这里出了事，现在正在调查。冒昧地问一句，您是到这儿旅行吗？"

"嗯，差不多。"

"为什么要把车停在那里？"

"只是休息一下。"

"这位小姐独自坐在车里的时候，其他两位到什么地方去了？"

"什么地方？就在附近转了转……"

刑警露出怀疑的眼神。他好像很久之前就盯上这辆车了。看到消失了的车子再次出现，于是想盘问一番。

"可以问一下各位的身份吗？"

"可以。"哲朗一边假装翻找驾照一边发愁。美月的事该怎么解释呢？真名肯定不能说。

正在这时，传来了一个声音。"喂，干什么呢？"哲朗循声望去，早田小跑过来。

"早田……"

"在这儿干什么？"早田来到车旁问道。

刑警对他说道："怎么，你们认识？"

"是。这人姓西胁，自由记者。我请他帮忙采访这起案件。快把名片递上啊。"

哲朗连忙递上名片。刑警满脸狐疑地看完，很不满地转向早田。

"埋伏在这儿也是你的伎俩？"

"好像没有干扰调查吧？"

"要是招来什么混乱就麻烦了。"

刑警咂了一下嘴，重新审视起车里的人。

"另外两位是……"

"那边那位小姐是摄影师，叫高仓理沙子。"

理沙子适时地递上名片。刑警把她的名片和哲朗的放到一起，轻轻点点头。"后边那位呢？"

"他是……"早田顿了顿，又冷静地说道，"我的好朋友，叫中尾功辅。他对这一带比较熟，所以带着我们转转。"

哲朗吓了一跳，可这不能表现在脸上。他看了一眼早田，早田只眨了眨眼睛。

"中尾先生……嗯。"刑警满脸迷惑，显然是由于美月的性别，"能给张名片之类的吗？"

"今天好像没带吧。"哲朗说。

刑警的脸色正变得阴沉，美月用比平时粗很多的声音说："不，我带了。"她从大衣口袋里取出钱包，那是中尾的钱包。她从中取出名片递向哲朗这边。

"这上面写的是高城先生。"刑警看完名片说。

"这家伙最近刚离婚，之前是上门女婿。"哲朗说，"你们一查就知道。"

刑警收好三张名片，放进口袋，挠了挠鼻子。

"以后不要自己任意胡来。"他对早田说。

"是，真对不起。"

刑警带着警员走开了，只有早田仍站在原地。

"早田……"

"快走！"早田没有看哲朗。

哲朗点点头，发动引擎。透过后视镜，他看到早田已转身离开。

近端锋不仅要接好传过来的球，为了保护四分卫还需要参与防守。哲朗忽然想到这一点。

7

　　警察终究未能查明从三浦海岸跳下去的男子的身份。那人在自杀之前往头上浇了煤油，然后点火，所以面部很难识别。

　　警察能够明确得出结论的，是坠落的货车属于门松铁厂，并且正是户仓被杀之前从工厂开出的那辆。从烧剩的手上取下的指纹和留在佐伯香里家的指纹一致，手掌和手指的大小都和勒死户仓明雄的相吻合。被害人家属户仓佳枝和泰子明确表示她们根本猜不到此人是谁，但没人知道她们究竟在何种程度上认真看过尸体。

　　侦查员还去了"猫眼"，但没有得到确凿证据能证明死去的男子就是神崎见鹤。在以神崎见鹤的名义租的周租公寓里也检测出和死者一致的指纹。

　　佐伯香里的去向至今不明。搜查本部查出"猫眼"的香里不是佐伯香里本人，但未查出其真名。

　　搜查本部很不光彩地解散了。虽仍有几人继续调查死者的身份问题，最终又被新的案子缠住了手脚。大家都忘记了这起案件。

　　十一月又到了。

　　干杯后，高大的安西开始唠叨起来。

　　"今年早田也没来？参加的人一年比一年少，真寂寞啊。"

　　"不是也很好吗？大家都健健康康地做着自己的事。"松崎说。

　　"但还是想能一年确认一次大家互相之间到底有多牵挂嘛。"

　　"你说什么呢？像在唱歌一样。已经醉了吗？"

　　哲朗一边看着大家和安西打趣，一边自斟自饮啤酒。这样的场景像极了去年，却又有很大的不同。别人全然不知，只有自己明白。

　　"啊，对了。我今天带来了好东西，想让大伙儿都看看。"安西的大手伸进西服内袋，取出了什么东西。

"什么啊？给我看看。"坐在一旁的松崎一把夺过，"明信片？谁寄的？哦，是他吗？"

"谁？"哲朗问道。

"中尾。他说现在正环游世界呢。他也是个奇人啊，竟然还有这等喜好。"

"让我也看看。"哲朗探出手。

是从格陵兰岛寄来的。

"嗨，我们现在在冰雪的世界里。"开头是这么写的。

松崎说："明明好不容易才进入豪门，一般情况下，会离婚吗？"

"你不要这么说。上流社会有上流社会的烦恼，中尾肯定是厌倦了。"安西开始喝起清酒。

"中尾这家伙的字变漂亮了，以前简直看不得。果真是在上流社会受到了锻炼啊。"看着桌上的明信片，松崎佩服地说。

"不知道了吧？那是日浦写的。"

安西的话让松崎瞪大眼睛。"日浦？为什么？"

"今年夏天也收到了明信片。中尾好像和日浦一起去旅行了。好像写了吧，说两人现在相处融洽。这次只有中尾的名字，之前的署名是日浦。"

"哦，是吗？嗯，我听说日浦也离婚了？"

松崎看向哲朗，哲朗默默点头。

"嗯，那他们就是同命鸳鸯了。谁先表白的？"

"不论是谁还不都一样？"安西拍了一记松崎的后背，很珍惜地把明信片放回口袋，"十多年的单恋修成了正果，是很幸福的事。现在感觉他们俩是一体同心。只要他们幸福，我们当年玩球也就有意义了。"

安西和松崎对话时，哲朗没有插嘴。安西无意间道出了事情的真相。十几载的单恋。确实如此。很多人没有意识到自己正处于麦比乌斯环上，继续着单恋。

一直沉默的须贝转头看向哲朗。"对了，西胁你刚才不是说也带信来了吗？"

大家都吃惊地看向哲朗。

哲朗从口袋里取出航空邮件。

"这也是从国外，非洲的大草原寄来的。她工作也很辛苦啊。"哲朗说着把信递给须贝。

"大草原？谁寄的？"安西问道。

"理沙子，不……高仓寄来的。"

大家开始传阅那封信。看着这幅场景，哲朗回想起送她离开时的情形。

"那，我去弄一个达阵得分回来。"在机场，她这么说。

"加油！"

"嗯，我会加油。就交给我吧，"她又说，"QB。"

交给我吧，QB……吗？

哲朗喝干杯中的啤酒，想象着奔跑在草原上的她。

图书在版编目(CIP)数据

单恋/〔日〕东野圭吾著；赵峻译.－2版.－海
口：南海出版公司，2016.10
（东野圭吾作品）
ISBN 978-7-5442-8458-5

Ⅰ.①单… Ⅱ.①东…②赵… Ⅲ.①长篇小说－日
本－现代 Ⅳ.①I313.45

中国版本图书馆CIP数据核字(2016)第176058号

著作权合同登记号　图字：30-2009-149

单恋
〔日〕东野圭吾 著
赵峻 译

出　　　版　南海出版公司　（0898）66568511
　　　　　　海口市海秀中路51号星华大厦五楼　邮编 570206
发　　　行　新经典发行有限公司
　　　　　　电话（010）68423599　邮箱 editor@readinglife.com
经　　　销　新华书店

责任编辑　张　锐　翟明明
特邀编辑　黄莉辉
装帧设计　朱　琳
内文制作　王春雪

印　　　刷　保定市中画美凯印刷有限公司
开　　　本　890毫米×1270毫米　1/32
印　　　张　12
字　　　数　303千
版　　　次　2010年10月第1版　2016年10月第2版
印　　　次　2017年10月第27次印刷
书　　　号　ISBN 978-7-5442-8458-5
定　　　价　42.00元